CW00855539

Intrepid@

"Y la máquina de fotografiar sueños"

Intrepid@: "Y la máquina de fotografiar sueños"
Juan Antonio López Valverde

Editado por:
PUNTO ROJO LIBROS, S.L.
Cuesta del Rosario, 8
Sevilla 41004
España
902.918.997
info@puntorojolibros.com

Impreso en España
ISBN: 978-84-16274-58-1

Maquetación, diseño y producción: Punto Rojo Libros

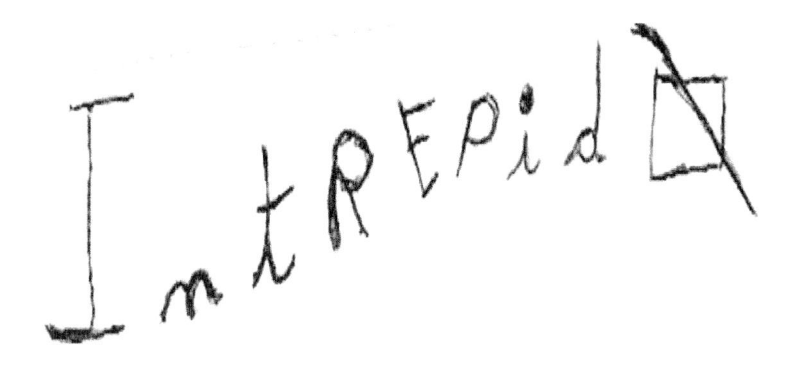

Este libro está dedicado a:

—José Antonio López Valverde

—Estés donde estés...

Quienes fallecieron en su infancia.

—A mis padres, Clemente y Dolores, y a mis hermanos, Clemente, Carmen. También a Vanessa, por animarnos a todos cuando estuvo muy enferma.

—A mis hijas, María y Núria, y a mi esposa, Ángeles, que, cada día, hacen realidad mis sueños y son lo mejor que se puede desear.

—A los "personajes" que se han prestado a participar en este proyecto sin pedir nada a cambio, pero dándome lo que más orgulloso me hace sentir: su amistad, su confianza, en definitiva. Nunca podré agradecérselo suficientemente.

—Por su ayuda y consejos a: Juan Blázquez, Ramón Vargas-Machuca, Stephanie Abilla, Andrés Muñoz, Mariola de Tomás, Enrique Campabadal, propietario del restaurante "La Platja" de Tarragona.

Sobre el autor

Del autor: Nacido en Monzón en 1963, pero residente en Catalunya desde muy joven, escribió su primera novela: "El caso Mitsuki", en 1980, creando el interés del entonces director de la Academia Española de Cinematografía, D. Luis García Berlanga, quien le propuso estudiar la posibilidad de llevarla a la pantalla. Sin embargo, el relato manuscrito, nunca llegó a sus manos. Con Intrepid@ espera, esta vez sí, poder llevar esta maravillosa y educativa novela a toda la juventud, y con ello, en cierta manera, convertirla en realidad.

José Navarrete (escritor)

Juan Antonio López Valverde

INTREPID@

"Y LA MÁQUINA DE FOTOGRAFIAR SUEÑOS"

Índice

Sobre el autor.......... 7

Parte Primera.......... 13

Parte Segunda.......... 35

Parte Tercera.......... 47

Parte Cuarta.......... 51

Parte Quinta.......... 73

Parte Sexta.......... 95

Parte Sétima.......... 105

Parte Octava.......... 107

Parte Novena.......... 111

Parte Décima.......... 141

Parte Undécima.......... 265

Parte Duodecima.......... 275

Parte Decimotercera.......... 281

Parte Decimocuarta..289

Parte Decimoquinta..295

Parte Decimosexta..323

Parte Decimoséptima..331

Parte Decimoctava..399

Parte Decimonovena y última..415

Personajes..423

Imágenes..429

Parte Primera

Cuando aquel 25 de enero Daniel cruzó la gran puerta del colegio Atlas de Tarragona, todo era normal, nada extraño parecía que fuese a suceder. Ya no recordaba, ni tampoco pensaba nunca en cuál sería la última vez que llegó puntual a clase... ¿Por qué debía importarle, si, al fin y al cabo, y al igual que él, muchos otros alumnos, cruzaban la puerta a esa misma hora, o incluso mucho más tarde, casi tantos o más, que los que lo hacían puntualmente, y ya estaban sentados en sus clases? Por desgracia, no era tan sólo eso lo que había llevado al antaño prestigioso Colegio Atlas de Tarragona, a una decadencia total, que lo situaba con los peores resultados en cuanto a la calidad de la enseñanza se refiere. El mismo edificio de los años 50 que lo alberga, estaba tan deteriorado, por dentro y por fuera, que quienes no lo denominaban " El Calabazal ", en alusión a su alto nivel de suspensos, lo llamaban " El galeón hundido ", en clara referencia a las goteras y desconchados, que le daban un deplorable aspecto, inmerecido y triste, para su historia.

Y es que, el Colegio Atlas, situado en la zona centro de Tarragona, había gozado, hasta hacía pocos [1]años, de un esplendoroso pasado. En sus aulas se habían formado grandes profesionales de todas las ciencias, artes y profesiones, muchos de los cuales, gozaban de reconocido prestigio internacional. El

---

[1] He quitado bien. Es redundante.

Galeón hundido, ahora ya[2] muy tocado, es un edificio funcional, sin estridencias arquitectónicas, similar a otros de su época. En algo era, en cambio, muy singular: gozaba de una magnífica luminosidad. Durante todo el año, la luz diurna entraba a raudales por sus grandes ventanales, distribuidos por todo el edificio, todo un lujo para las lúcidas y despiertas mentes que en él estudian. Sin embargo, ese lujo, y esas cualidades, se ven ahora empañadas por una especie de apatía sobrevenida y generalizada que campeaba[3] a sus anchas por todo el colegio. Sin que nadie sepa como quitársela de encima, impide que esas, en muchas ocasiones, brillantes personas, puedan dar lo mejor de sí. Quienes tienen el orgullo de haber cursado estudios en esas aulas, miran con pena y resignación el ocaso de la hasta hace muy poco envidiada institución.

Cuando nuestro protagonista, Daniel, casi alcanzaba el último peldaño de la escalera del segundo piso, donde se hallaba su clase de secundaria, escuchó a sus espaldas un grito, que venía directamente del despacho del director, situado en el primero.

—¡EH….! ¡TÚ…! ¡DANIEL…!

Daniel no tuvo la más mínima duda de que ese grito iba dirigido a él, incluso, mucho antes de que su nombre resonase ensordecedoramente en el hueco de las escaleras. Daniel se detuvo, no sin pensárselo dos veces. Él no era un cobarde, así que desanduvo todos los escalones que había subido y se enfrentó a la situación, como siempre hacia, como si fuese la primera vez.

---

[2] He quitado el sí por cuestiones estilísticas.

[3] En este caso, el verbo debe conjugarse.

—Yo no he sido; acabo de llegar —le dijo al director, nada más entrar en el despacho.

El director estaba tras su mesa, sentado en su silla giratoria, blandiendo entre sus mano el último ejemplar de la revista *Intrepid*.

—¡Ah...! ¡No...! Y, entonces... ¿Quién va a explicarme esto...?

Al tiempo de decir estas palabras, el director plantó en la cara de Daniel la portada de ese último número de la revista escolar *Intrepid*, que Daniel, en colaboración de su compañera de clase y también protagonista, María, publicaba. La componían cuando podían: en el recreo, en clase, y también en casa. *Intrepid* surgió tras la iniciativa de la tutora que habían tenido el curso anterior, cuando esta, en un acto de valentía sin igual, pidió a sus alumnos que crearan proyectos para realizar en equipo. Dos semanas después, tan sólo María la había tomado en serio, algo habitual en ella, y su propuesta de publicar una revista escolar había sido aceptada con una estruendosa aclamación por parte de todos sus compañeros, que pretendían, con ello, dar carpetazo al asunto y tapar de paso, la total ausencia de otras propuestas. En cuanto a Daniel, su inicialmente "adhesión al proyecto", se debió a un error. Cuando la profesora preguntó en pleno tumulto, quién, tratándose de un proyecto en equipo, iba a ayudar a María. Daniel que, estaba aprovechando el jaleo para hacer de las suyas, no la escuchó y levantó la mano para tirarle una goma a un compañero justo en el momento en que la profesora acababa de hacer la pregunta. De nada le sirvió a Daniel intentar explicar que había sido un error, incluso, en un arrebato de sinceridad admitió que levantó la mano para devolver un "gomazo" de un compañero. Esto, unido a que la profesora no iba a perder la oportunidad de alardear durante mucho tiempo de haber conseguido que en ese colegio se formara un equipo. ¡SI…! ¡DOS… alumnos juntos que realizasen un trabajo! Había conseguido hacer de Daniel un inquieto periodista. Un gran acierto, sin duda.

La revista *Intrepid* se redactaba con ordenador. Fotografías y dibujos se incluían junto a artículos sobre el colegio y anécdotas, más o menos, curiosas. La fotocopiaban y grapaban en un pequeño cuarto anexo al aula de plástica, asignatura de la que, tanto Daniel como María habían sido liberados para poder dedicarse a la revista.

En el despacho del director, Daniel reconoció la revista que tenía, literalmente, tocando su nariz, aunque no le sonaba que fuera esa la portada. Algo era diferente a como la habían compuesto el día anterior: era la fotografía. ¡No debía estar en la portada! Perplejo, no supo contestar cuando el director colocó su dedo índice sobre la foto, mientras sostenía la revista frente a la nariz de Daniel.

—¿Y bien? —le preguntó.

La instantánea mostraba al director en el deslucido picnic del acto de celebración de los ciento noventa y nueve años de la fundación del colegio. En ella, se le veía mordiendo un trozo de pizza. Lo cierto es que el mordisco que estaba dando, era tal cual lo hubiera dado un dinosaurio, con los ojos en blanco, casi saliendo de sus órbitas. Nuestro intrépido periodista lo había captado justo en un momento en el que la corbata del director se había metido encima de la pizza y, por lo tanto, estaba mordiéndola también. Eso no era, en realidad, nada extraño. La voracidad del director, D. Eduard Conde, era bien conocida. Daniel, muy sorprendido, se atrevió a decir...

—Laaaa…laa….la foto. Noooo… debería… estar… ahí… yyyy…

Antes que pudiese continuar, Don Eduard bajó el dedo hasta apuntar al texto que acompañaba a la fotografía diciendo:

—¿Y...esto...qué...listo?

El texto tenía por título: "¿Por qué se extinguieron los dinosaurios?" Y relataba, entre otras cosas, que los dinosaurios, grandes devoradores, habían perdido sus alimentos al oscurecerse el cielo tras el impacto de un gran meteorito; así que los dinosaurios acabaron comiéndose entre ellos. Cabe añadir, que en la foto y junto al director, ya fuera causado por un reflejo de la ventana o por el flash, se veía un reflejo, que se asemejaba mucho, al destello de un meteorito que fuere a impactar contra la cabeza del director.

—No....Nooo...séee. No debería estar así —balbuceó Daniel.

El director le hizo con la mano un gesto para que se sosegase y callase, y hablando en un tono suave, le dijo:

—Mira...Daniel... ¿Cuántas veces he dicho que iba a cerraros este panfleto revolucionario que os manejáis?

—¿Cien? ¿Mil? ¿Cien mil...? —contestó Daniel.

—Más, más...Y... ¿Cuántas lo he cerrado?

—Ninguna.

—Pues... ¡Escúchame bien! —le espetó D. Eduard, elevando ya el tono de voz—. Porque... ¡estás muy cerca de que sea la primera y última vez!

En ese momento, y con gesto grandilocuente, el director puso los pies encima de la mesa y se dispuso a entrelazar los dedos de las manos por detrás de la nuca con tan mala fortuna, que el conjunto silla—director se deslizó hacia atrás, cayendo con gran estruendo tras la mesa de despacho. Daniel aprovecho "el desliz" para salir disparado, suponiendo que el director tenía lo suficientemente dura la cabeza, para dañar antes el suelo que su cráneo. No era la primera vez que le veía caer de aquella manera, pero caramba... ¡siempre le pillaba sin su cámara de fotos a mano!

El director se incorporó tras quejarse levemente, recogió del suelo el ejemplar del *Intrepid* y sonrió...

Don Eduard Conde era el cuarto director que pasaba por el colegio en los últimos diez años. Al igual que sus predecesores, al aceptar el cargo, se propuso reponer el orgullo perdido y devolver al colegio a los estándares de calidad que jamás debió de haber perdido. A sus cuarenta y ocho años, soltero, y a un mes de cumplir su primer año en la dirección, lo más que había conseguido, era cambiarse de corbata una vez al mes y, que poner los pies encima de su mesa, fuera el gesto más autoritario que podía mostrar a los demás. El director, Don Eduard Conde, como se leía en los cuatro letreros que había tenido sobre su mesa, y que ya no repuso tras la desaparición del último, era un tipo que, en el pasado, había sido una persona afable. Llegó al colegio con las mejores intenciones. Había sido profesor en otros colegios, un magnífico profesor, amable, elegante, innovador y perfeccionista como pocos. Eduard Conde había participado en numerosas conferencias, simposios, congresos y era un referente en el mundo educativo. Tanto que, viendo el declive del colegio Atlas, las autoridades le habían considerado su única posibilidad de salvación. Sus ambiciosos objetivos para salvarlo fueron poco a poco desapareciendo; al mismo tiempo que sus camisas dejaron de ser planchadas, o que dejó de preocuparse por su aspecto y apariencia. Más que en una autoridad escolar, se había convertido en un personaje gruñón, desagradable y desgarbado, que poco tenía que ver con lo que se entiende por la máxima autoridad de un centro escolar.

En esa sonrisa al coger el Intrepid estaba implícita la razón por la que no se cerraba la publicación: en sus diez meses de vida, el *Intrepid* había sobrevivido al cierre, tanto de la revista escolar Atlas, como a la de la Asociación de Madres y Padres, pero lo que era realmente importante: la mayoría de alumnos la seguía con total asiduidad y les hacía pasar muy buenos momentos, tal vez, los únicos buenos momentos que pasaban muchos en su día a día.

El *Intrepid* podía recogerse durante toda la semana en la biblioteca, lugar que desde la aparición de la revista, sólo servía para su distribución, antes, ni para eso. Era raro que no se agotase el primer día de su publicación y debían ir constantemente reponiendo. Nadie quería perderse la sección: "Limpia, brilla y da esplendor", que era la que se disponía a leer el director. En ella, María y Daniel publicaban cada semana la aportación que realizaba el encargado del mantenimiento del edificio. Se había convertido en una especie de blog, en el cual los implicados, o cualquiera, podían explicar o replicar esperando a que se publicasen sus aportaciones. Luego, María y Daniel las "filtraban" e incorporaban las más divertidas. Algunas veces se les iba un poco la mano, como en esta ocasión en que la polémica se centraba en el uso del papel higiénico. La cosa iba más o menos así...

Personal de limpieza: Al marrano que ha dejado todo el rollo de papel tirado en el suelo del lavabo de ~~señores~~ (tachado por el personal de limpieza), perdón, ~~gorrinos~~ (tachado por la redacción), que haga el favor, de venir ya cag... de casa, o que se ponga un tapón.

Respuesta: A ver, yo no tengo la culpa de que algún gracioso dejase mal colocado el portarrollos y el rollo saliese bailando como una serpiente. Saqué la flauta y empecé a tocarla, intentando dominar el asunto. Al final, se contentó y cayó sobre sí mismo.

R. a la R.: Raúl, eres un guarro. ~~En el laboratorio hay tapones grandes.~~ (Tachado por la redacción).

R. a la R. de la R.: ¡La flauta dulce, mal pensada...! ¡Ah! y no soy Raúl.

R. a todas las R.: Claro... la flauta dulce y las almendras saladas. Eres un gorrino Raúl.

R. de Limpieza: Me da igual que tengas una flauta dulce, pero no te la lleves más al lavabo, porque, la próxima vez, te la meteré por el aliviadero para que en clase de música no tengas que tocarla con la boca ni tan siquiera soplar, vamos, que te bastará con apretar para que suene.

Mientras se reía, D. Eduard se decía así mismo: "Hay que ver que personal tengo. Estudiar no estudian, pero te ríes un montón con ellos".

Otra sección, que ojeó el director, era una de las que más éxito tenían. Era la sección de chistes tontos. Te hacían reír de la poca gracia que tenían. Los que aparecían en ese número eran:

"Un planeta y una estrella suben en un ascensor. El planeta le dice a la estrella: dale tú al botón, que a mí, me cuesta mucho estirar el brazo."

"Dos lechugas van de paseo y se cruzan con una escarola, entonces, una le dice a la otra: la próxima vez que vaya a la pelu, pediré que me hagan un rizado de esos."

El director se volvió a reír, no sabiendo muy bien el porqué o, tal vez, sí: esa era la gracia. Pese a algunas quejas, *Intrepid*, seguía publicándose. Era el pilar más sólido del "Galeón casi hundido", el que iba a salvarlo de hundirse definitivamente.

El veinticinco de enero, para Daniel y María, transcurrió como cualquier otro día, si bien ellos, aún no sabían cómo, pero ese día iban a ver cambiar sus vidas... y otras muchas cosas, también.

Aquel veinticinco de enero, Daniel era un chico feliz y despreocupado. Era uno de esos chicos indispensables en todas las salsas, simpático, alegre y educado. Hijo único de unos padres que lo querían con locura. Aunque no quisiera admitirlo, el proyecto *Intrepid* de María era, con mucho, lo mejor que, después de su familia, le había pasado. Su carácter aventurero y atrevido le hacía el candidato más adecuado para la publicación de una revista divertida y mordaz. Daniel era, además, muy inteligente, pero a la vez tan inquieto que le costaba centrarse en algo que no supusiese el estar todo el día de boca en boca. Daniel, aunque podía, no sacaba notas brillantes. Podría, incluso, hartarse de sacarle brillo a los excelentes que era capaz de sacar y no sacaba, pero no: siempre había algo que le inquietaba más, que le seducía más que el aplicarse para pasar del suficiente o el bien pelado. Sus padres, por cuestiones de trabajo, se habían visto obligados a residir en Centroamérica. Al volver, los problemas diplomáticos impidieron que Daniel pudiese convalidar el curso y tuvo que repetirlo.

Los padres de Daniel, sabedores de lo que Daniel era capaz de dar, y el colegio incapaz de sacarle, habían pensado en numerosas ocasiones en cambiarle de escuela. Ellos mismos eran ex alumnos del Atlas y les había ido muy bien allí. No se explicaban la mala situación por la que atravesaba el colegio y confiaban en que esta se resolviese en breve. La verdad era, que sabían lo mucho que *Intrepid* significaba para Daniel y ello les hacía resistirse al cambio. A pesar de esa realidad, Daniel jamás agradecía a María que hubiese tenido la idea de crear *Intrepid*.

María, un año menor que Daniel, era todo lo contrario de él. Estudiante brillante, de las mejores, sin duda. Era una máquina de sacar sobresalientes. Su planificación para estudiar, su disciplina a rajatabla, su impecable comportamiento le servían tanto para ser una de las alumnas preferidas por el profesorado, como para granjearse la enemistad de algunos compañeros de clase que, juntos, no le llegaban ni al talón en nada. A pesar de ello, María siempre demostraba ser una buena amiga: ayudaba a todo aquel que se lo pedía, a pesar de esa animadversión. María tiene una hermana más pequeña, de nombre Nuria, que, sin entrar en detalles, ni desvelar nada por anticipado, al contrario que María, tiene un sueño muy.... ligero... y eso va a ser muy importante en el desarrollo de esta maravillosa historia.

Sus padres, son de esas personas, que quieren tanto a sus hijos que tienen la necesidad de achucharles a besos y a abrazos. Si pudieran contarse, a muchos les parecería exagerado, yo, sin embargo, pienso que más vale que sobren, a que, como en muchos casos, falten. En este caso, también los padres, creían que las niñas estarían mejor cualquier en otro centro escolar, pero *Intrepid* les impedía, también, dar el paso definitivo para ese traslado.

María y Daniel se fueron a casa, tan confusos como al llegar. No había explicación lógica ni razonable para que tanto la fotografía, como el texto apareciesen juntos en la portada, y no separados y en el interior, como lo habían dispuesto. El texto que correspondía a esa foto, era el siguiente: "El picnic de celebración se queda corto de comida". Daniel sabía, que con ese pie de foto, tampoco hubiera evitado la bronca del director, eso iba implícito en el "cargo", pero, al menos, había tenido alguna explicación, al fin y al cabo, era cierto que el colegio había calculado mal el abastecimiento e igualmente habría sido vitoreado por sus compañeros...bueno, tal vez no tanto como lo fue con lo de los dinosaurios.

Cuando ambos llegaron a casa, explicaron a sus respectivos padres lo ocurrido. Convencidos todos de que se había tratado de un error de impresión, les pidieron que fuesen más prudentes que, a veces, rallaban la grosería. Les advirtieron de que cambiasen de actitud, o se exponían a que el director les clausurara la publicación.

Convencido Daniel de que la polémica acabaría y que, seguidamente, aparecería otra nueva, por cualquier otro motivo, intentó quitarse el asunto de la cabeza, al tiempo que le entraban unas insistentes ganas de acabar los deberes e irse a dormir. Los finalizó mucho antes de lo que esperaba, le parecieron bastante fáciles, en contra de lo que ocurría siempre. Al cerrar el libro de ciencias, comprobó, con absoluta sorpresa, que recordaba, en su total literalidad y orden, todas las palabras que había leído y, auto examinándose, repetía una y otra vez la lección, como si no se lo acabase de creer, recitaba hasta las comas. Eso sí era bastante más extraño que lo del *Intrepid*. Convencido de lo "empapado" del tema que estaba, se dispuso a ver la tele, aunque su madre le repitiese, una y otra vez, que siguiese estudiando y él le replicase, que se sabía hasta el tamaño de las ilustraciones. Finalmente, su madre se rindió y el siguió mirando la tele, pero sin poder concentrarse. Algo le tenía totalmente desconcertado. No sólo no podía concentrarse en su serie favorita, sino que, además, le hacía tener prisa por irse a dormir.

Cuando le llamaron para cenar, acudió sin rechistar. Sus padres estaban impresionados. Acabó la cena, se tomó su vaso de leche y, para mayo sorpresa de sus padres, más pronto que tarde, les dio un beso de buenas noches y...

—Me voy a dormir, hasta mañana.

Boquiabiertos miraban el reloj sus padres, siendo entonces, tan sólo las 20:45 horas.

—Daniel, cariño ¿Te encuentras bien? —preguntó su madre.

—Estoy de maravilla, mamá, pero quiero irme a dormir.

Daniel se metió en la cama, tapándose hasta la nariz. Su madre apareció y le dio un tierno beso en la mejilla y, con la misma ternura, le dijo:

—Eres el mejor hijo que tengo.

—¡Pero si sólo tienes uno...! —le replicó Daniel

El armario que había a la derecha de su cama se abrió. La ropa estaba algo descolocada en su interior; de él cayó un magnifico sombrero de ala, como los que llevan los aventureros en las películas, sombrero que su padre, arqueólogo de profesión, le había traído de uno de sus viajes a Egipto. Según decía, había pertenecido a un auténtico explorador del África. Su madre recolocó la ropa en el interior del armario, recordándole a Daniel que debía ser él quien lo hiciera de vez en cuando. Al ir a colocar de nuevo dentro el sombrero, Daniel le dijo:

—Mamá, por favor, puedes dejarlo aquí, al lado de la cama.

Y su madre le contestó:

—Claro, hijo, ¿es que piensas ir de expedición aventurera esta noche?

—Pues...a lo mejor —contestó Daniel.

—En ese caso, no dejes de ponértelo, no sea que te golpees la cabeza al salir por la ventana.

Su madre apagó la luz y salió cerrando la puerta. Daniel recordó las palabras de su padre." Este es un sombrero de aventurero de película, de los que nunca se les caen de la cabeza, aunque caigan dando volteretas por el interior de una catarata". Comenzó a recordar las cosas que le habían pasado en ese día que casi llegaba a su fin. No fue por mucho rato. Se quedó profundamente dormido y comenzó a soñar. Soñaba que estaba en el despacho del director y que este le señalaba con un dedo amenazador mientras le gritaba.

—He intentado que cambiases, que te volvieses una persona responsable, pero no: sigues comportándote de forma temeraria y desobediente... No consentiré que sigas por ese camino, porque yo... ¡SOY TU PADRE!

Daniel e despertó sobresaltado, pegando un gran bote en su cama y un alarido de espanto. Tan pronto se incorporó del bote, volvió a tumbarse, tapándose completamente, esta vez, cabeza incluida. Sí, eran risas, alguien estaba riéndose en su propia habitación, no estaba sólo. Acababa de ver a alguien desconocido, había alguien sentado a los pies de su cama. Sin dejar de escuchar las risas, sintió un alivio extraño para alguien que tenía a un desconocido en su habitación. Con sigilo, sacó la mano para coger la linterna que como buen aventurero, tenía siempre en el cajón de su mesita de noche, pero no le hizo falta: al abrir el hueco entre las sábanas, vio como una tenue luz rosada iluminaba la habitación. Entonces, sin miedo alguno, se volvió a incorporar frente a la figura que se hallaba sentada a los pies de su cama, y que aun sonreía tiernamente. Daniel cada vez se sentía más relajado ante la figura de esa niña que brillaba en la oscuridad.

—¿Quién eres? Y... ¿Cómo has entrado en mi habitación? —le preguntó—. Soy un chico, y voy en pijama—Añadió.

La niña le miró y antes de que Daniel pudiese formularle otra de las nueve mil preguntas que le rondaban por la cabeza...se arqueó de brazos, y sonriendo de nuevo, le dijo:

—YO... ¡SOY TU PADRE! —y la niña volvió a reír a carcajada limpia.

—Así que el sueño, bueno, la pesadilla, ¿ha sido cosa tuya?

Y sin dejarle tiempo para contestar, casi atrancándose con las palabras, siguió:

—¿Cómo has entrado en mi habitación? Y ¿Por qué en mi habitación...? ¡Ah...! ¡Ya sé...! ¡Estoy soñando...!

En el momento que lo decía, se pellizco el brazo, provocándose un intenso dolor.

—¡Caramba! ¡No estoy soñando...! Bueno... salvo que el pellizco sea parte del sueño... ¿Qué está pasando...? Estoy muy confuso...

—Tranquilo, tranquilo. Voy a contestarte con tres palabras... —le contestó la niña.

Daniel estaba expectante, echando el cuerpo hacia adelante mientras esperaba la explicación de la niña.

—Soy un ángel.

—¿Un ángel? —replicó Daniel, añadiendo—. ¡En todo caso, serás un fantasma! ¡Bien has entrado a través de la pared!

La niña hizo una mueca de tristeza y se mostró cabizbaja.

—¡No! ¡No! ¡No quería decir un fantasma malo! ¡Creo que eres buena, muy buena! Creo que eres... ¡una princesa!

—No, no soy una princesa, aunque lo fui, hace muchos años.

—¿De veras? Y... ¿Por qué no lo eres ahora?

—Fui la princesa de mis padres, pero un día, tuve que marcharme de su lado y me convertí en un ángel —contestó la niña

—¿Quieres decir... que estás muerta? —represguntó Daniel.

—Sí, es así como se dice.

—Vaya...lo...lo siento, pero...ahora...estás aquí, eso es bueno ¿No? ¿Verdad?

Dijo Daniel de forma entrecortada. Estaba arrepentido por lo que había dicho, deseaba de todo corazón, que la niña dijese que sí y ella le contestó.

—Sí.

Y Daniel sintió un profundo alivio. En realidad, él no se explicaba por qué sentía tanto cariño por esa niña ángel a la que acababa de conocer. Tampoco se sentía ya muy asombrado... ¡Como si eso le pasase cada noche! La niña siguió hablando.

—Creo que va a ser muy bueno. Veo que tú eres tan buena persona como esperaba.

—¡Já! Pues eres la única que lo piensa...pero una cosa... ¿Por qué estás aquí? ¿De qué me conoces? ¿Cómo te llamas?...Si tienes nombre, claro.

—Claro que tengo nombre. Me llamo Geneviève y una vez tuve nueve años. Estoy aquí porque necesito tu ayuda para algo que sólo puedes hacer tú.

—¿Mi ayuda? ¿Para qué? ¿Por qué la mía? ¿Acaso no hay nadie más en el mundo? No entiendo nada. De verdad que no me importa que estés en mi habitación, aunque yo esté en pijama y, la verdad, no quiero que te vayas.

Entonces la niña le mostró la portada del *Intrepid*, la misma que le había costado la bronca con el director, a lo que Daniel contestó:

—¿Has venido desde el cielo para echarme la bronca? ¿Tú también?

—No...tonto...no. Mira la foto. Fíjate bien...

—Vale, me fijo. Veo a un dinosaurio comiendo pizza. No, no quería decir eso —intentó rectificar Daniel—. No se lo dirás a don Eduard, ¿verdad?

—No, no te preocupes, no se lo diré.

—¡Buff! ¡Menos mal! Oye, hablas muy bien, para tener tan sólo nueve años.

—He dicho que tuve nueve años, pero de eso hacen muchos más. Pero, sigue mirando la foto.

—¿Qué tengo que ver? Que busco?

—Ves ese destello sobre la cabeza de don Eduard.

—Sí, debe ser el flash en la ventana, imagino.

—No, no es el flash; soy yo.

Daniel se aproximó más a la foto intentando ver la cara de la niña en el destello.

—Tu máquina de fotografiar sueños me ha captado.

—¿Mi máquina de qué...?

Al instante, Daniel echó mano al cajón en busca de su máquina de fotos. La encontró, pero su tamaño y tacto eran diferentes.

—Un momento... Esta no es mi cámara de fotos. Es... es la vieja máquina de fotos de mis padres. No sé qué hace aquí, ¿dónde está la mía?

—Con esta máquina tus padres te hicieron tu primera fotografía justo después de nacer y, con ella, mis padres me hicieron a mí la última. Ese vínculo nos une a través de los tiempos. Tranquilo, tu cámara está sobre la cómoda.

—Aún lo entiendo menos... ¿Quieres decir, que esta máquina era de tus padres?

—Sí, mis padres la regalaron a un mercadillo de beneficencia y acabó yendo de un lugar a otro hasta que tus padres la compraron en un atienda de antigüedades durante su viaje de luna de miel a Norteamérica. Tu padre está convencido, de que está máquina de fotos tiene mucha historia, y es cierto —explicó Geneviève.

—Es verdad. Mi padre siempre me recuerda lo de mi primera fotografía. Él creía que el haberla hecho con esa máquina me dará suerte. ¿Cómo conoces tan bien a mis padres? —preguntó Daniel.

—Como diría un ángel en una buena película: "yo sé muchas cosas de todo el mundo".

—Pero, ¡yo no hice la fotografía de la portada con esa cámara! ¡La hice con la mía!

—No lo recuerdas bien, fíjate otra vez en el fondo de la fotografía.

—No veo nada.

De repente, la fotografía se amplió de forma espectacular hasta el punto de que Daniel la soltó asustado.

—¡Cógela! Sólo es uno de mis trucos fáciles… —le explicó Geneviève.

—¡Caramba! Pues yo no podría hacerlo ni en mil años. ¿Cómo lo has hecho?

Geneviève le hizo un gesto para que callase y Daniel volvió a coger la fotografía... Entonces lo vio.

—Esos que están de espaldas son mis padres. Mi padre lleva… ¡Claro! ¡Mi cámara! ¡Lleva mi cámara! Mi padre quería hacer fotos y enviarlas por internet. Mi máquina puede hacerlo directamente. Con la otra no podía hacerlo, así que yo cogí la vieja máquina, porque, aunque sea de carrete, me gusta muchísimo. Puedo hacerlas con el teléfono, pero en ese momento, con la vieja máquina a mano, ¿cómo iba a perder la oportunidad de hacer una foto así, intentando buscar el teléfono? Todo esto es fantástico. No me lo puedo creer.

—Pues vas a tener que creerme, porque tenemos una misión.

—¿Una misión? ¿Qué misión?

—Tú y esta máquina vais a hacer que muchos de vuestros sueños se cumplan y que los de otros muchos niños se conviertan en realidad.

— ¡Vaya! ¡Una misión de verdad! ¿Con la máquina de fotos? ¿Para qué?

—La vida de las personas es una sucesión de imágenes. Si pudieras hacer una fotografía de cada instante, tendrías una vida completa en imágenes. Pero hay otras imágenes que no podrías ver jamás: las que están en los sueños, en los deseos. Sólo verías las imágenes de las personas, cuyas vidas están plasmadas en esos deseos y sueños. Muchos de ellos son su futuro, que está en esas fotografías sin poder ser visto. Quiero revivir a unos niños que vivieron hace dos siglos y cuyas vidas están retratadas en imágenes llenas de sueños y deseos. Esas imágenes están ahora paralizadas en el tiempo actual que es suyo y de ellas, sólo puedo intentar extraer su futuro, adivinarlo y... acertar.

— Quieres decir, que la vida de esos niños se ha paralizado... y tú puedes... ¿reiniciarla a través de unas fotografías? ¿Existían las cámaras de fotos hace dos siglos?

—Has acertado. Imagina un enorme castillo de naipes hecho con fotografías. Si no conseguimos completarlo, se derrumbará, como si no hubiese existido jamás, como si no hubiésemos sido capaces de descifrar lo que esas fotografías nos revelan. No, las cámaras de fotos no existían aún, pero eso no quiere decir que esos niños no soñasen con su futuro y que, incluso, lo viesen en imágenes, como cuando imaginas el futuro y te ves en él. Es... como cuando desenchufas un aparato eléctrico: su piloto, ya desconectado, sigue encendido durante unos segundos. Quiero recoger esos segundos y adivinar, desde ellos, cómo hubiese seguido su futuro.

—O sea…No es que lo entienda del todo, salvo una cosa, están en peligro. ¿Conozco yo a esos niños? ¿Será como en las películas? ¿Por qué yo?

—Mira, Daniel, esos niños son como vosotros, aunque no tienes ninguna obligación de participar en esta misión. Ya te he explicado que existe un vínculo entre tú y yo: la cámara de fotos. Creo que eres la persona indicada para ayudarme. Confío en ti. Va a ser una aventura fascinante.

—¿De verdad? ¡Es alucinante! ¿Cómo voy a hacerlo…?

Geneviève explicó a Daniel una parte del plan.

—Parece bastante sencillo: Irme a dormir y esperar a escuchar una canción. Pues sí que es fascinante, sí —dijo Daniel, con algo de sorna—. Perdóname, Geneviève, tú eres un ángel, pero yo no sé como atravesar paredes ni volar, por muchos chichones que me haga.

—La noche es mágica, Daniel, en ella todo puede suceder, hasta lo más increíble. Voy a encargarme de que puedas atravesar las paredes y volar a la velocidad de la luz. Voy a crear para ti, una "vida no real paralela", aunque, no te garantizo que no te hagas algún chichón. Va a ser una aventura asombrosa, pero también compleja y con dificultades.

—Caramba, eres mejor que cualquier agencia de viajes, pero sigo sin entenderlo.

—La música será la señal. Espera a escucharla. Tú haz sólo lo que creas que debas hacer. Es así de sencillo: eres lo suficientemente listo y valiente como para hacer lo más conveniente.

—Pero… dificultades, ¿qué dificultades? Eres un ángel… ¿Cómo puede haberlas?

—No puedo explicártelo todo, Daniel, debes confiar en mí. Los sueños son a veces tan reales que, en ocasiones, atraviesan la barrera de lo real y puedes vivir realidad y ficción al mismo tiempo y no darte cuenta. Es como las interferencias eléctricas de la televisión o la radio. Los sueños son, muchas veces, confusiones que mezclan pasado, presente y futuro y, todo eso, puede desencadenarse en el mismo lugar y tiempo. Seguro que te ha pasado muchas veces, que has vivido un sueño extraño de forma tan real que no te has dado cuenta de que era irreal hasta que te has despertado.

—¿Quieres decir que pueden pasar cosas reales y falsas al mismo tiempo sin que te enteres? ¿Qué si en un sueño que se me caga una paloma encima, la paloma puede ser falsa, pero…la cagada real?

—¡Ja!¡Ja!¡Ja! Sí, es exactamente así. ¡Ja!¡Ja!

—¡Pues vaya mierda! ¡Uy…! Perdón.

—¡Ja!¡Ja!¡Ja!¡Ja!¡Ja!

Geneviève siguió explicándole el plan.

—Y… ¿Qué pasará sí mis padres entran en mi habitación y me despiertan?

—Mientras tus padres y el resto del mundo, a excepción de los miembros de tu equipo, dormirán mejor de lo que lo hayan hecho nunca y no entrarán en tu habitación. Además, tú seguirás en ella. Harás lo que se llama un viaje astral. Quienes compartan contigo ese viaje, a excepción de tu equipo, no recordarán nada de lo sucedido. Será como esos sueños que tiene todo el mundo, pero luego no se recuerdan jamás. Hay mucha gente que dice que no sueña, eso, es imposible. Los sueños suceden cada noche, aunque no los recordemos después. Y tú te vas a encontrar con mucha gente de esa… Yo les llamo soñadores.

No pierdas la cámara de fotos y no regreses sobres tus pasos. Si haces eso, todo irá bien. No puedo explicarte nada más, es tarde. Si no te crees capaz de hacerlo, no hagas caso de la música. Seguirás durmiendo y, al despertar, no recordarás nada de mi visita: me marcharé y no volveré jamás.

—¿Que no me creo capaz? ¡Claro que lo soy!, pero....un momento.... ¿Equipo?

Y en ese preciso instante, Daniel se quedó profundamente dormido.

Parte Segunda

Cuando Daniel volvió a despertar, tras escuchar una preciosa canción, estaba sentado en el interior del portal de una vivienda unifamiliar pareada de la calle Mozart de Tarragona. Con la espalda apoyada en la pared, miró a su alrededor y con la mano derecha, se dispuso a darse el mayor pellizco que fuese capaz de darse. Sólo la magnífica cazadora de cuero estilo aviador que llevaba puesta, impidió que se clavase las uñas hasta el hueso.

—¡Vaya! —gritó sorprendido, mientras descubría los estupendos pantalones de explorador que llevaba. Unas gruesas botas y un su muñeca, un espectacular reloj, que al mover el brazo, cambiaba la imagen en el interior de su esfera, cambiando la hora que indicaba en cada una de ellas. Dentro podía leerse " Intrepid@" Pronto entendería el porqué de todo ello. Entonces, dio un brinco, al observar que frente a él, en ese pequeño vestíbulo exterior, había un espejo.

—¡GUAU!

Acababa de descubrir que llevaba puesto su sombrero de aventurero y por supuesto, su cámara de fotografiar sueños.

—¡Caramba! ¡Soy el aventurero de mis sueños! ¡El héroe de las películas! ¡El bueno!

La calle estaba tranquila. Su magnífico y recién estrenado reloj, marcaba las 20:00 horas, y todo, absolutamente todo a su alrededor, se estaba durmiendo por momentos. Daniel escuchó el motor de un coche que se acercaba, más y más. Era lo único que se escuchaba, cada vez más próximo.

Se trataba de una furgoneta, la cual se detuvo, justo frente a la puerta del nº 238 de la calle Mozart. Esa vivienda es la residencia del sr. Torres y de la Sra. Bové. Son los abuelos paternos de Nicolás. Nicolás es un niño que estudia en el colegio Atlas. Al día siguiente, Nicolás cumplirá diez años. Es el mayor de su clase.

Esa noche, como casi todas, Nicolás duerme en casa de sus abuelos. Estos se encargan también de llevarle y recogerle del colegio. Sus padres pueden dedicarle poco tiempo, debido sobre todo, al exceso de trabajo de ambos. Su madre es enfermera en un hospital de la ciudad. Normalmente, hace jornadas de veinticuatro horas continuadas. En alguna ocasión, puede pasar algún tiempo con él, pero entre los quehaceres habituales y que se la come el sueño, ese tiempo, ni es realmente mucho, ni es de calidad. Su padre es diplomático. Trabaja asignado a proyectos de cooperación internacional en casi todo el mundo. Está, prácticamente, siempre de viaje, y al igual que pasa con su esposa, los quehaceres de la casa, las compras, etc., impiden, de igual manera, que los ratos que pasa con su hijo le cundan. Como en tantas otras ocasiones, un viaje de trabajo le impediría estar en el décimo cumpleaños de su hijo, ¡qué se le iba a hacer!

Nicolás era un buen chico. Su carácter, sin embargo, se había ido volviendo fácilmente irascible. Sus padres, y mucho menos sus abuelos, no sabían qué hacer con él. Se habían rendido ante las consolas y la televisión, y aunque todos querían mucho a Nicolás, la distancia entre ellos se hacía cada vez mayor. En el colegio, Nicolás sacaba malas notas, era desobediente y se olvidaba siempre de hacer los deberes. Ese curso era candidato a repetir. Sus compañeros habían dejado de jugar con él, pues se enfadaba continuamente y ya nadie quería ser víctima de sus enfados o, incluso, de sus golpes. Aunque comía en el colegio, los responsables del comedor estaban deseando que dejase de hacerlo. No era un chico muy solicitado.

En el costado de la furgoneta, detenida en la calle Mozart, podía leerse: "REPARACIONES DE ENSUEÑO".

Daniel vio como se abría la puerta lateral corredera izquierda de la furgoneta. Alguien descendió por la misma.

—¡MARIO! ¡MARIO! —le llamó Daniel.

Mario era un compañero de clase, tenía su misma edad.

—¡MARIO! ¡MARIO! ¡Cuánto me alegra verte! Ya pensaba que estaba solo en mis sueños.

—Yo también me alegro de verle...jefe.

—¿JEFE?

—Es evidente —dijo Mario, al tiempo que se miraba de arriba abajo. Mario iba vestido con un mono de trabajo azul. En la cabeza, una gorra con un grifo xerografiado, y en la mano derecha, una caja de herramientas.

—Sí —dijo Mario mirando la vestimenta de Daniel, y añadió—, sólo hay que vernos a los dos.

—Pero, tío, ¿me estás diciendo que estabas soñando que eras fontanero? ¡Eso, ni es aventura, ni es nada!

—¡Ja! ¡Ja! No he podido elegir. Me he despertado dentro de la furgoneta y ya iba así vestido.

—Todo esto es cosa de Geneviève —dijo Daniel.

Ambos se explicaron su experiencia y lo que habían hablado con Geneviève.

—¿Lo ves como eres el jefe? Pero aunque así sea, no pienses que me quedaré recogiendo trastos y metiéndolos en la furgoneta, mientras los demás os vais de aventura. Yo, no me la pienso perder.

—Y... ¿No tienes miedo? Porque yo, estoy espantado.

— ¿Sabes una cosa, Daniel? sí, estoy un poco asustado, aunque a ti, para ser el jefe, se te nota el olor desde aquí.

—¡Eh! ¡Vamos! ¡Eso no es verdad! —le replicó Daniel—. Bueno, es verdad que tengo miedo. Todo esto, no es normal.

—¡Ja! Mira, jefe, estoy harto de ver pelis en las que los niños repeinados se convierten en héroes y de ver como a las niñas se les cae la baba por ellos. Al final, siempre acabo soñando que soy uno de ellos y... ¡YA ESTA BIEN! ¡ESTA ES MI OPORTUNIDAD DE SERLO! Y... ¡QUIERO SERLO!

—Entonces... ,¿tú crees...que no nos pasará nada malo?

—¡VAMOS!, Geneviève es una niña maravillosa, ya la has visto. ¿Crees que un ángel se nos ha aparecido a los dos por casualidad? ¿Crees que todo esto es falso? Porque, si lo crees, mira esto...

Entonces, Mario dirigió la llave de la furgoneta hacia esta y la apretó. La puerta lateral se cerró. Daniel se echó a reír y dijo:

—Con esos poderes..., no iremos muy lejos

Entonces, Mario volvió a apretar el mando. Los intermitentes se iluminaron. Un pitido sonó tres veces y cuando Daniel iba a volver a reírse de nuevo, la furgoneta desapareció, tal cual, por el arte de la magia de la noche.

—¿Sabes que te digo, Mario? ¡Que ya estoy harto de que los mayores del cole se metan siempre con nosotros! ¡Ha llegado el tiempo en que nuestras hazañas se conozcan más allá de los mares, de obtener el reconocimiento y la alabanza de nuestros enemigos! Sí, este es nuestro destino, hagamos que se cumpla. Nuestra bravura será comentada en el mundo entero. ¡JA!¡JA!¡JA!¡JA!

A Mario se le cayó el caramelo que se había puesto en la boca y aseveró:

—Caray, que bien habla usted, jefe.

—No vuelvas a llamarme jefe —le replicó Daniel—, y mucho menos, me trates de usted. Por otra parte, Watson, sí, esta noche, parece que me he tragado el diccionario.

—Es lo que tenéis los jefes, coméis mal y rápido.

—Está bien —dijo Daniel—. Como dijo Geneviève, ahora toca improvisar. Toca el timbre, Mario Goteras.

—Lo que usted mande, jefe.

Mario tocó el timbre de la casa. Se escuchó el sonido del Big Ben. Tuvo que llamar de nuevo. Mientras esperaban que se abriese la puerta, Daniel dijo.

—Son las 20:30 horas. Tenemos que entretener a los abuelos para que el niño haga los deberes del colegio. El niño está despierto. Habrá que conseguir que se duerma antes de las diez de la noche. Nada ni nadie debe impedirlo. Si lo logramos, deberemos llegar al punto de encuentro antes de las doce de la noche. Así es como lo explicó Geneviève.

En ese momento, recordó sus palabras: "Improvisa, tú siempre aciertas. Nunca te echas atrás. En todo momento, sabrás que hacer" también recordó otra cosa: "Equipo"

—Perdona, Mario, no te lo tomes a mal, pero... ¿Tú, tú, eres... mi único equipo?

Aunque no quería reconocerlo, Daniel echaba de menos a María, su infatigable compañera en el *Intrepid*. Le hubiera encantado tenerla en su... "equipo".

—No, jefe, pronto conocerá al resto. Todos están al corriente de la misión y creen que podrás conservar la máquina de fotos sin que le pase nada malo. Por lo que a mí respecta, y no te lo tomes a mal, creo que me será más fácil conseguir eso, que el que me hagas un buen pase de balón en el patio del colegio.

—¡Serás...!

En ese momento, se abrió la puerta del nº 238. Una persona bastante mayor de edad apareció tras el umbral de la misma.

—¿Quiénes sois? ¿Qué queréis?

—Nos envía la compañía de seguros por lo de la fuga de agua.

—¿De la compañía de seguros? ¡Si hace solo diez minutos que he llamado dando el parte! Es una fuga muy pequeña que ya he atajado yo. Solo espero que vengan y me arreglen el grifo.

—Pues a eso venimos, señor, precisamente —dijo Daniel

—Es muy tarde, puede esperar a mañana... Además, ¿no sois muy jóvenes para trabajar? ¿Y tú? ¿Quién eres? Tu cara me suena.

"Claro", pensó Daniel, "del colegio". Mientras, se decía a sí mismo: "piensa, piensa, improvisa".

—Soy el perito, señor. Estoy diplomado en la Universidad de Quésito Light of Cambridge.

—¿El perito? Y... ¿Por qué vas vestido de esa manera?

—Ejem.. es... es, que después tengo que ir a hacer un complejo peritaje en el SAFARI LAND. Unos leones se han escapado y han entrado a hurtadillas en la hamburguesería, un desastre. Mi vestimenta es lo que nosotros conocemos como "Imaginative dressing", para confundir a los leones.

—Es una fuga muy pequeña. Los daños causados pueden esperar otro día a ser reparados y no sé nada de leones. Ahora es muy tarde. Vuelvan otro día y... gracias —sentenció el anciano.

Daniel siguió improvisando, aunque no sabía cómo hacerlo, pero tenía que conseguir entrar en esa casa. Algo le inspiró.

—Disculpe, señor. ¿Ha dicho?... ¿pequeña fuga?

En ese preciso instante, un chorro de agua cruzó el pasillo desde la cocina. Al tiempo, se escuchó a Enriqueta, mujer de Manel:

—¡MANEL! ¡VEN CORRE! ¡HA REVENTADO EL GRIFO! ¡CORRE!

El abuelo Manel miró a los chicos, vio como el chorro de agua salía de la cocina y les dijo:

—¡PASAD! ¡PASAD! ¡RAPIDO! ¡PASAD!

Entonces, Daniel le dijo a Mario:

—¿No querías ser fontanero? ¡Pues ala, a por la fuga!

Mario fue corriendo hacia la cocina, donde ya estaba Manel intentando taponar el grifo con un trapo. El tubo se había soltado. Allí estaba también Enriqueta, poniendo cubos y buscando papel y serrín para el suelo. Daniel tenía vía libre para acceder a la habitación de Nicolás, en la planta superior de la casa. Subió. Abrió una puerta, pero no había nadie. Tampoco acertó con la siguiente, que era un baño. No se oía a nadie. Volvió a pensar en María. Estaba seguro de que ella habría sido más efectiva. La tercera puerta era un vestidor, y la cuarta... ¡Por fin!

Al abrir, se llevó la segunda sorpresa de la calle Mozart, pero aun no sospechaba que vendrían más.

—¡MARIA! —exclamó casi chillando—. ¡MARIA! ¡Cuánto me alegro de verte! ¡Tú también estás en mi equipo! ¿Verdad?

—Sí, sí, estoy en el equipo ¡Qué guapo te hemos puesto!

Daniel, emocionado, no prestó atención a estas últimas palabras.

—Y no vas a llamarme jefe, ¿verdad?

—No, no voy a llamarte jefe, pero tenemos prisa. Nicolás casi ha acabado todos los deberes, pero, claro, sigue despierto y no parece tener mucho sueño. Son casi las nueve.

—Pero, un momento, María. ¿Qué hace aquí tu hermana? ¿También es del equipo?

—No, no es del equipo —contestó María.

—¡Sí lo soy! —le replicó su hermana Nuria.

—¡Yo también! —se apuntó Nicolás.

—Un momento ¿Cómo van a ser estos dos...bebés...de mi equipo? ¿Se ha vuelto loca Geneviève? —preguntó Daniel.

—No, no, no saben de qué hablan. A mi hermana le he dicho que sí por seguirle la corriente. No he podido evitar que me siguiera —dijo María.

—¿Por qué? ¿Me estás diciendo que está totalmente despierta, y que mañana va a explicarlo todo? Esto es escribir el final antes de poner la primera letra.

—¡No! ¡Escúchame! Cuando Geneviève me dijo que tenía que venir, me dijo que improvisara, que me saldría bien...

—¡Ya! —dijo Daniel—. ¡Como a mí!

—Así que llamé a la mamá de Nicolás y le dije que había estado hablando con él en el colegio, porque mi hermana me ha dicho, que mañana es su cumpleaños y le han puesto muchos deberes, además, de un examen de matemáticas. Entonces, le dije que yo podría venir con Nuria, que va a su clase, y ayudarle a estudiar y a hacer los deberes y jugar después. Su madre me dijo que Nicolás no juega con nadie, así que le pareció una idea estupenda. Se quedó tranquila, me dio las gracias y me pidió que perdonara a Nicolás, si se ponía muy tonto.

—¡Fantástico! ¡Te has traído a tu hermana intencionadamente! ¿No te dijo Geneviève lo grave que sería que se desbaratara la misión?

—Sí, me lo explicó. Yo no pensaba en traerme a mi hermana, fue una excusa que le puse a la madre de Nicolás, para poder venir yo. Van a la misma clase, pero, al sacarme Geneviève de la habitación, mientras seguía dormida en ella, vi a mi hermana esperándome en la puerta con el abrigo puesto y hasta me dijo: ¡Vamos María!

Volví corriendo a mi habitación y vi que yo, seguía durmiendo en ella. Fui corriendo a la suya y no, ¡ella no estaba! Ella, toda ella, la real y la de la vida no real paralela, estaban esperándome en la puerta de casa con un solo abrigo puesto, ¿lo entiendes? Así que me la he tenido que traer. ¿Qué iba a hacer si no?

—¿Quieres decir? —contestó Daniel— . ¿Que la cama de tu hermana está vacía en tu casa y que tus padres pueden entrar y ver que Nuria no está en ella y después ir a la tuya y despertarte, y despertarnos o dormirnos después a todos, haciendo que la misión acabe?

—Espero que no hagan eso. Geneviève dijo que todos dormirían plácida y profundamente —le contestó María

—Pues con Nuria no ha acertado. Espero que tenga más suerte con los demás.

—María, —dijo Nuria— Hemos acabado de estudiar. Nicolás se sabe toda la lección.

—Bien—dijo María—Ahora guardarlo todo en la mochila y Nicolás, a dormir.

—Yo no quiero irme a dormir. Voy a sacar un juguete muy chulo —dijo Nicolás.

—Un momento, Nicolás —le dijo Daniel—. ¿Has visto cómo voy vestido?

—Sí, me gusta.

—Soy un explorador y viajo por todo el mundo.

Nicolás se puso muy triste y dijo:

—Mi padre también viaja por todo el mundo y, por eso, no podrá venir mañana a mi cumpleaños. Bueno, vendrá pasado mañana. Ahora está en Nueva York. Me traerá un regalo muy bonito.

Nicolás hablaba con tono de resignación, como si ya hubiese vivido lo mismo anteriormente. María intentó tranquilizarle:

—Seguro que será un magnífico regalo. ¿Sabes una cosa, Nicolás? Estoy convencida de que a tu padre le duele mucho no estar contigo, mañana y todos los días que está lejos de ti.

—Entonces..., ¿por qué no está conmigo? Eso es que no me quiere.

Nicolás se puso a llorar y María volvió a intentar tranquilizarle.

¡Claro que te quiere! ¡Te quiere muchísimo! Vamos a hacer una cosa: cojámonos de las manos y soñemos que estamos en Nueva York. Cerremos los ojos y busquemos a tu padre. ¡Vamos a darle una sorpresa! ¡Imagina la cara de felicidad que va a poner cuando te vea!

El niño indicó:

—Yo no sé cómo es Nueva York.

—Sólo tienes que pensar en edificios muy altos, coches muy grandes y taxis amarillos. Vamos a hacer que se cumpla tu sueño. ¡VAMOS! Daros la mano y... ¡SUBID AL AVIÓN!

Se cogieron la mano. Todos imitaron el ruido de un avión.

—Bueno..., ¡si ya estamos llegando!

—Sí, —dijo Nicolás—. Ya veo la Torre Edifel.

—No, tonto, se dice: "Torre de pie"—Intentó corregir Nuria.

Todos rieron hasta que Nicolás dijo_

—Veo a papá. Está viniendo hacia aquí.

María le dio un tierno beso en la mejilla. El niño ya se había dormido.

Parte Tercera

Nueva York, 13 horas antes

El móvil de David Torres resonó con estrépito, con urgencia. Tuvo la impresión de que era una llamada importante. Él estaba quitándose la corbata. Aquel 25 de enero, en Nueva York, nevaba copiosamente. Tuvo que estirarse sobre la cama para coger el teléfono que, como suele pasar, estaba en la mesita del otro lado. Al primer zumbido, se le encogió el corazón, al pensar que fuese una llamada de Tarragona por alguna trastada que hubiese hecho su hijo Nicolás. Eso sí: tenía los números con sintonías diferentes, y esta, era la asignada a las llamadas de trabajo. David Torres se sumía en un enorme sentimiento de culpabilidad, por no pasar más tiempo con su hijo. Sentimiento, que no le abandonaba, hasta que abrazaba a Nicolás.

Contestó con un muy americano ¡Yeah!, y la voz, al otro lado del teléfono, le dijo:

—¿Sr. Torres?, soy Melissa. El Sr. Andrews me ha pedido que le diga, que la reunión de mañana, ha sido aplazada. El servicio meteorológico del estado, ha anunciado, que las nevadas van a intensificarse durante la noche de hoy y durante todo mañana, por lo que empiezan a cancelarse numerosos vuelos, así, que la mayoría de los diplomáticos que no han llegado aun, es muy posible, que no puedan hacerlo.

—Vaya...y ¿le ha dicho el Sr. Andrews, que debo hacer?

—El Sr. Andrews me ha encargado que le encuentre un vuelo, a poder ser para esta misma noche, directo a Reus, por si prefiere usted marcharse, antes de quedar aislado.

—Claro... ¿Puedo entonces marcharme?

—Por supuesto señor. Su presencia en Nueva York, así, como las de los demás delegados, es absolutamente arriesgada, por lo que les ruega, que vuelvan a sus lugares de origen, lo antes posible.

—¡Caramba! ¡Muchas gracias! ¿Puede usted decirme entonces, que vuelos tengo para volver a casa?

Melissa le comunicó los vuelos disponibles. Tenía uno en tan solo tres horas. Lo justo para ir entre la nieve, pasar los controles y embarcar. Melissa le reservo ese vuelo y David le dio las gracias. Saltó de alegría: iba a poder estar en el cumpleaños de su hijo, Nicolás. Tenía que salir zumbando. Se acabó de vestir. Baló al vestíbulo y liquidó la cuenta. En la calle había -4º centígrados, y nieve por todas partes. Tuvo suerte y paró a un taxi. Lo había visto a unos veinte metros, por eso, se puso delante, por si no quisiera detenerse.

Melissa, en ese momento, compraba con su madre en Manhattan. No había ningún vuelo a Reus, o cercano, en las próximas quince horas. David Torres estaba, sin saberlo, dentro de una vida no real paralela, creada, exclusivamente para él.

"¡Vaya!" Pensó Torres. "Llevo tres años cogiendo taxis, cuando vengo aquí, y jamás había subido en un cheker. Supongo, que este coche habrá superado un montón de tormentas de nieve."

—Sí, señor, así es—le contestó el taxista cuando entró en el coche.

David Torres no tenía conciencia de haber hablado en alto... ¿O, tal vez, sí lo había hecho? Lo achacó al frío.

Resultaba evidente que el taxista sabía conducir. Durante el trayecto entre la ya espesa capa de nieve, David le dijo al taxista que volaba a Tarragona para estar en el cumpleaños de su hijo. El taxista le contó su terrible historia: hacía unos años, él trabajaba durante todo el día en el taxi. Apenas veía a su mujer y a su hijo Joseph, de seis años. Un día, prometió a este, llevarle a Central park a jugar en un estanque con un pequeño barco de vela. Cuando se disponía a plegar para ir a recogerlo, le salió una carrera a Lake Placid, y no pudo ir. Le pidió a Linda, su mujer, que lo llevara ella. Cuando volvió de Lake Placid con los 130 dólares de la carrera, sus compañeros de trabajo le estaban esperando. Su mujer y su hijo habían fallecido atropellados. David quedó profundamente consternado ante lo que le acababa de explicar el taxista.

—Vaya...lo...lo...lo siento —pudo tan sólo decir.

—No se preocupe —le contestó el taxista—. Hágase un favor: quiera mucho a su hijo. Dele muchos besos, abrácele siempre que le apetezca y no deje de decirle lo mucho que lo quiere. Esté a su lado todo lo que pueda. A él eso le garantizará ser mejor persona. Ese es el mejor regalo que podrá hacerle jamás.

Torres llamó a su mujer. Le dijo que volvía a casa, a Tarragona, esa misma noche. Le dijo también que iría a casa de sus padres, que se quedaría a dormir allí y que, por la mañana, ambos llevarían a Nicolás al colegio. Pasarían juntos el décimo cumpleaños de su hijo.

El taxi se detuvo. Torres abrió la puerta. El sueño le estaba invadiendo, pero antes de poner un pie en el suelo, le dijo al taxista:

—Me alegro de haberle conocido. Estoy seguro de que jamás le olvidaré. Que tenga una buena noche y… cuidado con la nevada.

—Gracias, señor, pero yo, ya he acabado mi trabajo. Esta es mi última carrera por hoy. Ahora cogerá el taxi un compañero que está muy vivo… por cierto, señor, aquí no nieva.

Parte Cuarta

Tarragona

—Daniel, Nicolás está dormido —dijo María.

—Estupendo. Metámosle en la cama y nos vamos. ¿Sabes dónde hay que ir ahora?

—Sí, lo estudiamos con los demás miembros del equipo.

—¿Más miembros del equipo...? ¿Cuántos?

—Ya los contarás tú mismo. Ahora, vamos a ver qué hace Mario. Parece que los tiene muy entretenidos. Nuria ha bajado porque oía risas.

Daniel, recordó otras de las cosas en las que Geneviève le había insistido: "La máquina no debe dejar de hacer fotos. Úsala tú también. De esa forma, no la perderás de vista. No debes perderla, o será muy difícil alcanzar nuestro objetivo". Hizo una foto a Nicolás durmiendo.

Bajaron a la cocina. La avería había sido reparada de una forma un tanto peculiar. Mario estaba usando el mando de la televisión. Cada vez que apretaba, salía disparado un chorro de agua desde el grifo de la cocina. El chorro cruzaba el pasillo y caía justo dentro del lavabo y a la inversa. La abuela Enriqueta se moría de risa, porque el divertido de Mario decía cosas como esta:

—¿Dónde ponemos el pulpo en remojo señora? Vale, póngalo en el bidet.

Entonces, Mario apretaba el mando y el chorro salía directo hacia el bidet. El abuelo, también riendo sin parar, se sacó los dientes y los puso dentro de un vaso, diciéndole a Mario:

—A veg goven. Dale al bando a veg si le adiertas al vaso.

Mario apretó el mando y el chorro acertó en el vaso. Apretó de nuevo y calló en la boca abierta de Nuria. Todos reían a carcajada limpia.

—Mira, joven —dijo el abuelo (con la dentadura colocada de nuevo en su boca)—. Eres el fontanero más extraño y divertido que he conocido, pero me parece que nos iremos a dormir. No sé qué me pasa, pero me caigo de sueño. ¡Ah! Dejaré el mando de la tele en el cuarto, por si tengo que ir a hacer pis... ¡JUA! ¡JUA! ¡JUA! Bueno, jóvenes, somos muy viejos y queremos irnos a dormir, así, que si nos disculpáis, y si Nicolás está ya durmiendo...

—Nicolás está dormido señor. Le hemos metido en la cama y le hemos tapado. Como estaban ustedes muy liados en la cocina...

Los abuelos estaban cayendo en un profundo deseo de dormir.

—Muy bien, entonces, buenas noches. Si no os importa, cerrad la puerta. Ahora bajaré a cerrar con llave. Antes, echaré un vistazo a Nicolás.

Los dos abuelos subieron las escaleras. Esa noche, no bajarían a cerrar con llave.

—Un momento. Me he dejado mi estilográfica conmemorativa Commandeur en la habitación de Nicolás. Subiré con ustedes..., si me lo permiten.

"Sí", pensó Mario, "se ha tragado el diccionario". Daniel estaba temeroso de que despertasen al niño. El abuelo abrió la puerta de la habitación y vio que el niño dormía bien tapado.

—Busca tu estilográfica joven —le dijo a Daniel.

Al tiempo que eso decía, Enriqueta ya había quedado dormida y vestida en su cama. Manel tenía unos segundos, los justos para entrar en la habitación y caer desplomado en la cama. La vida no real paralela lo inundaba todo ya. María y Mario subieron de nuevo.

—Tapemos a los abuelos, no vayan a coger frio —dijo María a Mario.

Junto a Daniel, se ocuparon de quitarles los zapatos y meterlos dentro de la cama, bien tapados. Después, lo inspeccionaron todo, el gas, los grifos, las ventanas.

—Se nos está haciendo tarde. Cojamos a Nicolás y marchémonos... ¡Ya! —dijo Daniel—. Venga, ayudadme...Un momento, va en pijama... ¿Vamos a sacarle así?

—¿Qué importa eso?—contestó Mario—.¿Es que aún no has visto suficientes cosas raras esta noche? Bien, cojámosle de una vez.

—Un momento, la cama se queda vacía. Eso no puede ser, no así —dijo Daniel.

—Tenemos que llevárnoslo, sea como sea. Está dormido ¿No? Pues, ¿qué más da? Hay que improvisar... ¿recordáis? Estoy tan confundida como vosotros, pero hay que seguir adelante, y yo voy a seguir hasta el final —sentenció María.

—¿Sabes algo del final? —preguntó Daniel.

—No tengo ni idea, pero quiero estar, cueste lo que cueste —le contestó María.

Salieron de la habitación con Nicolás a cuestas.

—Como pesa para tener sólo nueve años —dijo Mario.

—Casi diez —le contestó María—. ¡Pero pesa mucho menos que tú!

Ambos rieron. Mientras, Daniel dio media vuelta. Abrió la puerta de la habitación de Nicolás y sí, Nicolás estaba en su cama, tal cual lo estaba, antes de que lo sacasen de ella, y al mismo tiempo que era llevado a cuestas por María y Mario por el rellano del primer piso. Antes de cerrar la puerta, Daniel escuchó el ruido de un motor, luego el de otro más. Al momento, escuchó algunos más. Era muchísimo ruido de motores. ¡Eran camiones! Entró, se asomó por la ventana de la habitación y sí, eran camiones, camiones militares, al menos una docena de ellos, grandes y de color verde oscuro. Eran como los de las películas. El segundo de los camiones se detuvo delante del número 238 de la calle Mozart, en Tarragona.

Daniel bajó corriendo las escaleras. María, Mario, con Nicolás a hombros, ya habían bajado. Les miró. Se preguntó como lo habían hecho ellos dos solos y, sobre todo, tan rápido. Mario, al ver la cara de asombro de Daniel, le dijo:

—Parece que un ángel nos ha echado una manita, porque yo me he sentido como si pudiera bajar un piano yo solito.

—¡Bluff…! Voy a ver qué pasa con esos camiones militares —le contestó Daniel.

—Tranquilo, jefe, que no son enemigos. Son de los nuestros —este era Mario, de nuevo.

—¿De los nuestros…? —y este, Daniel… de nuevo.

Abrió la puerta y allí estaban una docena de camiones enormes, limpísimos, como recién salidos de un concesionario, pensó Daniel. En casi todos ellos se oía música, voces alegres y muchas risas. Daniel levantó el toldo trasero del camión que quedaba justo delante de la puerta. En la caja del camión, un montón de gente, todos ellos en pijama, bailaban y cantaban por allí dentro. Algunas caras le sonaban, pero, en ese momento, no sabía de qué. Entonces, se dirigió a la puerta del conductor. Tuvo que subir los dos peldaños de rejilla, para poder abrir la enorme y gruesa puerta. Desde fuera no había podido ver al conductor, aquello, era tan grande, que parecía no haber nadie al volante. Abrió la puerta.

—¡NEREA! ¡NEREA! ¡PERO! ¡PERO! ¿Tú también estás en el equipo?

—Sí, si lo estoy. Verás que bien lo vamos a pasar. ¡Va a ser una fiesta fantástica! Pregúntale a Clara, está en el camión de atrás.

Daniel salió raudo hacia el camión de atrás. Escuchaba el mismo estruendo y gentío que en el anterior. Miró detrás del camión. Al igual que el otro, estaba lleno de gente en pijama y bonitos camisones. Como cualquier niño de su edad, remiró por si veía a alguien ligero de ropa, o sin ella. No hubo suerte, pero él se hizo la promesa de no dormir jamás desnudo, "por si los ángeles". Subió los dos peldaños hasta la cabina y abrió la puerta del conductor.

—¡CLARA! ¡CLARA! ¿Tú también estás con nosotros? Pero…pero… ¡Vais en pijama!

—Espera a vernos en la fiesta. Hemos trabajado mucho para que salga bien. Pero, primero, hemos de cumplir la misión. Después… ¡A pasarlo bien!

Daniel estaba tan asombrado, que se le amontonaban las preguntas. Sería el jefe, sí, pero parecía que él era el que menos sabía de lo que iba a ocurrir esa noche. Casi era mejor así: iba a necesitar mucha capacidad de improvisación para guiar los acontecimientos hacia un buen final.

—¡CLARA! ¡CLARA! ¿Quién lleva los otros camiones?

—Bueno... Otros miembros del equipo y algunos soñadores. Llevamos mucho material, bebida sin alcohol y ¡MUCHA MUNICIÓN!

¿Mucha munición? ¿Se trataba de una fiesta o de una guerra? La verdad, iba a ver bastante de ambas cosas. Daniel se encaramó al primero de los camiones.

—¡ALEX! ¡ALEX! Pero... ¡Si no se te ve!

Aunque aún le quedaba bastante por crecer, a Alex no se le veía en el inmenso asiento del gran camión. A los demás, les pasaba lo mismo: apenas podían ver por encima del volante y rozaban los pedales con la punta de los pies. En ese momento, Mario subió al camión de Alex por la puerta del otro lado, acompañado por Nuria y diciéndole a Daniel:

—Nos vemos, jefe. Te quedas con el plato fuerte de la misión. Nos llevamos a Nuria hasta el final de la misión. Llevaos vosotros a Nicolás, nosotros seríamos un blanco demasiado fácil. Iréis más ligeros. Espero que lleguéis a tiempo.

—De acuerdo... Sí ha de ser así...,así sea. Ha llegado el momento de la verdad. Alex, contéstame tan solo a una cosa... ¿Desde cuándo sabes llevar un camión?

—¡Espero aprender esta noche...! ¡YUUJU...!

Y el camión salió disparado. El resto de los camiones le siguió, alejándose por la calle Mozart con rumbo desconocido, desconocido, para Daniel. El último vehículo era un jeep willis. En él iba Juliana, compañera de clase de María y Daniel. Al pasar les mandó un beso y les deseó suerte, ante la sorpresa de Daniel, que volvió a entrar en el 238 de Mozart. Pero antes, hizo fotos de todo. María le estaba esperando en el sofá, junto a Nicolás.

—Espero que se despierte pronto, porque no vamos a llevarlo así a su fiesta de cumpleaños —le dijo María cuando entró.

—¿Habéis preparado una fiesta de cumpleaños?

—Sí, una gran fiesta y tenemos que llegar a ella antes de las 00:00 horas y son las 22:00. Si llegamos, será para celebrarlo, habremos completado con éxito la misión.

María miró su reloj Intrepid@, igualito al que llevaba Daniel. Esos relojes eran únicos. Podían adaptarse a los bruscos y radicales cambios que suponía moverse entre la vida real, la vida no real paralela y surcar los sueños, al mismo tiempo. El reloj expandía o comprimía el tiempo de forma automática y se adaptaba a cada dimensión en la que entraba o salía, de forma que marcaba siempre la hora exacta. Mientras, en cada dimensión, era otra diferente. Pero era tan fiable, que para bien o para mal, no se podía dejar de respetar su horario, o la normalidad de la vida real regresaría, pero sin sus portadores, que desaparecerían para siempre.

—¡BUAJ! ¡Tenemos tiempo de sobra! —dijo Daniel, aunque no les iba a sobrar ni un minuto.

Escucharon el ruido de otro motor. Pensó que Geneviève les habría enviado un coche para recogerles y llevarles a la fiesta. Él no había querido preguntarse como llegarían a ella, porque esa noche todo parecía posible. Sin embargo, miro por la mirilla y, para una vez que pensaba que algo no iba a sorprenderle, por fantástico que fuese, esto le causó estupor, y no para bien.

Un taxi se detuvo justo delante del 238. No era un taxi cualquiera, al menos, en Tarragona. Era un taxi amarillo, un "Checker", un auténtico taxi neoyorquino de la compañía "King Cab Taxi Corporation". Daniel quedó desconcertado. Amarillo y grande. Con un cartel en el techo, en el que se leía: "TAXI". Sobre el capó: "City of New York". Unas franjas a cuadrados negros de lado a lado de la carrocería y, la tarifa, en dólares americanos. En el costado trasero, un lema "Everywere we bring you'll be the King".

La puerta del taxi se abrió y por ella, un pie se asomó. Quien fuese, se detuvo un momento para hablar con el conductor antes de salir. Daniel aprovechó para pedir a María que mirara por la mirilla y ella lo hizo. Miró a Daniel con cara de asombro y, cuando este volvió a mirar, se sorprendió todavía más.

—¡Alguien viene, pero no sé quién es!

Se escondieron detrás del sofá con Nicolás, que aún estaba inconsciente. El pomo de la puerta comenzó a girar y la puerta se abrió. Un hombre, de unos cuarenta años, entró y encendió una pequeña luz de la cómoda de la entrada. Hizo un gesto de tener molestia en los ojos. Dejó el maletín, la maleta y el abrigo en el sofá y se metió en la cocina, encendiendo un pequeño fluorescente bajo uno de los armarios. María aprovechó para susurrarle a Daniel, que esa persona era el padre de Nicolás, a lo que Daniel contestó:

—Pero... ¿No estaba en Nueva York?

—Sí, lo estaba, pero debe ser el primer hombre que cruza el atlántico en taxi, y ahora está aquí.

—¿Qué vamos a hacer? No podemos dejarle subir y entrar en la habitación de Nicolás, querrá despertarle —dijo Daniel.

Antes de que el padre de Nicolás, (David Torres), saliese de la cocina, María se puso a pensar. Cuando ya parecía que nada se le iba a ocurrir, se le agrandaron los ojos e hizo una mueca de alegría. Echó mano al bolsillo trasero de sus tejanos y sacó un billete de cinco euros, que le dio a Daniel, diciéndole "Improvisa"

—Cinco euros... ¿Para qué?

—David Torres salió de la cocina y comenzó a subir la escalera. Parecía derrotado y desorientado por el cansancio y el sueño. Él no recordaba haber cogido un avión, pero le daba igual, lo importante, era que estaba en Tarragona con su hijo al que se disponía a ver en ese momento.

Daniel saltó hacia la puerta. Gracias a la moqueta, ni se le oyó. Dio un golpe en la puerta, como si acabase de entrar, y dirigiéndose a Torres mientras blandía en su mano el billete de cinco euros, dijo:

—Señor...señor... ¡Ha olvidado usted el cambio!

Torres, que ni siquiera recordaba haber pagado el taxi, ni muchas otras cosas más, tan solo dijo, mientras cogía el billete," Gracias" Entonces siguió subiendo las escaleras con Daniel siguiéndole. Torres abrió la puerta de la habitación, donde dormía su hijo Nicolás. Entró y miró. Se inclinó y le dio un beso en la mejilla, comenzando a acariciarle con intención de despertarle. Tenía tantas ganas de abrazarle y decirle cuanto le quería, que no podía esperar. Daniel se interpuso.

—¡No! ¡No! ¡No le despierte! Está usted muy cansado. Espere a mañana y le dará una sorpresa. ¿No ve que ahora está tan dormido que, tal vez, ni se enterará? Romperá la sorpresa y no desea que eso ocurra, ¿verdad? Ha venido desde muy lejos, pero ya está aquí y mañana por la mañana también lo estará, espere.

—Tiene usted razón. Le daré la sorpresa por la mañana. Gracias por acompañarme, pero, por favor, quédese con el cambio. Es usted un buen hombre. Gracias por traerme hasta aquí, desde Nueva York. Le dejaré junto a la cama el regalo que le he traído. ¿Sabe? Ese regalo me recordará siempre a usted.

Alex recordaría siempre a ese taxista (con el que creía seguir estando) Si alguna vez, de las tantas que se acordó de él, hubiese intentado averiguar algo sobre su historia, habría sabido, que ese taxista se llamaba Michael Bellaglio, que su taxi, con su cadáver en el interior, había sido encontrado en el río Hudson en el verano de 1972, seis meses después de la muerte de su mujer y de su hijo. Habría sabido tambiénque la compañía King Cab fue absorbida por otra mayor en 1979, cambiando de nombre...

Era evidente que el agotado David Torres no sabía lo que se decía. El sueño, el sueño, era el sueño deseado.

—Señor, ¿se encuentra usted bien? —le preguntó Daniel, mientras cogía el billete de cinco euros que le tendía David Torres.

—Sí...aunque... muy cansado. Váyase tranquilo, pero, por favor, cierre la puerta al salir.

En la habitación había dos camas. Los hermanos Torres habían dormido en ellas hasta que se emanciparon. Su hermano, director de banco, pasaba pocas veces por allí. Se quitó los zapatos y cayó rendido en la antigua cama de su hermano junto a la suya, en la que ahora dormía Nicolás. Daniel abrió la cama y como pudo, metió dentro a Torres, tapándolo con la sábana. Salió de la habitación y le dijo a María:

—Toma, tu billete.

Ella lo cogió, comprobando la numeración y diciendo:

—Sí, es este billete. ¡Gracias, papá¡

Abrieron la puerta y salieron a la calle. Nicolás se estaba desperezando en su vida no real paralela. Ya se sostenía de pie sin ayuda. Ambos miraron el taxi amarillo de Nueva York, que seguía aun en la puerta. El motor estaba en marcha. Se miraron mutuamente y se encogieron de hombros, como diciendo ¡Pues vamos! Sin mediar palabra, subieron al taxi. Nicolás despertó del todo y preguntó:

—¿A dónde vamos?

—Vamos a una fiesta, a tu fiesta de cumpleaños —le contestó María.

—¿De verdad? ¡Vamos! ¡Vamos!

El taxi aceleró y recorrió rápidamente la calle Mozart. Era como si supiese el camino. El conductor era un joven con una barba de varios días y una gorra de la fórmula 1 en la cabeza. El caso, es que a Daniel le sonaba su cara, pero no conseguía recordar el nombre, aunque estaba seguro de saberlo.

Al llegar a la glorieta con el Camí de la Cuixa, el taxi enfiló calle arriba, pasando junto al edificio de la Diputación a su izquierda y el Portal de Sant Antoni y las murallas, a su derecha. No había tránsito alguno. No había más movimiento. Todo estaba dormido. Al llegar a la altura de la Plaça dels Angels, un vehículo surgió desde una bocacalle. Echándosele encima, pretendió detener la marcha del taxi. El taxista lo evitó, con una maniobra digna del mejor conductor de fórmula 1, pero no pudo evitar que le embistiese lateralmente, de forma que su trayectoria varió, lanzándole hacia las largas escaleras del tramo del Passeig de Sant Antoni. El vehículo que le había embestido, era un Cadillac V13 de 1932 y de color verde, al que ahora tenía circulando en paralelo y a toda pastilla, por el asfalto contiguo de ese paseo. Daniel había sacado medio cuerpo del coche, en su afán de sacar fotos de todo. Solo la suerte, evitó en esta ocasión, que el Cadillac le aplastase. El taxi iba saltando los tramos de escaleras entre los amplios rellanos. Las ventanillas del lado derecho se habían roto, por el impacto del Cadillac y los golpes de los saltos. Entre bote y bote, pudieron ver la cara de los ocupantes del clásico vehículo. Eran cuatro tipos con pinta de gánsteres, que en ese momento, comenzaron a disparar hacia el taxi sus metralletas de tambor. El sonido de las ráfagas inundó la noche. Las escaleras y la calle se acababan y ambos vehículos iban a encontrarse en la rotonda de la Vía Augusta. El taxi saltó del último tramo de escaleras con las cuatro ruedas en el aire. El conductor del Cadillac intentó alcanzarle nuevamente por el lateral izquierdo, pero el taxi, cayendo primero sobre el costado izquierdo, derrapó el culo, pasándole el Cadillac a escasos centímetros sin alcanzarle. Parecía una corrida de toros. El taxi estuvo a punto de meterse dentro de un hotel. El Cadillac salió en dirección contraria y tuvo que recular para proseguir la persecución. Los gánsteres seguían disparando sin parar.

Daniel y María apercibieron algo extraño, perdón, de otra cosa extraña más. Las balas disparadas por los gánsteres, eran de color amarillo, del tamaño de cerezas y llevaban grabadas una cara con el arco de la boca hacia abajo. Se incrustaban en la carrocería del taxi, en la tapicería y en el salpicadero. Algunas les habían alcanzado también a ellos y se dieron cuenta de que no eran peligrosas. Eso les permitió respirar tranquilos y hasta bromear. El taxi pasó junto al hospital de Santa Tecla y María dijo:

—Huelen a queso, las balas huelen a queso.

—¿Queso? ¡Me encanta el queso! —gritó Nicolás.

Acto seguido, Nicolás se introdujo varias bolitas de ese queso en la boca. Al instante, quedó inconsciente en el regazo de María, que gritó espantada:

—¡OH! ¡NO! ¡ESTAN ENVENENADAS! ¡NO! ¡NICOLAS! ¡NO TE MUERAS!

—Colocó su oreja sobre la nariz de Nicolás y la mano en su muñeca, diciendo,

—¡NO! ¡NO ESTÁ MUERTO!

—¡Hemos de despertarle, o re-despertarle! Esos gánsteres intentan confundir el sueño real de Nicolás con su vida no real paralela y así desbaratar la misión. Geneviève me dijo que el mundo de los sueños es muy confuso y que, algo así difuminaría la frontera entre ambas cosas. Es como caer en una zanja entre dos mundos y no poder volver nunca a ninguno de los dos. Me temo que eso es lo que le está pasando a Nicolás. Hay que sacarle de esa zanja, pero no sé cómo.

La intención del taxista era llevarles hacia la Plaça Imperial Tarraco, pero, a la altura de la calle de Sant Francesc, otro vehículo les cortó el paso. Impactó al taxi, también por el lado derecho. Daniel, que iba asomado haciendo fotos, se golpeó la cabeza contra la carrocería del Cadillac negro de 1934 que les acababa de embestir. Solo el hecho de que María le sujetase oportunamente por las piernas, evitó que saliese despedido fuera del coche. Daniel quedó inconsciente en el asiento delantero, sangrando por la nariz, y con un morado en la frente, junto al ojo derecho. María se puso a llorar. La persecución continuó por la pendiente de la Calle de Sant Francesc. Las cosas no iban bien. María estaba desconcertada. La misión parecía desmoronarse eliminando uno a uno a sus protagonistas. No obstante, Daniel se recuperó y muy consternado dijo:

—¿Qué ocurre? Estoy sangrando…Se supone, que esto no debería ocurrir… ¡Estoy herido de verdad! ¡Tenemos que abandonar! ¡Somos demasiado jóvenes para morir!

—¡No podemos hacerlo! ¿Y si estamos en un abismo? ¡Todo se está mezclando! ¡Esos coches son muy antiguos!

¡Estamos en un taxi de Nueva York! ¡Todo es un caos en el tiempo!

Hospital de Tarragona

Marta Allué Antolín era una de las enfermeras más cualificadas del hospital. Simpática y eficiente, a sus tan solo cuarenta u un años, llevaba tantas guardias a sus espaldas, que el hospital parecía su casa. Cuando se acercaba a las urgencias pediátricas, vio a una niña morena de unos trece años, sentada frente a la puerta de la sala de radiografías. Le llamó mucho la atención un precioso vestido del que parecían desprenderse unas tenues luces. Se sintió tremendamente atraída por ese efecto luminoso en una prenda de vestir, tanto, que sin premeditación, se detuvo delante de la niña. Entonces, la niña le preguntó:

—¿No está usted intranquila? ¿Y si su hijo está en la calle corriendo un grave peligro?

Marta se quedó paralizada, tan sorprendida, que le pidió a la niña que le repitiese lo que le acababa de decir. La niña lo repitió. Marta, estupefacta, preguntó a la niña:

—¿Qué médico te ha visto? ¿Con quién has venido?¿Dónde está? No te muevas de aquí, vas a explicarme porque me has dicho eso.

Marta se puso muy nerviosa. Asomó la cabeza por el pasillo buscando a algún adulto que acompañase a la niña. Cuando volvió a mirar, la niña había desaparecido. Pidió a seguridad que la localizasen. Nadie la había visto, nadie la volvió a ver. Este acontecimiento descolocó a Marta. Volvió a su quehacer, pero no daba pie con bola. Llamó a casa de sus suegros, pero no cogían el teléfono. Lo mismo sucedía con los móviles. Llamó a su marido, con quien había hablado hacia tan solo unos minutos. Este le había dicho que volvía a Tarragona, pero ahora no le contestaba. Se le cayó una bandeja de medicación. La Doctora Vargas-Machuca, su jefa esa noche, se dio cuenta de que, lo acontecido con la niña desaparecida, la había puesto en un estado de gran tensión. Así que le dijo que se fuese a casa. Marta se puso el abrigo y se fue corriendo al aparcamiento en busca de su coche. Tenía el presentimiento de que algo no iba bien, de que esa niña la estaba advirtiendo de un peligro real que acechaba a su hijo. Subió a su coche. No había más ruidos. No había nadie. Eran las 21.35 horas, pero parecían las 3 de la mañana. Había la luminosidad de las noches de luna llena, pero la luna no estaba en ningún lugar de ese cielo tan despejado y radiante. Todo le pareció muy extraño. Salió del aparcamiento en su utilitario azul.

En aquel momento, el taxi en el que viajaban María, Daniel y Nicolás, llegaba a la Plaça dels Carros, junto al puerto, todavía perseguido y dispuesto a introducirse en la calle Reial. En ese punto, dos Cadillac más se unieron a la alocada carrera, pero Daniel hacía rato que no las tenía todas consigo y su cúmulo de dudas estalló.

—¡NO! ¡Volvamos a casa de sus abuelos! ¡No le hemos recuperado! ¡Hemos de volver a ponerle en el lugar de donde le sacamos, O NO SABEMOS LO QUE PUEDE PASAR!

Giró el volante, para la sorpresa del conductor, que gracias a que corrigió la maniobra, evitó que se estampasen de lleno con los vehículos aparcados. El lado derecho del taxi se caía a trozos. Los gánsteres seguían disparando. Dejaron la estación de ferrocarril a su derecha y subieron el Vial de Bryan, en dirección al paseo de Sant Antoni, la que habían bajado antes por las escaleras, abortando por tanto la misión. En la rotonda de la Vía Augusta, se toparon con un utilitario azul.

Marta entró en la rotonda. Repentino y veloz, un taxi neoyorquino de color amarillo, apareció por la derecha, casi embistiéndola. María se fijó en la cara de la conductora de ese coche azul y gritó:

—¡NO! ¡NO VAMOS A LA CALLE MOZART! ¡NO! ¡VAMOS HACIA EL PUERTO!

El taxista dio un nuevo y brusco giro de 90º y, en lugar de subir hacia la calle Mozart, bajó por la Vía Augusta siguiendo la indicación de María.

—¡Pero...! ¿Qué has hecho María? —le preguntó Daniel.

—¡ERA SU MADRE! ¡La he visto muchas veces en el colegio!

—¿Su madre? ¿Cómo es posible? Pero... ¿Es que en esta familia, no hay nadie que duerma bien?

—Sí, era su madre. No podemos volver a casa de los abuelos. Ella va en esa dirección ¡Nos descubriría!

Marta se había quedado estupefacta ante la visión de ese taxi. Además, la cara de una de las ocupantes le resultaba familiar. No vio la cara de su hijo, porque estaba tumbado en el asiento trasero. Todo eso, añadido a los cuatro coches clásicos que seguían al taxi disparándole, le llevaron de inmediato a marcar el número de emergencias en su móvil. Según la operadora el 112 no existía, tampoco el número de la policía y, puestos a no existir, no existía ni el de su hospital, así que Marta, convencida por un mal presagio, que debía unirse a esa extraña comitiva, aceleró y se decidió a averiguar qué estaba sucediendo. Los seis vehículos descendieron a toda velocidad por la Vía Augusta. El taxi, seguido por todos los demás, giró en Rafael de Casanova hacia el paseo marítimo. Se dirigían al puerto con la intención de llegar a su destino, situado en el lado opuesto de la ciudad y, visto lo visto, solo había un lugar por el que podrían cruzar: por los muelles del puerto. No hubo más disparos. Pasaron junto al Fortí de Sant Jordi, que estaba cerrado hacia años y no se usaba para ninguna actividad. Sin embargo, esa noche, presentaba un aspecto impecable. Se hallaba totalmente iluminado y radiante, envuelto en una espectacular aureola mágica. Todos sus aledaños se veían perfectamente cuidados. El césped que lo rodeaba estaba verde y húmedo, desprendiendo el agradable olor de la hierba recién cortada. La rampa de acceso, siempre polvorienta, se veía ahora pavimentada con piedra natural y hasta con barandillas en la pasarela de acceso. En las circunstancias propias de una persecución, no pudieron observar los detalles, pero si una placa de transparente a la entrada de la construcción y dos grandes mástiles, en los que ondeaban dos grandes y lustrosas banderas, una la de la ciudad de Tarragona y la otra… ¡La del Colegio Atlas! Acostumbrados a, en la vida real, pasar por ese lugar de vez en cuando, en esta sorprendente noche, esa visión les dejó absolutamente atónitos. ¡Pero si la bandera colocada en el colegio se caía a retales! En poco tiempo, sabrían por qué ondeaba, además, precisamente en ese lugar.

Marta consiguió girar hacia el Paseig Maritim, no sin dificultad: los estaba perdiendo de vista y aceleró al máximo. Al llegar a la intersección con el fortín, perdió el control del coche y este se salió de la carretera, metiéndose en el césped y golpeando la pared lateral de la fortaleza. El morro del automóvil había quedado dañado, pero, ella no se lesionó. Eso si tras el golpe y las maniobras para volver a la carretera, perdió mucho tiempo. Perseguidores y perseguidos, hacía rato que habían dejado atrás el Fortín de Sant Jordi e, incluso, el cercano Fortín de la Reina, edificio de construcción y fecha como las del otro. También, en esta ocasión, presentaba un aspecto impecable y, por contra a lo que ocurría en la vida real, en la que estaba totalmente descuidado. Ya veremos el porqué. Al introducirse en el paso subterráneo de la Playa del Miracle, escucharon lo que parecían explosiones en el mar. Eran los cañonazos de, al menos, ocho barcos piratas, que estaban disparando sus proyectiles hacía la costa. Al salir del subterráneo, los vieron con más claridad. Los proyectiles estaban alcanzando la costa, ¡iban a por ellos!

—¡CIELOS SANTO! ¡VAN A POR NOSOTROS!

—¡Pero...! ¡Qué les hemos hecho a toda esta gente! —exclamó, también, Daniel.

Observaron unas luces que se movían en el vial de Bryant, un tramo de carretera elevado, que discurría en paralelo a su derecha. Ahora, ese vial estaba siendo ocupado por una docena de camiones militares, los mismos camiones que habían visto en la calle Mozart. Se alineaban junto al quitamiedos con los focos orientados hacia el mar. Entre las luces, disimulados entre las potentes luces, varios soldados con piezas de artillería. Algunos soldados disparaban sus fusiles, mientras otros, accionaban los cañones.

—¡BIEN! ¡BIEN! ¡Son de los nuestros! ¡Quitadnos a esta colección de antiguallas de encima! —gritó Daniel.

De repente, todo el taxi se llenó de bolas de color azul. Eran como las bolas de queso que les habían disparado los gánsteres, pero de color azul y también con una cara dibujada, pero esta tenía la mueca de la boca hacía arriba, sonriente. Daniel, contrariado, gritó:

—¡Nos disparan a nosotros! ¡Los soldados nos disparan a nosotros!

—Espera —dijo María—. La cara de estas bolas azules es sonriente y… ¡huelen a jarabe! ¡Tal vez sea el antídoto que necesitamos para Nicolás!

Antes de que María acabase la exclamación, Daniel ya le había introducido dos de ellas en la boca. Nicolás reaccionó de inmediato, diciendo:

—¿Qué está pasando?

—No lo sé —le contestó Daniel—, pero se nos multiplican los enemigos desde que estamos junto a ti. Descuida, te sacaremos de esta. No pienso despertar como un fracasado, de eso, ni hablar.

Dos certeros disparos de cañón alcanzaron a sendos Cadillac, que saltaron por los aires. Los ocupantes salieron corriendo y se difuminaron a pocos metros, convertidos en nubes de agua pulverizada. Eran esos personajes a los que Geneviève denominaba "Soñadores", personas como cualquiera de nosotros que, al despertar, no recordamos lo que hemos soñado, porque, seguramente, hemos estado transitando por la frontera de los sueños y participando, sin recordarlo a posteriori, en una de estas escenas.

Los tres niños miraron hacia el mar, atraídos por lo que veían sus ojos. Cada vez que uno de los disparos alcanzaba a uno de los barcos, un número aparecía. Unos metros por encima de este: el quinientos o el mil en colores azul, amarillo y rojo, respectivamente. Al aparecer el mil, el barco desaparecía: ¡tocado y hundido! Era como estar dentro de una consola de juegos.

El taxi seguía lanzado hacía el puerto, perseguido de muy cerca por los dos únicos Cadillac que no habían sido alcanzados por los proyectiles de los soldados. Uno de ellos, el de color verde, era el vehículo preferido por el más famoso gánster de la historia. Un camión de transporte de ganado se cruzó con el taxi y, con más dificultad, se encontró con los Cadillac. El camión comenzó a dar bandazos para esquivarlos, pero acabó volcando al sortear al último. El conductor salió corriendo y se desvaneció en una nube de agua. María y Daniel se preguntaban, qué pintaba allí un camión de ganado. El taxi estaba entrando en la rotonda del espigón y el puerto deportivo, junto al edificio azul de las oficinas de la autoridad portuaria.

Marta consiguió enderezar su vehículo, y descender la pronunciada pendiente. Para cuando pasó por el Fortín de la Reina, este ya no estaba iluminado ni adecentado. Ella lo encontró como siempre. Pisó todavía más el acelerador y se introdujo en el subterráneo de la Playa del Milagro. Para entonces, los barcos y los militares habían, también, desaparecido. Llevaba demasiado retraso. A la salida del subterráneo, una pequeña rotonda de complicado paso, ya a escasa velocidad, tuvo que clavar los frenos, para no llevarse por delante la farola situada en su centro. No pudo esquivarlas. El coche avanzó mucho, a pesar de la tremenda frenada. Acabó arrollando a algunas de ellas. Eran ovejas, sí, ovejas, provenían de un camión de transporte de ganado, que había volcado a escasos metros de la pequeña rotonda. Marta bajó del coche, una vez detenido. En su mente, pese al susto, solo pensaba en retirar las ovejas atropelladas y seguir adelante, tras el taxi. Se quedó paralizada, asida a la puerta del coche, apoyándose con fuerza para coger algo de aire. Lo que veía, le convenció de que todo aquello, era una locura sin sentido. Eran ovejas, sí, ¡pero de peluche! Las miró sin más capacidad de reacción. Cuando se recuperó mínimamente, se fijó en que algunas de ellas, estaban numeradas. Vio la nº 1, la 2, la 3, la 4, 5, 6, 7, 8, 9... y cayó fulminada junto a su coche en un segundo... No fue más que un soplo de agua vaporizada en el aire. Cuando despertó de nuevo, estaba tumbada en una camilla del box de urgencias de su propio hospital. La Dra. Vargas-Machuca, le miraba las pupilas, mientras le decía:

—Has tenido una lipotimia, por lo demás, estáis bien...un poco anémica...

—¿Estáis...? —le cortó Marta.

— Sí, iba a decir, que la anemia, tal vez, se deba a tu embarazo. Estás exhausta.

—¿Embarazo? ¡No puede ser!

— Lo es... Te llevaré a casa. Tu coche se queda en el parking. Hace horas que yo también debería de haberme marchado. No permitiré que conduzcas. Mañana sabremos el resultado de los análisis.

Así que todo había sido un sueño, ¡pero había sido tan real! Lo que no parecía un sueño, era su embarazo. Quería llegar cuanto antes a casa de sus suegros y comprobar que Nicolás dormía plácidamente... Hoy ya era su cumpleaños.

Parte Quinta

En la otra parte de la ciudad, en la Avenida de Vidal y Barraquer, los preparativos para la fiesta de cumpleaños de Nicolás, funcionaban a buen ritmo. Una gran andamio tubular, sostenía una plataforma sobre la que había una magnífica batería, un impresionante conjunto de teclados, guitarras eléctricas, micros, y otros instrumentos más. Los demás miembros del equipo, habían cortado y vallado el tramo de esa avenida entre los dos puentes elevados. Era algo innecesario, pues se suponía, que nadie que no hubiese recibido una invitación mientras estaba soñando, iba a aparecer por allí, pero... todo podía ser. Los invitados comenzaban a llegar. Todos en vistosos pijamas y camisones. Lo mismo sucedía con las batas, zapatillas y, hasta con algún gorro de dormir. Las chicas del equipo se habían diseñado sus propias ropas. Cuando Clara estaba mirando el suyo, sonó un teléfono. Sonaba entre los arbustos del parterre, lo cruzó. Aparcado junto a él, había dejado aparcado el jeep blanco con las letras "UN" pintadas en el costado. Cogió el teléfono de entre los asientos delanteros. En el momento de cogerlo, Clara ya llevaba su uniforme militar de camuflaje en el que aparecía bordada la bandera de las naciones unidas, junto a su nombre de batalla "Teniente O´Clara" y que se había diseñado para el momento en el que tuviera que entrar en combate. Parecía, que ese momento, acababa de llegar.

—¡SEÑOR! ¡SÍ, SEÑOR! ¡A SUS ORDENES, SEÑOR! —gritaba al micrófono del teléfono—. ¡TENIENTE NEREA! ¡TENEMOS UNA MISION!

Al instante apareció Nerea atravesando los arbustos y ya con su uniforme de camuflaje, también con la misma bandera y con su nombre bordados sobre el bolsillo delantero.

O´Clara se ajustó la gorra. Miró al fondo de la calle y pudo ver los resplandores en el cielo sobre el mar. Se escuchaban claramente las detonaciones. Agarró el volante y el jeep se puso en marcha sin que ella supiese conducirlo, pero… ¡qué caramba! ¿Cuál era el problema? Alguien salió a su paso corriendo, era Alex, bueno, ahora, el capitán Alex. Lucía un uniforme similar, pero en este, además, había un bordado en el que se le leía: "COMANDOS ESPECIALES"

—¡EH…! ¡EH…! ¡ESPERADME! —gritaba a las tenientes.

Saltó en la parte de atrás del todo terreno. Cruzaron el puente del barrio del Serrallo, entrando en el muelle de costa. Pasaron junto a los tinglados y llegando al número uno, vieron el otro jeep, también de las UN, aparcado junto a él. Un tren con verdes vagones cargados de carbón se hallaba detenido en la vía enrasada al asfalto, que sale desde los muelles interiores del puerto, y cruza la zona de tránsito de vehículos por esa zona. La presencia, allí detenido, impedía completamente el acceso al puerto desde el paseo marítimo. No había forma aparente de retirar los vagones. Alex saltó del jeep y subió a la locomotora. El conductor estaba dormido sobre los mandos. A Alex, le pareció arriesgado moverlo y optó por desfrenar el tren. Se oyó una voz desde lo alto. Alguien se dirigía a la teniente O´Clara.

—¡AQUÍ ARRIBA TENIENTE!

Encaramado a una antigua grúa de estibación, situada en medio de la rotonda, junto al tren, el comandante Francisco

Javier Torres, oteaba el paseo marítimo con unos prismáticos, justo, la que quedaba al otro lado de los vagones. En el cielo se veían las luces de colores y los fogonazos.

—¡Están a punto de llegar! ¡PREPARENSE! —gritó a su tropa.

La teniente Nerea se situó junto a uno de los dos cañones de hierro fundido del siglo XVIII, que habiendo pertenecido al Fortín de Sant Jordi, estaban ahora reconstruidos e inutilizados. O´Clara se situó junto al segundo.

El taxi entró en la curva en la rotonda, con el edificio de la comandancia militar a su izquierda. A escasos metros, sobre la vía interior del tren, los verdes vagones de un convoy carbonero les impedían totalmente el paso. Algunos de los dieciséis vagones se introducían en el puerto cruzando el paso de lado a lado. No podían seguir en ninguna dirección. No había un solo hueco por el que pasar. A la velocidad que llevaba, el taxi iba a estrellarse sin remedio y lo más probable, era que ninguno de sus ocupantes sobreviviese a un impacto tan brutal. Todo iba a acabar allí mismo. La única duda era si se despertarían en su cama o si no lo harían jamás.

Desde lo alto de la grúa, el comandante Torres dio las órdenes a su eficaz tropa.

—¡FUEGO!

La teniente Nerea encendió la mecha del primero de los cañones. El impacto resquebrajó el cierre de unión de uno de los vagones. Torres gritó de nuevo.

—¡FUEGO!

La teniente O´Clara encendió la mecha del segundo cañón. Este segundo impacto consiguió desplazar una parte del tren, separándolo unos tres metros del resto, gracias a que el tren había sido des-frenado previamente por Alex.

Cuando quedaban escasos cinco metros para el choque, María, Daniel y Nicolás se abrazaron, buscando el último refugio. No podían mirar a una muerte segura. Escucharon una fuerte explosión. Pensaron que el coche se había estampado y, que en milésimas de segundo, morirían aplastados. No fue así. Siguió una segunda explosión y los vagones salieron desplazados separando los vagones. Seguían vivos, pero el paso que quedaba entre los vagones era tan estrecho, que los topes los vagones separados rallaron los laterales del taxi saltando chispas por todas partes. Los dos Cadillac, que les seguían, cruzaron por el mismo paso. Tras las explosiones, nube ennegreció aún más la noche, pero aun así, los tres dirigieron su mirada hacia una luz en lo alto de una gran grúa. Desde allí, una persona les hacia el gesto de la victoria mostrando el pulgar hacia arriba. Nicolás fue el único que habló.

—Gracias... —dijo suavemente con la mirada llena de orgullo y admiración por aquel personaje.

Los vehículos pasaron a pocos metros de donde se hallaban Alex, Clara y Nerea, quienes subieron rápidamente y se unieron a la persecución. El jeep, que a priori era el más lento, les alcanzó en seguida. El taxi, una vez en el interior del puerto, abandonó la carretera y atravesó por el medio arrancando el vallado metálico, para después incorporarse al vial que llevaba directamente al puente levadizo. Todo discurría demasiado rápido. Nicolás estaba ya despierto, y así, las cosas parecían mejorar. A pesar de las muchas vueltas que habían tenido que dar, ahora, solo era cuestión de cruzar el puente y, en un par de minutos, se hallarían en su destino: la Avenida de Vidal y Barraquer. Pero...cuando pudieron ver el puente, e iban a acceder a él, este se estaba levantando, ¿cómo era posible? Llegada la vida no real paralela, el encargado del turno de noche en el control del puente se había quedado profundamente dormido minutos antes de la llegada del taxi y de sus perseguidores. Cayó dormido encima de la mesa de control. Su brazo iba, por la fuerza de la gravedad, deslizándose hacia el suelo y, en su camino hacia abajo, desplazó la palanca que accionaba el levantamiento del puente. Ante esto, al taxista no le quedó otra que acelerar. Lo mismo que decidieron hacer los gánsteres. Cruzar el puente o no era cuestión de segundos. El puente estaba ya al 25 % de su capacidad de apertura y seguía subiendo. El otro lado del puente, ya no se veía. Los bajos del taxi chocaron violentamente contra el suelo al entrar en la hoja del puente, que ya se estaba levantando. Los ocupantes se desplazaron bruscamente en el aire y cayeron desparramados por el habitáculo. Daniel, que no había dejado de hacer fotos, perdió la máquina de fotografiar sueños, que salió volando por el cristal delantero, hecho añicos en el impacto. Los Cadillac no se detuvieron. Toparon fuertemente contra el suelo. Uno de ellos consiguió colocarse en paralelo al taxi subiendo la rampa, que continuaba alzándose. De pronto Daniel, recuperada la compostura, gritó:

—¡NO PODEMOS CRUZAR! ¡MI CAMARA!

Y, dirigiéndose al taxista, añadió:

—¡Ya sé tu nombre! ¡Tu eresssss! ¡Tur ereesssss!

Parecía tener confeti en la boca. De forma inexplicable, se lanzó de cabeza hacía los pedales del taxi y volvió a gritar más fuerte:

—¡TU NUMBRESSS! ¡TÚ ERERSSS! ¡FRENANDO A FONDO!

Y en el mismo instante en el que se equivocaba con el nombre del piloto, clavó sus manos juntas en el pedal de freno del taxi y los neumáticos chirriaron estrepitosamente. Un fuerte olor a goma chamuscada lo inundó todo. El Cadillac negro, que iba en paralelo, reaccionó algo más tarde frenando su conductor también. Sin embargo, no pudo detenerlo a tiempo y el Cadillac salió lanzado, saltando y quedando colgado y balanceándose de la otra hoja del puente, que también seguía su ascenso. El taxi no llegó a saltar al otro lado, pero si quedó colgado de la hoja del puente. La parte trasera del taxi cayó, quedando el taxi cogido a las uniones del puente por los ejes. Nicolás había podido salir previamente con la ayuda de María. El conductor, el tal Frenando, había salido despedido por delante, convirtiéndose en una nube de agua y probablemente, dormido cómodamente en su cama de Suiza, o en cualquier otro país. Pero Daniel seguía en el interior. La puerta delantera derecha se abrió y cayó. Quedó agarrado al cinturón de seguridad, al que se aferró con ambas manos. Colgaba desde una gran altura con el mar a sus pies. Se puso a gritar.

—¡VOY A DEJARME CAER! ¡Iré nadando hasta el muelle!

El puente seguía levantándose. Al otro lado, el Cadillac se balanceó por última vez y cayó. Al pendular, el Cadillac no cayó recto. Salió lanzado yendo a caer sobre una pequeña gabarra amarrada junto a la base del puente. El coche se incendió tras el impacto. Al momento, se incendiaron también los bidones de combustible que había en la cubierta de la embarcación. Comenzaron a estallar y el líquido inflamable se desparramó por el agua en llamas. Ahora, bajo los pies de Daniel, había un mar de fuego. María le gritaba.

—¡NO VOY A ABANDONARTE, DANIEL!

—¡MARÍA! ¡RECUPERA LA CAMARA! —le gritaba Daniel una y otra vez, seguro de que con su recuperación, tendría alguna opción de salvarse, pues ya no podía dejarse caer al agua.

Nicolás, asustado, estaba absorto en la tarea de unir las bolitas de queso y las azules, que encontraba por todas partes. Cuando juntó unas cuantas, las lanzó hacia donde se encontraba María.

—¡Vaya! ¡Buena idea! ¡Gracias Nicolás! ¡Hazle un nudo lo más fuerte que sepas!

Las bolas se habían pegado unas a otras conformando una cuerda. María la cogió, una vez atada por Nicolás, y apoyó una pierna para darse impulso. Suerte tuvo de actuar con precaución y antes de saltar para llegar con la cuerda, hasta donde estaba Daniel, para rescatarle, dio un fuerte tirón a la cuerda. La cuerda se rompió y eso le salvó de caer al mar en llamas. Entonces, gritó a Nicolás:

—¡Solo las azules! ¡Las que nos dispararon los soldados! ¡Las otras son una trampa!

El puente llego a los 90º, su capacidad máxima de apertura. El taxi se movió y parecía que Daniel no tenía salvación. María y Nicolás consiguieron hacer una cuerda lo suficientemente larga como para lanzársela llegando hasta el marco de la puerta abierta del taxi.

—¡Cógete a la puerta e intenta alcanzarla!— Le gritó María.

—¡De acuerdo! ¡Lo intentaré!—Le contestó Daniel.

Daniel trepó por la puerta del taxi, asiéndose al marco de la ventana. El taxi no dejaba de moverse mientras María y Nicolás, le observaban, tumbados sobre las uniones del puente. Abajo, en el suelo, los gánsteres se habían escondido y el comando formado por O´Clara, Nerea y Alex, esperaban acontecimientos, sin saber muy bien qué hacer. María les dijo que buscaran la cámara de fotos y se pusieron a ello, pero los gánsteres también lo hicieron; ellos, también la querían. Se enfrascaron en una pelea, los gánsteres, Nerea, O´Clara. Todos querían evitar que el contrario hallase la cámara. Pero y Alex, ¿dónde estaba Alex? Una neblina surgió de repente y una voz se oyó en su interior. Alex apareció en su interior. Con sus más de veinte minutos de experiencia en los comandos especiales, Alex era experto en todo tipo de pistolas y escopetas de agua y dominaba el manejo de distintos tipos de tirachinas. Pero si en algo era imbatible, era en el karate. Al igual que María, lo practicaba desde muy pequeño. ¿Serían esos pocos años suficientes para enfrentarse a un grupo de fornidos gánsteres? Alex vestía un kimono de un blanco impecable con su nombre en japonés, escrito en el cinturón. Llevaba un despertador sonando en su mano derecha; bip..bip..bip..bip; en la otra, una agenda escolar. La pelea se detuvo ante el desconcierto de los rivales. Alex se marcó un par de pases de baile rapero antes de comenzar a hablar y mirando a despertador, dijo:

—¡Vaya...! Parece que, para un puñetero buen sueño que tengo, alguien quiere despertarme a golpes... —lanzó el despertador al aire y consultó la agenda escolar, mientras seguía hablando—. A ver...a ver... ¿qué tengo para hoy? ¿Deberes de mates? ¡No! ¡No!..¿Estudiar el tema 5 de ciencias? ¡No! ¡No! A ver...un momento...aquí, aquí...¡Vaya! Hay una nota de mi padre...Escuchad lo que pone: "Alex, hijo, la violencia es un mal funcionamiento de la sociedad, pero si alguien te amenaza, o lo hace con tus amistades, pégale una buena patada en los..." Gracias, papá, lo pillo —y dicho esto, Alex prosiguió, dirigiéndose hacia los gánsteres—. Bien, dialoguemos, ¿os rendís y os largáis?

No hubo respuesta. Por el contrario, los cuatro gánsteres se dirigieron hacia él. Alex comenzó a repartir leña y sus dos compañeras se abalanzaron sobre los gánsteres. La pelea abajo era encarnizada. Daniel trepando por la cuerda, consiguió llegar hasta donde se hallaban María y Nicolás. No había perdido su sombrero, pero si la máquina de fotografiar sueños y tenía que recuperarla. Eran las 23:35 horas, según su sofisticado reloj, estaba a punto de llegar la medianoche.

En la torre de control, el encargado dormía deliciosamente. Claro, que en tan mala postura, que roncaba y resoplaba de mala manera. Su cuerpo, todavía sobre la mesa de control, seguía deslizándose hacia abajo. En uno de los ronquidos, se desplazó para acomodarse, dándole de nuevo a la palanca, de forma que el puente comenzó a cerrarse.

María había comenzado a bajar por la barandilla del puente, que al estar en vertical, le servía de escalera y ya llevaba un buen trecho, así que, cuando el puente había descendido lo suficiente, se dejó caer como si estuviese en un tobogán. Nicolás siguió cogido en el extremo de esa hoja, más aún, cuando la sacudida del puente al iniciar el cierre, casi le hace caer al mar. María se unió a la pelea y entre sus golpes y los de Alex, hicieron huir a los gánsteres. O´Clara subió al jeep y salió tras uno de ellos temiendo que pudiese hacerse con la cámara y despareciese con ella. Le cerró el paso, reteniéndole con el parachoques contra la pared. El gánster la miraba, O´Clara puso cara de enfado y pensó: "Voy a estamparte contra la pared". Pero, cuando iba a hacerlo, convencida de que el gánster desaparecería convertido en agua, vio que a este le salía un hilillo de agua de la nariz. Sangre… ¿era real? O´Clara se asustó mucho, ella, que era incapaz de matar a una mosca, lo que se disponía a hacer ¿tendría repercusión en la realidad? Su madre le había dicho que, cuando fuese mayor, le explicaría una historia sucedida a su bisabuela durante la guerra. Parecía, que ese momento había llegado y Clara escuchaba como su madre le hablaba en su mente y le explicaba: estando en casa, su bisabuela escuchó mucho ruido en la cocina y cogió la escopeta de caza que su marido, quien había marchado a luchar en el frente, le había dejado para defenderse. Al entrar en la cocina, arma en mano, se encontró con un soldado armado con un fusil sin poder distinguir de qué ejército. En esa cocina, sentada en una trona, se encontraba también la abuela de Clara, entonces una pequeña niña. El soldado rebuscaba comida en los armarios. Cuando se giró y vio a la mujer apuntándole, ya había cogido un mendrugo de pan y despojos de carne. El soldado miró a la niña y dijo: "Esto es para mi hijo pequeño, lleva tres días sin comer. Dispáreme si quiere, pero no me iré sin ello". El soldado mantuvo el mendrugo de pan y la carne en sus manos. La bisabuela seguía apuntándole: no tenía por qué fiarse del soldado, podía matarlas a las dos, es más, podía volver más tarde y no solo. Cuando estaba a punto de dispararle, la mujer se adentró en la mirada de aquel soldado. Se dio cuenta, de que a aquella persona, ya no le importaba el bando del que era cada cual, ni siquiera le importaba su propia vida. Tan solo le importaba su hijo. La bisabuela cogió a su hija, salió de la cocina y cerró la puerta. Cuando volvió a abrirla, pasados unos minutos, el soldado había marchado por la ventana por la que había accedido a la casa.

Muchos años después, una furgoneta gris de la compañía telefónica se detuvo frente a la casa de aquella. La que fue una niña durante la guerra, y que era ya mayor, había solicitado una línea de teléfono. Tras la furgoneta gris, se detuvo un lujoso y enorme coche Barreiros de color negro. Un chofer descendió del vehículo y abrió la puerta de atrás, por la que descendió un elegante caballero, cuyo padre había muerto en aquella, como todas, injusta guerra. Era el presidente de la compañía telefónica, uno de los hombres más poderosos del país. Se acercó a la puerta y llamó al timbre con los operarios a su espalda. En sus manos un pan, y una libra de carne. Cuando la abuela de Clara abrió la puerta, él se los tendió. No se conocían, jamás se habían visto, pero después de tantos años, no necesitaron palabras. Se abrazaron y lloraron largamente y su amistad perduró tanto, que ahora, el hijo de aquel hombre del Barreiros, era el padre de Clara.

Clara aprendió una importante lección, es más valiente ser generoso, que vencedor. Lo hermoso de aquella misión, era precisamente eso, porque nadie debe abusar de su poder. Clara puso marcha atrás y retiró el jeep, liberando al gánster.

—Gracias, mamá.

Otro de los gánster consiguió zafarse de la trifulca y descubrió la máquina, que había quedado visible, cogida a la barandilla del puente al bajar este. La descolgó y salió corriendo, llevándola en sus manos. El puente estaba a punto de cerrarse con Nicolás poniéndose de pie, ahora que el puente estaba ya casi plano. Daniel corrió en ayuda de María y Nerea, que habían salido tras el gánster. María se interpuso en el camino del gánster y este le dio un empujón. Ella reaccionó rápidamente y lanzó su pierna hacia atrás, impactando su pie contra las manos del gánster. La cámara salió volando y ambos cayeron al suelo. Nerea intentó coger la cámara, pero tropezó con ambos cayendo también. Los otros gánsteres habían cruzado el puente, pero estaban de vuelta, dirigiéndose hacia el centro del puente en un camión cargado de tubos metálicos que habían robado en los muelles. Daniel se puso a correr intentando predecir donde caería la cámara. Parecía haber ido muy alto. Los demás estaban todavía en el suelo, oteando el oscuro cielo, en busca de la cámara, pero esta no caía. Vieron el camión que circulaba ya por el puente, acercándose a su mitad. Daniel tuvo la certeza, de que si no atrapaba la cámara, el camión les arrollaría a todos. Estaban expectantes. La cámara seguía sin caer, pero además, vieron como Nicolás se situaba justo rozando con la punta de sus pies, la franja de separación de las dos hojas del puente, abriendo las piernas, y extendiendo los brazos, mientras repetía estas frases, una y otra vez sin parar:

—¡QUIERO MI FIESTA DE CUMPLEAÑOS! ¡LAS BALAS SON DE QUESO! ¡EL TAXI ES UNA TOSTADA! —Nicolás parecía haberse propuesto detener el avance del camión con su cuerpo. No parecía suficiente, para evitar que este arrollase todo lo que encontrase a su paso, Nicolás incluido. El mar seguía en llamas y el camión se aproximaba ya a esa franja de separación de las dos hojas levadizas del puente, a su mitad. Daniel se olvidó, momentáneamente, de la cámara y corrió hacia Nicolás, gritándole en un intento de disuadirle para que se apartase:

—¡NO, NICOLÁS! ¡NO! ¡VAN A MATARTE!

María y los demás salieron también corriendo hacia allí. El camión estaba ya muy cerca de Nicolás. Sería al primero que atropellaría. Después, arrollaría a María, luego a Nerea, a Clara y, finalmente, a Alex, que estaba a escasos diez de Nicolás. Parecían no tener salvación, pero ninguno dio un paso atrás. Nicolás seguía con los brazos y repitiendo a gritos las mismas frases.

—¡LAS BALAS SON DE QUESO! ¡EL TAXI ES UNA TOSTADA!

Se escuchó el ruido de las hojas metálicas al topar y juntarse totalmente dejando la calzada totalmente plana. El camión se hallaba ahora a metro y medio de la raya divisoria y de Nicolás. El tiempo se ralentizó y todo parecía eterno. Daniel, casi a punto de abalanzarse sobre Nicolás, miró al cielo y vio caer la cámara. La atrapó entre sus manos. Un humillo surgió de la rendija existente entre las dos hojas del puente y un nítido “clink” “clink” resonó en el aire. Una enorme tostada amarilla, con sus franjas horizontales gratinadas y un agradable olor a panadería, emergió del suelo por la estrecha abertura de separación de las hojas del puente, interponiéndose entre el camión y Nicolás. El camión se empotró violentamente contra la tostada, cuando estaba ya a cuarenta escasos centímetros, (el grosor de la tostada) del cuerpo de Nicolás sin que la tostada se desplazara ni un solo milímetro y evaporándose en una nube de agua, que cayó encima de Nicolás y de los demás. Los dos gánsteres, que iban en el camión, salieron despedidos por encima de la tostada. Otra lluvia, esta vez de tubos, les pasó a todos por encima yendo a caer al otro lado del puente. Nicolás abrió los ojos con los labios apretados y se encontró al enorme camión, destrozado, a pocos centímetros de él. Uno de los limpiaparabrisas, todavía cogido al camión, se desprendió y le golpeó quedando apoyado en su frente. Todos quedaron estupefactos por unos momentos. María fue la primera en reaccionar. Miró su estupendo reloj Intrepid@, eran las 23:55 horas. Solo les quedaban cinco minutos para alcanzar su destino.

Clara había subido al jeep, pero este había quedado aplastado por los tubos, aunque podía avanzar, lo hacía muy lentamente. El Cadillac de los gánsteres, había quedado inservible también por el impacto de los tubos. Les quedaban cinco minutos y apenas un kilómetro de distancia hasta su objetivo, pero, salvo que ocurriese un milagro, no podrían llegar hasta él. De repente un potente sonido se oyó acercándose desde el otro lado del puente. Sí, era un coche. Un potente descapotable rojo, se acercaba a toda velocidad. Daniel gritó:

—¡Poneos a cubierto!

Empezaron a correr todos menos María. Ella metió la mano en uno de los bolsillos traseros de sus pantalones y sacó un billete de cinco euros, mientras, sonriente, les decía a los demás:

—¡Dejad de correr! ¡El billete está aún aquí! ¡Quien sea, viene a ayudarnos!

Todos se detuvieron, convencidos por aquellas palabras. El deportivo rojo derrapó espectacularmente deteniéndose junto a ellos. Su conductora, una rubia impresionante, bajó del coche y se dirigió a Daniel:

—¿Me llevas a la fiesta guapo? Yo no me la pienso perder...

Era la mismísima Anna Montcada, la famosa actriz y cantante de las series que más les gustaban. Todos estaban impresionados, pero María la que más. Anna lucía un precioso vestido de color lila, su preferido. Era un dibujo que había hecho unos años atrás. Ella, como las demás niñas de aquella edad, soñaba con ser modista. Siempre les decía a sus padres, que cuando lo fuese, les haría vestidos gratis. Un día, su padre le propuso que dibujase el vestido que más le gustaría vender. Cuando lo hubo acabado, su padre le dio cinco euros por ese dibujo. María no quería cogerlos pero, al final, aceptó. Su padre le dijo, entonces:

— Cuando seas una modista famosa, esos vestidos que haces valdrán una fortuna, y yo, quiero ser el primero en pagarte por uno de ellos. Tal vez, alguien famoso los luzca en alguna ocasión. Te traerá suerte, seguro. María recordaba perfectamente la numeración de aquel billete que su padre le había dado: V276542, la misma del que tenía en la mano y el mismo vestido que ella había dibujado. El mismo billete que le dio a Daniel y este le devolvió en la calle Mozart. Cuando su padre se lo dio, ella lo echó en la hucha. Seguro que a las 00:01 horas, volvería a estar en ella.

—Cla...Cla... ¡Claro! —contestó Daniel a Anna y esta le lanzó las llaves del coche. Daniel subió al volante y miró a Alex, quien se encogió de hombros. En ese gesto, le había dicho literalmente: "Si yo he podido con un camión, tú podrás con esto" y Daniel hizo un gesto de aprobación al razonamiento mudo de Alex. Con Anna Montcada a su lado y María y Nicolás detrás, Daniel cogió el volante y el coche salió quemando ruedas a toda velocidad. Los demás subieron en el desvencijado jeep y derraparon mucho más modestamente. El deportivo rugía entre las naves industriales. Anna se puso en pie, sujetándose al marco del parabrisas. Su larga melena rubia surcaba el aire. En un visto y no visto, se plantaron en la salida de las instalaciones portuarias. Anna seguía batiendo su cabellera al viento, mientras el coche se acercaba más y más a la barrera de stop de la aduana del puerto.

—¡SIENTATE, ANNA! ¡LA BARRERA!

Daniel siguió gritándole, pero Anna no le hacía caso, así que estiró el brazo y la agarró por el vestido tirando de ella hacia abajo. El vestido se rasgó dejando a la vista el perfecto muslo de Anna. El brazo y los ojos de Daniel, cayeron. El codo de Daniel accionó el cierre de la capota y esta comenzó a cerrarse. Anna no se sentó. Chocó contra la barrera y, en ese preciso instante, desapareció convertida en una nube de agua. La capota arrancó la barrera y el coche siguió hacia la antigua tabacalera. Cuando llegaron a Vidal y Barraquer, lo primero que pudieron ver, fue la pantalla gigante allí instalada. Estaba en marcha. Sin soltar el volante, Daniel y también los demás, pudieron contemplar atónitos las imágenes que estaba emitiendo. ¡Sí!, era el director, Don Eduard Conde, quien micrófono en mano, hablaba a un montón de gente. Lucía un elegante traje color gris marengo, adornado por una corbata negra, con franjas grises, sobre camisa también negra, además de llevar en su cabeza una corona de rey. No pudieron oír lo que decía, pero estaba claro que estaba muy contento. Casi llegando al puente, vieron colgando de este una gran pancarta, en la que se leía:" FELICIDADES, NICOLÁS, BIENVENIDO A TU FIESTA". El deportivo rojo se detuvo junto a las vallas. Era impresionante. Cientos de personas cantaban y bailaban al son de la música. Grandes focos iluminaban la calle y el escenario, donde Mario redoblaba la batería, como si la hubiese tocado toda la vida y Juliana, manejaba los teclados como una experta. El director, Nuria y los demás, bailaban sobre el escenario. Tras visitar a Daniel, Geneviève había visitado y reunido virtualmente esa noche a otros diez niños. Tras explicarles casi lo mismo que le había explicado a Daniel, los había puesto a trabajar. Les facilitó todos los recursos necesarios e ilimitados, para que crearan una gran fiesta para esa noche. Era el gran sueño de cualquier niño hecho después realidad. Era una fiesta de cumpleaños, para un niño, que jamás había tenido la suya.

El director cogió el micrófono y habló a la multitud.

—¡Atención! ¡Atención!, parece, que...por fin... ¡Ha llegado nuestro anfitrión!

La gente se apartó creando un pasillo, por el que se introdujeron Nicolás, María y Daniel. La gente les aplaudía y vitoreaba. A Nicolás le subieron a hombros hasta el escenario, mientras le aclamaban al grito de ¡FELICIDADES! Daniel cogió una guitarra eléctrica y Alex se puso a los bongos, a los micros, María, Nerea y Juliana. El director, micrófono en mano, se puso a cantar en plan rapero:

—¡Escuchad bien lo que yo os diré, porque ahora os contaré...! ¡La historia de este...! ¡Nuestro nuevo rey...! ¡Su nombre es Nicolás...! ¡Y parece uno más...! ¡Pero ojo, porque desde ya...! ¡El nuevo rey será...!

Colocó la corona sobre la cabeza de Nicolás y esta se adaptó a ella de inmediato. El director le pasó el micrófono y

Nicolás agradeció a todo el mundo su asistencia y se mostró muy feliz por tener por fin una gran fiesta. La música siguió. Alumnos del Atlas y muchos otros jóvenes habían recibido, en sus sueños, una invitación para acudir a esta gran fiesta y lo estaban pasando en grande. Sobre el escenario había un grupo de ellos bailando. María vio entre ellos a una niña de cabello largo y rubio. Nuria estaba a su lado, bailando, pero al momento y de forma vertiginosa e imperceptible para el ojo, la niña cambiaba su posición de un lado al otro del escenario. A María se le escapó una lágrima, porque la niña lucía un precioso vestido azul con los dibujos de unas preciosas estrellas blancas. Cuando hace años María lo dibujó, pensó que sería un buen traje para un ángel que fuese de fiesta. La actuación acabo con un prolongado aplauso. Tan entusiasmados estaban todos, que pocos se dieron cuenta de la llegada de varios Cadillac, que aparcaron junto a la valla. Ocho gánsteres, con sus planchados trajes años treinta, fueron recibidos entre abucheos al descender de los vehículos. Mario y Alex aparecieron, tras un espectacular salto, sobre el techo de dos de los coches. Estos, sorprendidos, sacaron sus armas de entre sus chaquetas. El que sin duda era el capo, les hizo un gesto levantando la palma de la mano y estos se relajaron. Un pasillo se abrió entre la multitud. Nicolás, flanqueado por Daniel, Juliana y María, se plantó frente a los recién llegados.

—Será mejor que no intentéis nada —les dijo Nicolás—. Sabes, perfectamente, que Mario y Alex son capaces de poneros una guinda entre los ojos con los suyos cerrados.

Mario y Alex lucían la vestimenta de los intocables y, además, llevaban un cinturón cartuchera, repleto de pequeños botes de vidrio llenos de cerezas en almíbar. En la mano izquierda, unos potentes tirachinas con la goma asida en la otra mano y prestos a disparar en cualquier momento.

—¿Qué haces por aquí, Al (por Albert)? No eres bienvenido... —dijo Nicolás al jefe del grupo.

—¡Vamos, Nick...! (por Nicolás) Vengo en son de paz.

—¿En son de paz...? Nos habéis disparado a mí y a mis amigos...

—¿Habéis oído eso, chicos? Solo ha sido un juego. De haber querido alcanzaros, lo habríamos hecho sin problemas.

—¡Ja! Os hemos superado, a pesar de vuestras trampas. Esto es una fiesta privada y no sois bienvenidos, ni tú ni tus amigos. Lárgate, Al.

—Nick...Nick... ¿Una fiesta privada en una calle pública? Vamos...yo pago mis impuestos. Ecoo...no te preocupes: no queremos estropeare la tua festa amichi. Solo queremos divertirnos un rato, ya sabes: un poquito de cha, cha, cha... ¡Eres nuestro nuevo rey! ¡Felicidades!

—Está bien, que pasen, pero a la primera que hagáis, os echaremos. Y, por cierto, de tus impuestos...ya hablaremos, escurridizo Al.

En la vida real, Al (Albert) era un niño de bachillerato. Cuando se encontraba con Nick, perdón, con Nicolás, en el colegio, o fuera de este, le increpaba metiéndose siempre con él. Nicolás le tenía pánico, pero esa noche no.

Al y sus hombres accedieron al recinto pasando entre las vallas. El último de ellos le propinó un empujón a Juliana. Esta, lejos de amilanarse, le plantó cara.

—¿Qué te has creído? Te vas a enterar... —Juliana abrió la tapa de una de las grandes neveras que habían distribuidas por todo el recinto y sacó un sabroso pastel de nata y crema, que estampó en la cara del gánster. Inmediatamente, como movidos por un mismo resorte, otros invitados abrieron el resto de neveras y las tartas y pasteles, volaron por todas partes y hacia todos los presente. Nadie se libró de un tartazo o de un pastelazo. Fue la única munición que se usó en toda la fiesta. Daniel no dejó de hacer fotos, endulzado y sin perder su sombrero.

Corriendo por el escenario y para sorpresa de todos, Anna Montcada apareció de nuevo en escena. Esta vez iba en tejanos. Cogió un micrófono. El público dejó temporalmente de lanzarse tartas y Anna comenzó a cantar:

—¡Happy birthday Nicolás..! ¡Happy birthday to you…!

La multitud lo repetía con entusiasmo. Entonces volvió a hablar.

—Ya os dije… ¡Que no me perdería esta fiesta! Así…que… ¡VAMOS A DIVERTIRNOS TARRAGONAAR…!

Anna comenzó entonces a cantar una canción que todavía nadie había escrito ni compuesto, "Tarragona is a big party".

Cuando todo el mundo estaba ya exhausto, los miembros del equipo se juntaron en el escenario y comenzaron a tocar una música más relajada de despedida y cierre. Los invitados comenzaron a cogerse unos a otros y formaron varios trenes. A estos se unía cada vez más gente mientras se movía por el recinto. A medida que la fila pasaba entre las vallas de separación, la gente que conformaba los trenes desaparecía en una nube de agua, volviendo de nuevo a sus casas, a sus camas, a sus literas, o a cualquier otro lugar, mueble o no, sobre el que esa mágica noche estuviesen durmiendo. Por allí salieron también, Anna Montcada, el director D. Eduard Conde y el propio Nicolás, junto a toda su clase, al completo. Cuando no quedó nadie más, los miembros del equipo se juntaron en el centro de la calle. Nuria estaba también allí. Todo estaba lleno de restos de chocolate, nata, bizcocho, etc. Hicieron piña y alzaron sus brazos, juntando en lo más alto las puntas de sus dedos. Detrás, sobre el escenario, la niña rubia del vestido azul con estrellas blancas alzó también su brazo derecho. Comenzó a hacer girar lentamente en círculo su dedo índice y cuando el círculo se hubo completado, todo, absolutamente todo, volvió a la más absoluta normalidad, como si jamás nada de lo ocurrido esa noche hubiese sucedido. La calle quedó limpia, no había escenario, ni restos de fiesta alguna. El tren carbonero reinició su marcha y el encargado del puente pestañeó volviendo a mirar las pantallas de las cámaras de seguridad: "Vaya noche más tranquila. Espero no dormirme" se dijo a sí mismo.

A unos cuantos metros de altura por encima de los edificios, Nuria y Geneviève alargaron un poco más la noche.

—No te preocupes, Nuria. Todo va a salir bien. Ahora, debes ir a casa.

—No estoy preocupada. Eres muy buena. Todo lo que me has explicado...no tengo dudas de que es verdad. Solo espero ser capaz de hacerlo.

—Serás capaz, mi vieja amiga. Nunca te diste por vencida, como tampoco lo harás en esta ocasión.

—Si...no queda otra posibilidad...este ¿es mi osito de peluche?

—Lo es...lo he agrandado un poquito, pero es el mismo que te regalaron para tu cumpleaños y que tu tanto quieres. No sabías que podía volar..., ¿verdad?

—No...,no lo sabía... ¡Qué bonita es Tarragona desde aquí arriba!

—Dejará de volar cuando completemos nuestra misión. No queremos que ningún niño piense que los ositos de peluche pueden volar. Hemos llegado a tu casa. Hasta pronto, amiga.

—Me lo he pasado muy bien, buenas noches.

—Buenas noches, Nuria. Gracias por guardarme el secreto.

Parte Sexta

La puerta de la casa de Nuria se abrió y ella entró con su osito violeta de peluche bajo el brazo. Subió las escaleras y vio a su hermana María durmiendo a pierna suelta. Puso la colcha caída sobre su cuerpo y le dio un beso. Después se puso el pijama y se metió en la cama. Sus padres dormían también. No se habían enterado de nada.

En casa de los abuelos de Nicolás, en la calle Mozart, todo estaba también tranquilo. Todavía no había amanecido. Un claxon comenzó a sonar dentro de la habitación donde dormía Nicolás. El abrió los ojos. El sonido venía del suelo. Se asomó a la cama y lo vio. Era un taxi amarillo, en escala 1:18, al que se le encendían las luces y le sonaba la bocina. En los costados del "Cheker", el lema de la compañía, "Everywhere we bring, you 'll be the King". Entonces Nicolás lo comprendió. Giró hacia el otro lado de la cama y gritó,

—¡PAPA...! ¡PAPA...! ¡PAPA...!

David Torres despertó en la cama de al lado, mientras Nicolás saltaba sobre él.

—¡Hijo! ¡Hijo! ¡Felicidades hijo!

Se abrazaron. Les llegó el olor a tostadas, a las deliciosas tostadas con mantequilla que tanto les gustaban y que hacía...

—¡MAMA...! ¡MAMA...!

Mamá abrió la puerta y los tres se fundieron en un fuerte abrazo. Veintiséis de enero, décimo cumpleaños de Nicolás, el primero en familia. David fue el último en salir de la habitación. Antes de hacerlo se detuvo un momento y se agachó para coger el taxi amarillo. Lo sorprendente, es que el recordaba perfectamente haberlo comprado en una tienda del aeropuerto JFK. Se lo acercó a la cara y recordó al taxista neoyorquino que le había dejado en ese aeropuerto. Se lo acercó un poco más, hasta tocarlo con la nariz. Observo el interior, estaba impresionantemente bien acabado, tanto, que parecía de verdad. Dijo "Gracias", como si el taxista estuviese allí y volvió a dejarlo suavemente en el suelo. Salió y cerró la puerta. Entonces, dentro de la habitación se escuchó un "Mec…Mec…". Se sorprendió mucho y se dijo: "Que oportuno el juguete" Sí, el taxista estaba allí.

Cuando hubieron desayunado, Marta le dio la noticia de su embarazo a David. Nada quisieron decirle a Nicolás, todavía no, ese día, él era el único protagonista. David miró su reloj. Eran las 8:40, no tenía tiempo de ir a comprar coca de chocolate para llevarla al colegio y que Nicolás la repartiese entre sus compañeros de clase. Llamó a una pastelería y se la acercaron muy rápidamente. Nicolás jamás había celebrado un cumpleaños con sus compañeros de su clase. Ese día, le felicitaban, sin más, y porque los profesores tenían anotadas todas las fechas de nacimiento de los alumnos. ¿Qué más se podía pedir? Su padre y su madre le acompañaban al colegio e iban a celebrarlo juntos. Cuando el coche se detuvo frente a la puerta del colegio Atlas, los tres estaban muy felices. Nicolás se sentía como un rey. Dejó el taxi en el asiento del coche y le dijo a su padre,

—¿Me lo cuidarás?

—Siempre hijo…siempre.

Nicolás se puso la mochila al hombro. Sus padres le llenaron de besos y le desearon suerte para el examen de matemáticas. Subió por las escaleras exteriores mientras su padre le miraba. Recordó cuando él hacia eso mismo. Por aquel entonces el Atlas era un colegio de reconocido prestigio, ahora solo esperaba el momento en el que las palabras que su padre le dijo en una ocasión, se hiciesen realidad .Estas fueron sus palabras, "No tengo los documentos que lo demuestran, porque fueron destruidos en la guerra o robados en los saqueos, pero algún día las letras desaparecidas volverán y demostrarán que un antepasado tuyo fue director de este colegio y entonces, te sentirás orgullosos de tu hijo y de él". La verdad es que su padre hacía muchos años que había dicho esas palabras. Lo hizo cuando estaba muy enfermo y delirante. Después el anciano no volvió a repetirlas, ni admitió haberlas pronunciado. David no volvió a preguntarle jamás, pero ahora, una leve y agradable brisa y hasta el aspecto del edificio, que le parecía haber mejorado de repente, le inducían a pensar, que esas letras desaparecidas a las que se refería su padre, de haber existido, tal vez si regresarían.

Daniel se despertó antes de que le avisasen para hacerlo. Miró a su alrededor y así mismo, como si no esperase encontrase allí. Se sentía pletórico y despejado, como si no hubiese sido perseguido por una colección de gánsteres de cuento, que disparaban bolas de queso, ni hubiese estado tocando y cantando hasta el amanecer. Dio un brinco y se fue al lavabo. Se miró en el espejo y vio un pequeño morado bajo su ojo derecho. Así que había ocurrido de verdad. El recordaba perfectamente cada detalle de esa alocada noche, pero ese morado, despejaba cualquier duda de lo que había vivido, pero…un momento…y… ¡la máquina de fotografiar sueños! Miró en el cajón de su mesita, y si, allí estaba, ¡Uf! ¡Menos mal!

¡Después de tanto esfuerzo¡ Desayunando, su madre le preguntó por el morado. Dijo que se había levantado para ir al baño y se había golpeado con la puerta. Daniel vivía a escasos cien metros del colegio. Iba solo hasta allí. Estaba contento. Había sido una aventura fantástica, pero, ¿valía la pena arriesgar la vida, para darle una fiesta a Nicolás? Estaba ansioso por ver a María y a los demás miembros del equipo. A medida que se acercaba al colegio, miraba la fachada del edificio. No sabía como, ni por qué, pero algo estaba cambiado en ella. Tal vez estaba más limpio, hasta podría decirse, incluso, que faltaban algunas de las grietas que él había visto toda su vida. Era difícil de apreciar, pero si, la fachada estaba mejor. Lo que le acabó de convencer de que algo había cambiado, fue la bandera del colegio Atlas. Él nunca la había visto ondear. Siempre la había visto atrapada en el mástil, pero ahora, estaba libre, muy deteriorada, pero libre. Cuando entró en el colegio, el portero le espetó,

—Por la otra puerta señor intrepid. Son las nueve menos diez. Daniel había entrado por la puerta principal, pero eso, solo se hacía cuando se llegaba tarde. Cuando se era puntual, había que hacerlo por la otra entrada. Daniel ya no se acordaba de eso, pues nunca había sido puntual. A pesar de eso, para ir a clase, debía pasar obligatoriamente por el primer piso. En ese momento oyó el grito del director, llamándole. ¡Caray! Ese hombre era como un radar.

—¡EH! ¡TU! ¡DANIEL!

—¡Voy señor director...!

—Pasa...Pasa...siéntate...

Daniel miró al director, tras entrar en su despacho, sentarse y dar un bufido de resignación. Instantáneamente volvió a mirarle. No podía creerlo. Vio al director bien afeitado, repeinado y luciendo una corbata limpia, no nueva, pero si limpia. Solo por esos detalles, vio a un director diferente y para bien, que como siempre, pasó rápidamente a señalarle con el dedo índice mientras le hablaba,

—¿Cómo lo habéis hecho…? ¡Es sencillamente magistral.

—¿Hacer? ¿El que…? ¿No se referirá a algo bueno…?—preguntó un sorprendido Daniel.

—Vamos…no seas modesto muchacho, es fenomenal.

—¿Feno…?

Antes de que Daniel pudiese completar la palabra, El director le puso delante de la cara, un nuevo ejemplar del Intrepid. María entró en ese momento y todavía de pie, observó también ese ejemplar.

—¡VAYA!— Exclamaron ambos.

—¿Qué pasa? ¡Como si no lo hubieseis hecho vosotros!—Apuntó el director sorprendido a su vez.

—En realidad no…quiero decir…sí, sí. Lo hemos hecho nosotros…en mi casa, sí, sí…—dijo Daniel.

—Ayer por la tarde y toda…pero toda la noche—Añadió María.

¡VAYA!— Repitieron ambos mientras pasaban las páginas de la publicación.

El Intrepid que estaban viendo encima de la mesa del director, no era el Intrepid que ellos publicaban ¡como que no lo habían hecho ellos! Ni sabían quién, aunque… lo imaginaban. Lo miraban extasiados.

—Tengo otro—dijo el director mientras se lo acercaba a María.

Para empezar, este Intrepid ya no se llamaba así, ahora era Intrepid@, igual como sus fabulosos relojes de la vida no real paralela. Era un comic, en la que ellos aparecían en portada bajo el nuevo nombre de la revista, Daniel llevando su máquina de fotos y María a su lado, los dos con cara de aventureros. El interior tampoco tenía desperdicio. Veinte páginas de viñetas, en las que se narraba, con todo lujo de detalles y todos sus protagonistas, la noche de aventura que habían pasado. La historia comenzaba cuando el taxi les recogía, junto a Nicolás, en la calle Mozart y terminaba cuando acababa la fiesta. Ni un rastro de Geneviève, ni de los padres de Nicolás. No podían dar crédito a lo que estaban viendo. Las fotos de la máquina se habían transformado en dibujos y ahora, por arte de magia, estaban publicados en el Intrepid@. El director les miraba y tan atónitos les vio, que tuvo que carraspear para que le prestasen atención.

—Ejem...Me encanta que me halláis puesto a cantar con Anna Montcada. Que noche más grande... y ¡que traje más chulo llevo...! ¿No?

Ellos siguieron mirando la revista, como si no le hubiesen escuchado, así que tuvo que insistir.

—¿Qué pasa? ¿Es que no habéis tenido tiempo de revisarla? Tampoco me extrañaría, porque no sé cómo habéis podido acabarla tan bien y tan rápido.

—No, no es eso. Es que tan solo, admiramos nuestra obra.—Improvisó María.

—Hablando de obras...—siguió el director— Como sabéis, hace tiempo que nos proponemos rehabilitar, en lo posible, la construcción de este edificio...pero...por el momento...sigue siendo un imposible. Esta mañana me he fijado, que volvían a cerrar algunas ventanas que no lo habían hecho en los últimos cuarenta años, e incluso, he echado en falta algunos... desconchados en la fachada... ¿Sabéis algo de esto? ¿No conoceréis a algún albañil altruista? Mejor que sea así, porque si pretende cobrar...bueno...en fin...si os enteráis de algo...

Daniel y María se miraron. ¡Vaya noche! pero también, ¡Menudo día! Antes de marchar, Daniel le dijo al director,

—Le queda algo de espuma de afeitar detrás de la oreja.

—Ah...Gracias—

El director le contestó antes de pasarse el dedo índice por la oreja y cogiendo con él, una pequeña gota de espuma blanca. Al pasarla por delante de la nariz, notó que olía a fresa. Se acercó la espuma a la boca y la probó. Era crema pastelera con sabor a fresa. Fuera del despacho del director, se había montado una sonora algarada. Algunos profesores irrumpieron en el despacho, impidiendo salir a María y a Daniel.

—No podemos comenzar las clases. Los alumnos están como locos con la revista. En las aulas, en los pasillos, en cualquier parte, nadie quiere saber nada que no tengo que ver con ella. Cuando María y Daniel consiguieron salir, una multitud se abalanzó sobre ellos. "Gracias por sacarme en el Intrepid@" decían algunos o "Lo he pasado en grande esta noche". Lo cierto, es que todos los que salían en el Intrepid@ de ese día, tenían la sensación, mientras iban leyendo, de haberlo vivido, de haber estado realmente allí. Era una extraña, pero magnífica sensación. Habían estado en la vida no real paralelo, sin saberlo, pero en cuanto veían las imágenes y sus caras en ellas y leían los textos, pasaban a afirmar y a creer firmemente, que lo habían vivido realmente. Muchos otros les preguntaban cuando iban a salir ellos. En estos casos, el director les hacía de portavoz y respondía, "Cuando seáis buenos y estudiéis más". Lo que no sabía, es que al final, todos acabarían saliendo. El director se vio obligado a suspender la primera hora de clase. Estas prosiguieron después, en un ambiente distinto. Daniel y María notaban por fin ese aire fresco. A la hora de recreo consiguieron juntarse todos los miembros del equipo, tras haber sido felicitados y jaleados. Ahora si estaban satisfechos. Había valido la pena. Lo siguiente que vieron sorprendidos, fue a Nicolás y a Nuria, sentados en el patio, revista en mano y rodeados por un nutrido grupo de alumnos y alumnas, que sentados en el suelo, escuchaban los detalles de la aventura. Nicolás se sentía muy feliz. Cuando les vio allí, se levantó y fue corriendo hasta donde estaban.

—Muchas gracias. No me esperaba algo así. Sois mis mejores amigos. Cuando veáis a vuestra amiga, dadle un besito de mi parte.

Nicolás volvió a sentarse entre aquel grupo. No volvió a ser un niño aislado, fue aceptado y apreciado por todos. Como muestra un botón. Cuando volvía a clase, todavía entre felicitaciones, topó con un alumno de bachillerato, que lo apartó contra la pared. Era Al (Albert), flanqueado por varios de sus hombres…ejem…por varios alumnos. Nicolás dio un respingo de sorpresa y susto, pero no tenía motivos… para asustarse, sobretodo, cuando Al se dirigió a él en estos términos,

—¡Nicolás tío! ¡No sabes lo contento que estoy de que me hallas invitado a tu fiesta esta noche! Y la persecución… ¡Ha sido fantástica! ¡Casi os pillamos! Aunque…no sé por qué os perseguíamos, es lo único que se me ha olvidado. ¡Ha sido un puntazo! Gracias a ti las nenas me adoran…bueno…antes también… El papel de Al Capone me venía que ni pintado. Ya sé que la revista la publican esos dos de secundaria, pero seguro que tú has tenido mucho que ver y te estoy muy agradecido. Tengo una sensación muy extraña…no sé tío… ¡Me están entrando ganas de ser bueno! ¿Sabes una cosa chaval? A partir de ahora serás mi protegido. Si alguien se mete contigo, házmelo saber y no lo repetirá ¡Eres el nuevo rey!

Albert se encontró con Nicolás, cuando subía al despacho del director, que le hacía ir por un asunto relacionado con un impago. Se encontraron en el primer piso, antes de que el director entrase. Antes de hacerlo, Albert le preguntó qué pasaba y este se lo dijo.

—¿Cómo es posible que tu madre me asegure que hace una semana que te dio el dinero para pagar la mensualidad impagada y tú, no lo hayas hecho aún?

—Si lo he pagado. He perdido el recibo, eso es todo.

—Ya...vengo de comprobarlo en secretaria, porque sabría que vendrías con una excusa así.

Entraron en el despacho y el director se dispuso a abrir un sobre a su atención, que alguien acababa de dejarle sobre su mesa, en su corta ausencia. Mientras lo abría, seguía hablando con Al.

—Mira Albert, estoy cansado de tus excusas y de que te quedes con el dinero...

D. Eduard Conde dejó de hablar y se centró en la lectura de la misiva que junto a un billete de cincuenta euros, había dentro del sobre y en la que esto ponía, "El otro día señor director, encontré este billete junto a la silla de un alumno, que creo se llama Albert. Al principio no sabía qué hacer, pero creo que lo correcto, es que se lo dé a usted y seguro usted lo sabrá".

El director no salía de su asombro. Alguien acababa de pagarle "la fianza" a Albert, pero no sabía quién, ni porqué. A D. Eduard, no le quedó más remedio que decir esto,

—Eres libre Al. Los cincuenta euros han sido pagados. Ve a secretaría, a que te hagan un recibo.

—De...de... ¿de veras? Esto... ¡Vaya...! Ya le dije que...

—Lárgate Al y no quiero verte más por aquí.

—De acuerdo señor comisario...perdón...señor director...

Parte Sétima

Berlin

Anna Montcada se encontraba en Berlín, en el estreno de su película "Mi perro es vegetariano"

La actriz texana acababa de despertarse cuando sonó el timbre de su habitación. Anna abrió la puerta, era su representante.

—Perdona que te moleste. Debes estar muy cansada. No te lo vas a creer. Me acaban de pasar por el móvil, las páginas de una revista escolar llamada Intrepid@ y ¡Ja! te sacan a ti, como si hubieras dado un concierto para ellos anoche.

—No estoy nada cansada Bob, al contrario, estoy como nueva. Es fantástico, me encuentro como si hubiera dormido dos días seguidos. A ver, déjame verlo. Un momento... ¡no puede ser!

—¡Ja! ¡Se van a enterar! ¡Vamos a meterles una demanda que...!—dijo el representante.

—¿Demandarles? ¿De qué hablas Bob? ¡Yo he estado allí! ¡He dado ese concierto! ¡Esta misma noche...! ¡Es tan real...!

—Anna... ¿Te encuentras bien...? Llamaré al médico...

—No necesito ningún médico. Ya te he dicho que estaba fenomenal. ¡He estado! ¡He estado!

—Eso es imposible. Estabas aquí.

—Déjalo Bob y escúchame bien. Quiero que envíes una carta a ese colegio, invitando a todos los que están encima de ese escenario, a mi próximo concierto y…

—Tu próximo concierto es en Pekín, en septiembre. Hasta entonces tienes gira promocional.

—No Bob no, a mi próximo concierto en Tarragronar.

—¿En Tragarronar…? No tienes ningún concierto programado en Tragrarrona.

—Pues lo programas Bob. Llama a su alcalde, al presidente, al embajador, a quien sea, pídeles lo que te den, dales lo que te pidan, no les pidas nada, pero quiero un concierto en esa ciudad. Ah…y Bob, llama a Los Ángeles, al estudio de grabación, diles que estoy preparando la letra para un nuevo single y que ya tengo hasta el título, empezaremos las pruebas en cuanto regrese, porque quiero que esté lista para ese concierto. ¡Ah…! ¡Qué bien me siento!

Anna siguió mirando las páginas del Intrepid@ y vio el vestido violeta que lucía esa noche.

—¡Qué bien me queda! ¡Lo quiero!

Parte Octava

Tarragona

Mientras tanto, en el colegio Atlas, las novedades se superaban. La tutora de la clase de Nicolás entró en el despacho del director.

—¿Que ocurre Carme? ¿Qué haces aquí?

—No te lo vas a creer Eduard.

—¡Ja! ¡Sorpresas a mí! Hoy...

—Acabo de corregir los controles de mates...

—Eso entra dentro de tus funciones carme.

—Sí...ya...pero quiero que veas los resultados. Iba a corregirlos mañana, pero les he visto tan aplicados escribiendo sin parar, sin levantar la vista de la hoja. Han acabado en un momento.

El director echó un vistazo al listado.

—¡Vaya...! Casi todos sobresaliente, incluso Nicolás Torres y el resto con nueves. Ningún suspenso. Lo has falsificado.

—¡No! ¡De veras que no! Es el resultado, es así. Pero eso no es todo. Es la primera vez que todos han traído los deberes hechos, sin excepción.

Ambos se miraron con cara de auténtica sorpresa. Ese mismo día muchos resultados mejoraron también. Hasta Daniel consiguió mejores resultados. También sus compañeros de equipo. La profesora de teatro propuso que la obra de fin de curso, se dedicase a la revista de ese veintiséis de enero. Estaba previsto que fuera su presentación mundial, pero los acontecimientos iban a precipitarse También, en una ciudad de Suiza, una conocida escudería de fórmula 1, anunciaba, que la presentación de su próximo coche para la siguiente temporada, se llevaría a cabo en público y en Tarragona, a petición expresa de su primer piloto, a quien alguien le había hecho llegar un ejemplar del Intrepid@. En unas declaraciones a la prensa, se refirió a esa presentación en estos términos: "Quiero presentar el coche en la Avenida de Vidal y Barraquer de esa ciudad" "Pensarán que estoy loco, pero yo conduje por sus calles en dirección a esa avenida y no pude llegar. Ahora podré hacerlo." Resulta fácil adivinar quienes estuvieron en la primera línea de esa presentación.

Daniel recordaba cuando al iniciar la publicación de la revista, muchos alumnos se metían con ellos. Les decían que sería un fracaso. Pero ahora, las imágenes plasmadas en sus páginas, habían traído aires renovados al colegio, los mismos aires renovados que hacían ondear nuevamente la recién liberada bandera del colegio Atlas.

El entrenamiento había resultado muy satisfactorio. Geneviève estaba contenta. Había sometido a los miembros del equipo a una dura prueba y ellos habían respondido tan eficazmente como ella sabía que podían hacerlo. Ellos todavía no lo sabían, pero esa dura prueba, era tan solo el preámbulo de otra aventura mucho más espectacular y compleja, en la que no estaría tan solo en juego el futuro de una revista o el de tan solo un niño. El futuro iba a cambiar y tendrían que alcanzarlo por difícil que fuese a resultarles, antes, de que su futuro desapareciese para siempre.

Colegio Atlas Tarragona, veintiocho de enero

—Buenos días a todos y a todas. Además de felicitaros porque hoy, veintiocho de enero, es el primer día de clase, en el que a las nueve en punto, hay más niños dentro de clase, que fuera de ella, incluido nuestro intrépido derrapa pasillos Daniel, quiero presentaros a una nueva alumna. Su nombre es Luna.

Un nombre muy apropiado para la noche.

Parte Novena

Fortin de San Jorge, comienza la gran aventura

Fue la noche del quince de febrero cuando los niños escucharon de nuevo esa bonita canción. Era como las veces anteriores. Al despertar en la vida no real paralela, se encontraron todos juntos sentados en torno a una gran mesa de madera. Geneviève, sentada en uno de los extremos de la mesa les miraba sonriente.

—¿Dónde estamos? —preguntó Daniel mirando a su alrededor.

—En el Fortín de San Jordi, el inicio de todo. Gracias por haber acudido todos. Estaba segura de que vendríais.

La mesa se hallaba sobre la hierba, en el centro de la gran sala superior del Fortín. El edificio no tenía techo, estaba vacío, como lo había estado los últimos casi doscientos años Las paredes desnudas a excepción de una cosa, el atlas de 1811, cuya copia también en tela, se hallaba enmarcada en la pared del despacho del director del colegio, el atlas que había dado nombre al colegio.

—¿El inicio de todo?—Preguntó Nerea.

—Sí, todos me preguntasteis porque había aparecido en vuestras vidas y aquí y ahora, voy a explicároslo.

Geneviève comenzó a explicarles una increíble historia.

—En 1811 la ciudad de Tarragona fue asediada y conquistada. En las batallas de esa conquista murieron muchas personas, y muchos niños quedaron huérfanos. La ciudad quedó prácticamente destruida. Durante los siguientes meses, esos niños deambulaban por la ciudad sin rumbo ni futuro. Al igual que el resto de la ciudad, los Fortinnes, este en concreto, fue tomado por las fuerzas invasoras. Pasado un tiempo, los colegios de la ciudad comenzaron a funcionar de nuevo pues el nuevo gobernador, quería volver a la normalidad cuanto antes. Sin embargo, muchos niños no tuvieron acceso o fueron expulsados de los colegios a los que habían asistido antes. Uno de los colegios más importantes era el colegio Imperial, nombre que provocó que fuese el más apreciado y favorecido por el nuevo gobernador. Su propietario y director era Eduard Comte, un acaudalado terrateniente.

—Un momento, dijo Mario, Eduard Comte es... es... nuestro director, o casi.

—Bueno, no, eso ocurrió hace casi doscientos años, respondió Geneviève, que siguió explicando.

—Comte aprovechó esa circunstancia para intentar crear un colegio de elite. No readmitió a los niños huérfanos, pues no podían pagar. Uno de ellos, un niño muy inteligente, se propuso seguir aprendiendo. Un día que caminaba por la ciudad en busca de algo que comer, se encontró con dos niñas que eran hermanas y que también deambulaban. La mayor de ellas le preguntó si sabía dónde encontrar comida, a lo que él respondió que sí, pero que el sólo no podría cogerla.

—Nosotras te ayudaremos— Le contestó la pequeña.

—¿Vosotras? ¿Dos niñas? No me fío de las mujeres. En cuanto os diga dónde está la comida, marchareis en su búsqueda y me dejareis plantado. Además, estoy seguro que solas, no seréis capaces de cogerla, os atraparán. Pues quédatela entonces. Eres tú quién no puede cogerla.

—Está bien, tengo un plan, pero no puedo hacerlo yo sólo. Necesito alguien que sepa escribir.

—¡Yo sé!, dijo la mayor.

—¡Ya! No me lo creo.

—Dime tu nombre.

El niño le dijo su nombre y ella lo escribió en la tierra con un trozo de rama.

—¡Vaya! ¿Dónde has aprendido?

—En el colegio. Antes de que llegará esta guerra. Ahora ya no nos aceptan de nuevo.

—Como me ha pasado a mí.

—De acuerdo, me habéis convencido, lo haremos juntos.

Y el niño les explicó el plan.

Esa misma noche los tres niños se juntaron en el Fortín de San Jordi. El fortín había sido vaciado casi en su totalidad. El nuevo ejército lo consideraba poco útil. Además, el techo de la nave central estaba derruido y hundido en el interior. Lo único aprovechable, era un almacén sala bajo la sala principal. Allí dormía el niño. En la planta superior, bajo los escombros, seguían varias cajas de explosivos que nadie había tenido interés en sacar. Los tres niños se juntaron en ese almacén y el niño les explicó.

—Al final de la calle de Puig d´en Pallars hay un pequeño almacén de alimentos que tienen algunos soldados, pero son alimentos que escapan al control de las autoridades. Los soldados los venden a escondidas. Siempre se las arreglan para tener un vigilante. Yo les he estado observando. Esta noche habrá uno al que creo que podremos engañar con mi plan. Por allí y para volver a su casa en la calle del Llorer, pasa una chica que se llama Rosita y que trabaja en una lechería. Ese soldado no para de lanzarle piropos y de pedirle una cita, pero ella le dice siempre que no.

Geneviève seguía narrando. Los niños le escuchaban con total atención.

—Se me ha ocurrido, que si le hacemos llegar una carta aceptando una cita en un lugar apartado, él seguro acudirá y abandonará la vigilancia por un rato o por toda la noche.

—¿Y cómo vamos a tener la carta?

—La harás tú, tienes letra de chica.

— ¡Vaya! ¡Es una buena idea!

—No tenemos nada que perder ¡Ya estamos muertos de hambre!

—De acuerdo, lo haremos.

Geneviève siguió con el relato.

La niña redactó la nota en un maltrecho trozo de papel. Al anochecer Rosita volvía a su casa pasando por delante del soldado. Los niños se le habían acercado previamente e iniciaron una conversación con ella. Pasaron junto a ella, por delante del soldado. Este, como siempre, le dedicó varios piropos. Siguieron camino y giraron la esquina, alejándose del lugar. Al poco, los niños se plantaron delante del soldado y le entregaron una nota, escrita supuestamente por Rosita, en la que le citaba para una hora más tarde en los jardines del Campo de Marte. Eran pocas palabras en el idioma local, que el soldado ya comenzaba a entender. Tras releerla para asegurarse, el soldado les preguntó si de verdad Rosita les había entregado esa nota y ellos le dijeron que sí, y que ella le esperaría. Los niños se alejaron y el soldado comenzó a dar vueltas. Dudaba, entre acudir a la cita y abandonar el puesto o no hacerlo. Al final, pensó, valía la pena arriesgarse. Buscaba excusas para acudir. Se decía, "aquí nunca pasa nada" "estoy perdiendo el tiempo" "Si acudo esta vez, le diré que las próximas veces quedemos en momentos que no tenga que estar de vigilancia. Sólo será por esta vez." Por supuesto, el soldado dejo la vigilancia y acudió a la falsa cita. Los niños rompieron con una palanca el marco de la ventana del cuarto y accedieron al interior. En poco tiempo la pequeña y el niño, lanzaron al exterior un montón de alimentos, que subieron a un pequeño carro con que contaban y marcharon hacia el bosque con la comida. Comieron todo lo que pudieron y rieron contentos de poder llenar sus ruidosas tripas. Como no podían con todo y temerosos que alguien les viese, fueron dejando alimentos en los portales que veían abiertos. Seguro que acertarían, pues en la Tarragona de esa época, prácticamente, todo el mundo pasaba hambre. Pronto se dieron cuenta que podían repetir hazañas similares. Pero lo que más gustó al niño era la posibilidad de aprender a leer y escribir. Podía aprender de esa niña sin temer nada por ello, no le quitaría el hambre, pero le llenaría el corazón y la mente, en tiempos de penurias y aburrimiento en los que era mejor tener algo con lo que intentar engañar al hambre.

A la mañana siguiente, después de haber comido provisiones que habían ocultado entre sus ropas, el niño planteó directamente su inquietud a la niña mayor La niña le dijo que le enseñaría encantada, al mismo tiempo que seguía enseñando a su hermana pequeña. Planearon un nuevo golpe y les salió bien. Geneviève siguió con la explicación.

—¿Y si montamos nuestra propia escuela?—Preguntó el niño a la niña mayor.

—¿Una escuela de buscar comida?—Le contestó ésta.

—No, bueno sí. Hay muchos niños como nosotros por las calles. Han sido expulsados de los colegios, por el simple hecho de ser pobres o de no tener padres o de estar lisiados. Podrían ayudarnos y a cambio, les enseñaríamos. Seríamos como un pequeño ejército bien aprendido.

—Bueno, tal vez no sea mala idea, pero se dice enseñado.

Al poco tiempo eran un pequeño grupo. Eran diez niños y niñas. Se dedicaban a sustraer comida a las tropas y tenían mucho éxito. También les habían birlado material de escritura, incluso unas nuevas plumas, que llevaban ya un pequeño depósito de tinta incorporado, aunque fallaban mucho, eran toda una novedad. Los niños llevaban todo al fortín y en aquel cuartucho, durante el día, se encerraban y la niña mayor les enseñaba a escribir. Pero la autoridad no era tonta y pronto supo de las andanzas de los chiquillos. Al mismo tiempo, un soldado había llegado a la ciudad con el fin de restaurar los colegios y los demás servicios de la ciudad. Era una persona con experiencia, que en similares circunstancias, ya había reconstruido ciudades similares. El gobernador le habló de esos niños y también de su intención de que el colegio Imperial pasase a ser el beneficiado de las finanzas públicas. En cuanto a los niños de los que se decía, "habían montado un colegio en el fortín", al gobernador le pareció un divertimento, pero ordenó que los matasen si volvían a robar comida. Aquel soldado se llenó de espanto al oír aquello y replicó al gobernador.

—¿Por qué quiere hacerles daño? Son unos niños valientes, ¿Por un poco de comida?, esos niños tienen más coraje que todos los mayores que se esconden como lagartijas.

—Querido Louis (de apellido Troubert) No cuestiono la valentía de los muchachos, al contrario. Temo que pudiera cundir el ejemplo y si les dejamos hacer, pronto serán mayoría quienes les imiten. Convendrás que es mejor acabar con una docena, que acabar con todos.

—No puede hacer eso. Déjeme que hable con ellos. Yo les convenceré.

—Louis Troubert se había metido en un buen lío y él lo sabía, pero no podía dejar que asesinasen a esos niños por el simple hecho de tener hambre.

—Esa noche, antes que los niños regresasen al fortín, Troubert se introdujo en él .Para entrar en la sala inferior había que bajar por una improvisada escalera de cañas, pues la principal estaba derruida e impracticable. Tuvo que quitarse el sombrero para entrar por la pequeña apertura y entonces soltó un fuerte alarido. Un montón de piedras, sin duda puestas a propósito, le cayeron en la cabeza. Estaba furioso, no tanto por las heridas, como por haber sido víctima de una trampa tan sencilla. El, que era un soldado del emperador. La luz entraba por los huecos de una pequeña ventana exterior, que estaba cubierta en parte por maderas. Prendió una pequeña lámpara de aceite que encontró y se asombró al ver el interior. Además de los fardos de paja que utilizaban los niños para dormir, en el centro de la sala había una mesa y en una pared unos improvisados estantes de caña atada con cuerdas. En ellos había papeles, material para escritura, pinturas. Muchos de los retales de papel estaban escritos. Sí, era una escuela, rudimentaria, pero una escuela al fin y al cabo. Louis Troubert salió de la sala y se escondió entre los escombros del piso superior. Al poco llegaron los niños, con su último botín. Cuando iban a entrar en la sala, el niño mayor se dio cuenta que alguien había estado allí. Cuando se puso a gritar ¡MARCHEMONOS! Louis Troubert salió de su escondrijo y agarró a uno de los que todavía no habían descendido por la improvisada escalera de madera.

—No voy a haceros daño, les dijo.

—¡SUELTALE! ¿QUIEN ERES?

—Soy la demostración de que ahora mismo podríais estar todos muertos. Tú crees que eres muy Intrépido y ella muy Intrépida, (en su idioma les llamo de forma conjunta, Intrepids refiriéndose a ambos al mismo tiempo y con la misma palabra) pero eso, no os hubiera salvado esta noche de caer en la trampa y morir. Al principio, los niños dudaron.

Geneviève siguió explicando.

—No quiero haceros daño. Estoy de vuestra parte. Solo he venido a hablar.

—Está bien, baja pues, si así es.

Los niños y el soldado entraron en la sala inferior y cerraron la puerta. Encendieron varias lámparas de aceite más, de las que habían robado al ejército.

—¿Por qué has venido?— Le preguntaron

—He venido a avisaros que el gobernador os matará si volvéis a robar nuestros suministros.

—Pues llegará tarde, estaremos muertos de hambre si dejamos de hacerlo.

—He visto lo que estáis haciendo aquí y estoy impresionado. Me lo habían explicado y la verdad, supera lo que pensaba, veo que nos habéis sustraído un montón de material.

—Hemos decidido aprender, enseñar e intentar hacer algo por los más necesitados.

—Eso está muy bien, pero no podéis seguir así.

—Pues no sabemos hacer otra cosa, añadió el Intrépido.

—Os propongo una cosa. He venido a intentar que las escuelas de esta zona funcionen nuevamente y la verdad, lo mejor que he visto es este cuarto. Si me prometéis que no haréis más robos, yo mismo os traeré la comida que necesitéis y además, os traeré material para que podáis seguir dando clase.

—Cómo sabemos que no eres un enviado de ese ilustrísimo señor Comte. Nos echó de su colegio y seguro que está tramando echarnos de la ciudad. Pero no lo va a conseguir, lucharemos por Tarragona y la levantaremos.

—No os engaño, a mí tampoco me cae bien Comte. Tened una prueba de mi sinceridad.

Louis Troubert extrajo un montón de material de un fardo, plumillas, tarros de tinta, papel, acuarelas, carboncillos y unos lápices que un soldado del regimiento de granaderos, amigo de Louis, había inventado hacía muy pocos meses. Los niños estaban maravillados.

—¡Caramba!—dijo la Intrépida. Leía nombres raros en aquellos artilugios; England, France, Italia. Estos son países, lo sé, aunque no sé dónde están.

Los demás intentaban leer. Algunos ya podían, aunque no entendían nada.

—¿Cómo has conseguido todo esto, de estos lugares?

—He estado en todos y cada uno de esos lugares.

—¿Y donde están, muy cerca, muy lejos, podemos ir?

—¡Ja! ¡Ja! ¡Ja!

Si me hacéis caso y os portáis bien, estoy seguro que algún día podréis ir.

Louis Troubert estaba encantado con aquellos niños, les había tomado cariño. Como iba preparado y estaba disfrutando, sacó algo que les maravilló.

Era un Atlas, un mapamundi enrollado. Aquí está el mundo entero —les dijo. Les vio sonreír a sus explicaciones, maravillados, entusiasmados.

—Aquí están todos esos nombres Intrépida— le dijo mientras los señalaba Haremos una cosa, les dijo por fin Troubert. Cogió cuatro clavos del suelo. Había montones de ellos y colocó el atlas en la pared con uno en cada extremo del mismo.

¡OS LO REGALO! En este momento yo os declaro colegio oficial. Tu Intrépido y tu Intrépida, (Intrepids) seréis los directores. (En su idioma, en plural traducido: vous Intrepids seróns les directeurs)

—¡BRAVO! Gritaron todos fascinados.

—¿Y qué nombre tiene nuestro colegio? Tenemos que ponerle un nombre, todos lo tienen.

—¿Por qué no le llamamos atlas? Cómo el atlas, bueno como....sugirió la pequeña.

—Me parece una magnífica idea, le llamaremos colegio Atlas, que os parece, dijo Intrépido.

¡SI...! Gritaron todos, y ese fue el verdadero inicio de la historia del colegio Atlas.

GENEVIÈVE sonreía al verles tan apasionados con la historia.

—¡Vaya! Todos en la mesa presidida por Geneviève, quedaron absortos.

—¡Se llamaban Intrépido e Intrépida, es increíble!

—Si, Louis no sabía sus nombres y se quedaron ya con ese mote, para siempre.

—¿Y qué pasó? Porque la historia no acaba ahí, ¿verdad? María estaba tan sorprendida como los demás, el colegio Atlas, estaban en el fortín... Eran demasiadas coincidencias. Como ella siempre buscaba respuestas a todo, supuso que a la historia le quedaba aún bastante recorrido.

Geneviève siguió explicándoles.

Troubert marchó y dejó a los niños felices y contentos. Hablaron y rieron hasta que cayeron rendidos de agotamiento. Sé sentían afortunados. Tan solo intrépido e intrépida tenían algún recelo, aunque, no ocultaron tampoco su felicidad. Al día siguiente poco pudieron hacer, pues despertaron pasado el mediodía. Los niños miraban entre sorprendidos y curiosos aquel atlas, Intrépida, muy solemne, se puso delante del atlas y dijo.

"Os imagináis, que al igual que yo he enseñado a ese pobre golfillo, dirigiéndose a Intrépido, qué poniendo cara de falso enfado, sonrió y le tiro un trozo de corcho de borrar a Intrépida. Un día podremos viajar por el mundo, aquí, aquí, aquí y también aquí— Mientras esto decía, iba poniendo el dedo en un lugar diferente del atlas— Les enseñaremos a todos lo mala que es la guerra, lo malo que es que traten mal por ser pobre, o por no tener padres, o simplemente, porque como a Pere, le falte un brazo. Si lo conseguimos, no habrá imperio que nos detenga, por muy malo que sea "

Todos gritaron entusiasmados, ¡SI, LO CONSEGUIREMOS!

Geneviève seguía explicando.

A partir de aquel día los niños siguieron dando golpes aquí y allá. Para pasar desapercibidos, buscaban lugares alejados de la ciudad. O bien Intrépido o bien Intrépida, iban siempre en la expedición que formaban seis o siete niños, normalmente siempre los mismos, los más fiables. El otro se quedaba en el fortín, haciendo funcionar el colegio. La diferencia de estos golpes era que ya no robaban material para el colegio, ya no necesitaban hacerlo y que la comida que conseguían, la repartían entre los pobres de los lugares por donde pasaban, siempre sin dejarse ver. El pillaje y los asaltadores de caminos eran muy frecuentes, eso les permitía no levantar sospechas.

Geneviève seguía explicando

Louis Troubert, por su parte, fue a ver al gobernador. En aquel preciso momento entró Comte y se unió a la tertulia. Troubert era quien hablaba en ese momento.

—He estado con esos chicos, no son ningún peligro para nadie. Han aceptado dejar sus robos, a cambio de algo de comida y que les dejemos seguir teniendo su particular "colegio", proporcionándoles material.

—Perdone Troubert, señor gobernador, (era Comte) no puede usted tratar con esos rateros. Como va a hacer cumplir la nueva ley si pacta con esos descarados.

—Servil Comte, yo aprecio mucho su esfuerzo por respetar y hacer respetar las leyes del nuevo imperio. Sabe muy bien, que a mí no me temblaría el pulso para acabar con esa pequeña plaga. Pero por otra parte y por lo que me han explicado, es más que posible, que me sea más fácil obtener pronto de entre ese grupo de niños, a algunos buenos escribanos que agradecidos trabajen a mis órdenes, que el que pueda encontrarlos en su bien provisto y privilegiado colegio, aunque le diese cuarenta años. De ser así Comte, es muy posible, que en poco tiempo, tal vez sean esos niños quienes deban dirigir su colegio. Así que le sugiero que se aplique en sus menesteres y no se entrometa en mis decisiones.

Comte enrojeció por ese comentario y no se atrevió a contestar a aquella reprimenda.

Salió de la sala del gobernador con la furia contenida y juró venganza contra esos niños. El colegio Imperial era e iba a seguir siendo el que tuviera el favor de cualquier régimen que gobernase la ciudad.

Geneviève seguía la explicación.

—Pasaron los meses y en aquel fortín se reunían cada día más de treinta niños. Muchos de ellos dormían allí hacinados, hasta que Troubert consiguió que se arreglase en algo la sala y se techase con ramas y maderas los huecos existentes. Sin embargo, el gobernador no permitió que se retirasen los explosivos bajo los escombros de la sala superior, para él era como un as en la manga. Con la excusa de que debido a su mal estado, moverlos era un peligro para sus hombres, envió a los nacidos en Tarragona a hacerlo por su cuenta y riesgo, pero los niños no permitieron que nadie corriese ese peligro y los explosivos permanecieron en el lugar, aunque Troubert los hizo tapar con una pared de sacos de arena de la playa. En aquel lugar y durante casi dos años, muchos niños comenzaron a aprender a leer y a escribir, bajo ese atlas.

Llegado el mes de agosto de 1813, las tropas de la reconquista se acercaban a la ciudad y se aprestaron a recuperarla. Las tropas invasoras se veían obligadas a abandonar Tarragona y no pensaban hacerlo sin más…

María interrumpió la explicación de Geneviève

—Y tú ¿qué pintas en todo esto…? —preguntó María, que mucho llevaba rato escuchando con un mar de dudas en la cabeza.

—Louis Troubert era antepasado mío….—le contestó Geneviève. Era de mi sangre.

—¡Vaya!— Dijeron todos al unísono y expectantes.

Geneviève siguió con la explicación

—Los soldados recibieron órdenes de volar los edificios más importantes de la ciudad, entre ellos los Fortinnes. Louis, sabedor de ello, marchó rápidamente hacia el fortín para avisar a los niños. Dos hombres armados entre la maleza cerca del fortín y le capturaron. Eran hombres de Comte. Podrían haberle matado, pero Comte tenía otros planes. Muchos de los niños se escondieron en el fortín, No así Intrépido, Intrépida y su hermana que estaban en la ciudad pero que consiguieron averiguar los planes del gobernador para volar los edificios y el fortín. Otros ocho niños, que se hallaban dispersos debido al caos de los combates, se dirigieron también hacia allí. Cuando llegaron encontraron a Louis Troubert maniatado por los hombres de Comte, quien se había librado de ser ejecutado a cambio de un suculento soborno a los soldados que iban a matarle, ya se sabe, "Los imperios, no pagan a los traidores". Comte, vio claro la oportunidad de venganza que llevaba tiempo tramando. Ordenó a sus hombres maniatar y encerrar a un grupo de niños en el interior del fortín, esperando a que apareciese Troubert e Intrépido con Intrépida. No tan solo eran los niños que iban habitualmente al fortín a aprender, sino que había una treintena más, que buscaban desesperadamente un lugar donde refugiarse nuevamente de la guerra. Algunos, incluso, eran alumnos del propio Comte, pero él no tuvo nada en cuenta. Su odio hacia esos niños era enorme, además, una vez los invasores marchasen, el volvería a ser capaz de hacerse sumiso a los nuevos gobernantes y sin la presencia de esos molestos niños, el Colegio Imperial recobraría el privilegio de los nuevos mandatarios. Que mejor ocasión para acabar con ellos, que esa noche de guerra. El patético Louis Troubert cargaría con su muerte, en el caso de que alguien se interesase por el paradero de esos niños y él le dispararía valientemente en un intento frustrado y frustrante de liberarlos de la muerte impuesta por ese criminal. Llegados Intrépido e Intrépida, Comte salió de su escondrijo. Las explosiones y los disparos inundaban la ciudad. Los edificios volaban enteros y la gente moría por todas partes.

—¡ENTRAD, RAPIDO! Gritó Comte a los niños, a quienes también habían maniatado, a excepción de la hermana de Intrépida. La consideraba demasiado pequeña para huir.

—No entraremos, si no sueltas a los que hay dentro.

—¿Queréis darme órdenes?, pues no podéis, entrad o tendré que mataros.

—Tendrás que matarnos aquí fuera y eso desbaratará tus planes, le dijo Intrépida.

—¿Qué planes? Solo quiero encerraros.... Comte estaba nervioso, el tiempo pasaba y los disparos y el tumulto se acercaban.

—Está bien, que salgan esos niños. Abridles la puerta.

Uno de los dos hombres de Comte abrió la puerta del Fortín y los niños que no sabían lo que estaba pasando, escaparon.

—Muy bien, ahora adentro.

Cuando los niños iban a entrar. Intrépida se puso delante y le gritó a Comte,

—¡ENTRARE YO SOLA, NADIE MÁS! Al momento, y antes que nadie hablase, Intrépido se puso a su lado y dijo,

—Yo no me quedaré fuera si tu entras. ¡COMTE SOLO NOSOTROS! ¡LA IDEA DEL COLEGIO FUE NUESTRA! ¡ELLOS NO TIENEN NADA QUE VER!

Pero los demás ocho niños se pusieron al lado de ellos diciendo uno de ellos,

—¡Somos un equipo, jamás abandonamos a nadie! Los demás lo repitieron, uno tras otro.

Intrépida miró a Louis, aunque temía lo que iba a pasar le sonrió, como dándole las gracias por lo que había hecho por ellos.

La última en entrar iba a ser la hermana de Intrépida. Uno de los hombres la agarró del brazo. En ese momento Comte acuchilló al hombre que retenía a Louis Troubert. Era mejor no dejar testigos. Los otros niños habían huido y era poco probable que se hubiesen enterado de nada. Sorprendido al oír los gritos del apuñalado, el hombre que estaba haciendo entrar a los niños, sin imaginar que había pasado, se giró al mismo tiempo que ponía apresuradamente los cerrojos a la puerta, sin apercibirse que la pequeña se había tirado al suelo y no había entrado, Comte le disparó. La pequeña saltó desde la pasarela al foso y corrió entre la maleza próxima al fortín. Comte encendió un cartucho de dinamita y lo lanzó al interior del fortín. Previamente había dejado al descubierto la pólvora que estaba en su interior, eso y el resto de los explosivos colocados por los soldados, harían el resto.

Louis, también maniatado, golpeado y herido, corrió hacia la puerta, Comte se alejó y se escondió entre la maleza, temeroso de que la explosión le alcanzase, o de verse atrapado en alguno de los combates que se aproximaban. Solo tenía que esperar un poquito, ir a soltar las manos de Troubert, dispararle, aunque le hubiese alcanzado la explosión y una vez muerto Troubert, marchar, esperaba tener tiempo suficiente. La pequeña salió de su escondite y subió de nuevo por la pasarela hasta la puerta, comenzó a golpearla y a llorar...

—Y tú ¿cómo sabes todo eso? Le interrumpió María.

—Porque lo vi.

—¿Lo vistes? ¿Cómo?

—Aquella pequeña niña, que tenía mi edad, comenzó a llorar y a implorar por su hermana y los demás. Yo la escuché. Estaba también allí.

—¡Vaya!

—Antes de abandonar la vida real, deseé tanto volver alguna vez a ella, que llegué a pensar que lo conseguiría, aunque después supe que eso no ocurrirá jamás.

—Quieres decir... ¿Después de morir?—preguntó Ona.

—Tenía mucho miedo, pero tanto creí que iba a ser así, que ahora puedo estar con vosotros aquí, en una vida no real paralela, dentro de un enorme agujero en el tiempo y en el espacio, aunque... Jamás volveré a la vida.

Los niños se entristecieron.

—No os pongáis tristes— les dijo Geneviève— Es difícil, pero...ya lo he asumido.

Geneviève siguió explicándoles

Cuando me fui realmente, noté durante un tiempo que estaba en algún lugar aunque no sabía dónde. De repente se abrió una especie de ventana en lo alto del cielo. Desde allí podía verlo todo. Lo que ocurría en los pueblos y en los campos, pero era aún más que eso, podía viajar en el tiempo, ir a cualquier lugar, pero no podía hablar, ni tocar nada, solo podía observar.

—¿Y podías hablar con otros que estuviesen como tú?

—No, al principio no, después conocí a otros, aunque luego ellos vuelven siempre a ir más allá del final del universo, a un lugar solitario en la inmensidad…

Lo primero que hice fue buscar a mi familia, pero aquella realidad virtual, era como las tierras movedizas, si te "movías" demasiado, saltabas de un siglo a otro sin parar y todo se hacía muy confuso.

En una ocasión fui a parar a 1811, a Tarragona, y allí conocí la historia que os he explicado. Me hizo mucha ilusión que un antepasado mío cogiese tanto cariño a unos niños que lo habían pasado muy mal. Volvía una y otra vez, no podía separarme de aquella historia, de aquellos niños. En el fondo eran como yo. Les gustaba aprender, hacían el bien, les admiraba, eran valientes. Les cogí cariño, si hubiese podido volver, hubiese vuelto junto a ellos, aunque hubiese sido por poco tiempo.

—¿Qué pasó entonces?

Geneviève sigue explicándoles

—Yo lo vi todo, pero creía que nada podía hacer. En mis ratos aburridos salía a aquella ventana y estiraba los brazos hacia el universo, cogía destellos de estrellas y me los guardaba. Me gustaba pensar que eran como la energía de la batería que un día, me permitiría volver.

—No era yo la única que observaba, como no podía ser de otra manera, el mal observaba también y disfrutaba de la escena, yo no supe de su presencia hasta que se presentó.

—¡Vaya! ¿Y cómo fue? Los niños estaban ensimismados.

—Como ya os he dicho, Louis Troubert corrió hacia la gran puerta con la intención de abrirla, pero tenía las manos atadas. Comte había previsto volver a soltar sus manos una vez todo hubiese estallado y Troubert y los demás hubiesen muerto.

Comte se escondió entre los arbustos mientras la pequeña y Louis aporreaban e intentaban abrir la puerta sin éxito. Yo no sabía qué hacer, el tiempo se ralentizó de repente. Lo único que se me ocurrió fue cantarle una canción deseando que me oyese y después......

Estoy aquí,
Aquí en el cielo.
Estoy aquí,
Aquí en el cielo
Estoy aquí
Aquí en el cielo.
Estoy aquí.
En el cielo.

—Mientras cantaba, notaba que nada podía hacer pero seguía cantando, con la esperanza ya casi perdida. Aun así, pensé, algún día, tal vez les vuelva a encontrar en la eternidad.

Si alguna vez lloras por mí, estaré en el cielo.
Si alguna vez lloras por mí, te ayudaré.

Y enviaré a tus lágrimas la luz de las más bellas estrellas,

Un camino a la eternidad para que de tus sueños puedan volver.

—Entonces —siguió Geneviève— la niña miró al cielo, lloraba, gritaba, pero por un momento pareció haberme escuchado. Entonces, justo en ese momento, extendí mis brazos y de mis manos llenas de lágrimas, se desprendieron todos aquellos destellos que había cogido de las estrellas. Sonó el inicio de una gran explosión y una gran luz blanca lo inundó todo y resonó también el disparo que alcanzó a Louis. La luz se hizo mucho más brillante y de repente desapareció. En un instante, el silencio lo inundó todo. La explosión se detuvo y la claridad apareció de nuevo volviendo a ser de día. Todo en un momento.

NARRADOR: A mí que me toca narrar, o sea, que soy el narrador, os explicaré lo que sucedió, lo que no vio Geneviève, aunque lo supo después,

La pequeña niña estaba junto a Louis Troubert, cuando ambos intentaban en vano abrir aquella gran puerta. Escucharon la gran explosión y al mismo tiempo el silencio, atravesado por un disparo que alcanzó a Louis. Louis cayó al foso desde la pasarela. Entonces llegó la luz y nuevamente el silencio. La pequeña estaba aturdida, tan sólo pudo escuchar un sonido que se acercaba más y más, era como el de las aspas de un molino harinero cuando llevan poca agua, pero esas aspas no movían agua, se trataba del mar. El ruido de las aspas procedía de algo que venía del cielo. Justo antes de la explosión la pequeña miró al cielo. Sí, oyó la canción y vio a una niña, pero no pudo saber quién era. Después os explicaré lo que vio y como. Ahora dejo a Geneviève que siga.

Geneviève sigue explicando

—Cuando la espesa luz blanca desapareció, pude ver desde mi ventana en el cielo, que había dejado de ser de noche, y saliendo desde el suelo, hacia todas direcciones, incluso hacia el cielo y hacia el mar, había por todas partes unos pasillos transparentes, como de cristal. La ciudad estaba en calma y era ya catorce de agosto, aunque todavía se veían fuegos por todas partes, los invasores habían marchado. Los combates habían cesado. La pequeña, que estaba tumbada junto a la puerta del fortín, se incorporó y vio todos aquellos caminos transparentes... La puerta del fortín estaba abierta y el fortín completamente vacío, como lo está ahora, tan sólo en esta pared, (la señaló), estaba el Atlas colgado de cuatro clavos, tal y como lo veis ahora. Tan sólo eso, en todo el edificio no había nada más. Louis había caído en el foso, casi bajo la pasarela, pero no estaba allí, no estaba en ningún lugar. En cuanto a Comte, apareció de entre la hierba, en realidad no pudo ver nada, pues como buen cobarde se había cubierto la cabeza contra el suelo. Se levantó y vio a la niña. Todo le daba vueltas y le pareció tan extraño, que lo achacó a la brujería, así que echó a correr temeroso.

—Entonces la niña pudo ver que en su mano había un cristal. Era un diamante. El diamante de sus lágrimas tallado por los destellos que yo le había enviado. Lo cogió con fuerza, como si supiese lo que era. Entró corriendo en el fortín, pero no había niños, ni nada, ni aparte del atlas, nada que les perteneciese estaba allí, salvo una cosa. Bajo el atlas había otro cristal, algo más grande. El de las lágrimas de los niños, tallado también por los destellos de las estrellas. Lo cogió y salió corriendo. Bajó la pasarela hasta el foso pero allí no estaba Louis. Al igual que los niños, también había desaparecido. En su lugar otro cristal. Cuando tuvo los tres diamantes juntos, se sentó muy triste y los miró. Los cristales no solo brillaban muchísimo sino que además en ellos la pequeña podía ver imágenes, cientos de imágenes de personas, de objetos, de paisajes, dentro de ellos ocurría un sinfín de cosas. Miró también aquellos caminos transparentes, no sabía lo que eran pero subió a uno de ellos y caminando por el aire, desapareció. A los pocos segundos volvió a aparecer y repitió con otro. Sucedió lo mismo...

Geneviève prosiguió la explicación.

—La pequeña guardó sus tres cristales, los tres diamantes, y luego comenzó a caminar, en principio sin rumbo...

—¡Pero....! ¡Pero...! ¿QUE PASÓ CON LA PEQUEÑA Y LOS DEMAS?—Exclamó Juliana. La curiosidad les llevaba a querer saber más y más. Se sentían parte de la historia

Geneviève le contestó y siguió explicando

—Entonces escuché una voz. La voz del mal, también conocido por Malos.

—¡Blegs!— Chilló Pau Pau.

—Me habló desde algún lugar más allá de los tiempos, del universo, de la historia. Estaba muy enfadado, y me lo quería hacer saber, además de eso, quería otra cosa.

—¿QUE?— Gritaron todos al unísono.

—Me dijo. "Oye pequeña, ¿Cómo te has atrevido a robar mis destellos de estrellas y enviárselos a esos ladronzuelos?"

—Yo no te he robado nada. El cielo y sus astros son de todos.

—Te equivocas pequeña. Algunos de esos destellos me pertenecen, porque el asteroide Apophis es mío. Te he dejado tenerlos, tan sólo, para que algún día te des cuenta de que no te han servido de nada. Para mí será una gran satisfacción, Pero ese grupo de niños ya estaban en mi poder. Así que ahora, devuélveme los destellos de ese asteroide y dime donde están esos ladronzuelos.

—¡Ah! ¿No sabes dónde están? Yo tampoco lo sabía pero me marqué el farol.

— No, he enviado al Apophis para que los llevase más allá del fin del universo, pero ha chocado en el aire contra tu bondad y en ese choque se ha formado una intensa luz blanca que no me ha permitido ver nada. Intuyó, pequeña Geneviève, que tú tampoco sabes dónde han ido a parar. En cuanto al soldado, sí, he visto como le alcanzaba un disparo. No tardará en morir.

—¡No pienso decirte donde están! ¡No podrás encontrarles!

—Haremos una cosa pequeña Geneviève. Ser malo, contigo por aquí, puede ser resultar una situación divertida. Ser malo, a solas, es a veces muy aburrido. Cuando eso pasa, solo queda un camino ¡serlo todavía más! Te propongo un juego.

—No quiero jugar a nada contigo.

—Bueno, si no quieres jugar, te diré lo que voy a hacer yo. He visto cómo te miraba esa pequeña niña. Aunque no creo que sepa quién eres. Yo voy a buscarles, a capturarles y a llevarlos donde deberían estar ¡En el final del universo! ¡Más allá de los tiempos! ¡De la historia!... y... para siempre.

—¡No puedes hacer eso! ¡Eres un malvado!

—¡Ja! Gracias por el piropo. Me lo dicen muchas veces. Si no quieres que lo haga, encuéntrales tú antes. Mejor aún, ¡que sea la pequeña quien lo haga! Ese brutal choque entre tus lágrimas de amor y fraternidad y la maligna fuerza del asteroide, ha creado un agujero en el tiempo y el espacio. Dentro hay un sinfín de caminos por los que puede buscar ¡Ja! ¡Ja! ¡Ja!

—¿Puedo ayudarle?

—Primero tendrá que encontrarte Si la niña te encuentra y juntas podéis lograrlo, yo…

—Tú ¡harás trampas!

—No puedo decirte que no vaya a hacerlas. Es algo innato en mi Geneviève. ¿Qué otra opción tienes? Además has perdido tus destellos de estrellas. Se las has regalado, ¿para qué? Para nada, salvo, para que tú pierdas la eternidad que había en ellas.

—Puedo coger más.

—No, pequeña, no. No te dejaré coger más. Ya no estás viva ¡Me perteneces! Te he dejado hacerlo hasta ahora, porque nadie había llegado tan lejos como tú y quería ver como fracasabas. Sí te veo cogiendo uno solo de ellos, te llevaré más allá del final del universo, dónde deberías estar ya. Si recuperas mis destellos, tal vez te deje elegir entre tu eternidad y la de ellos, ellos o tu eternidad.

—¡Ell…!

—No, no me contestes ahora. Te daré 160 segundos para que te lo pienses y pasado ese tiempo deberás decidir. Tú o ellos y por supuesto, en todo caso devolverme mis destellos. Sí te quedas con la eternidad, ya no los necesitarás, ni ellos tampoco más allá del final del universo y de los tiempos...

—Pero eso es muy poco tiempo.

—No, es muchísimo. El año que tú llegaste aquí, los humanos se dieron cuenta de que el día y la noche juntos, no siempre duran 24 horas exactamente, porque la tierra no tarda veinticuatro horas justas en dar la vuelta. Así que para que los relojes fuesen bien, añadieron cada año un segundo más para que todos los relojes tuvieran una hora exacta, pero el tiempo solar seguía teniendo muchas veces un segundo menos cada día. El "reloj" de cada persona ha gastado cada año, desde entonces, un segundo más de los que le tocaba vivir, en vez de guardarlo como pasaba antes. Cuando de aquí a doscientos años envíe al Apophis de nuevo a recoger mis destellos robados o a esos niños, los humanos no tendrán tiempo guardado. Nada podrán hacer para detenerle, así que, consígueme esos destellos o destruiré a esos niños para siempre.

Sigue Geneviève.

—¡Pero...pero ¡Sí eso ocurre, todo se destruirá!— le dije

—¡Ja! ¡Ja! ¡Ja! ¡Ja! Claro, lo has pillado a la primera, ningún humano tendrá ya los 160 segundos que yo te voy a dar a ti. Acabaron con la despensa de segundos, una pena.

—160 segundos, vaya porquería, con eso no se pude hacer nada—dijo Joan.

Geneviève siguió explicando:

—Dejar que os acabé de explicar y lo entenderéis. El siguió explicando porque yo le dije lo mismo, que 160 segundos no eran nada, no se podía hacer nada, entonces él me dijo.

"Los 160 segundos son para ti pequeña. Para que te decidas sobre quién se quedará con la eternidad cuando acabe la búsqueda. Pero mi astro preferido, el asteroide Apophis, el más brillante del universo, volverá a visitar la tierra de aquí exactamente, ¡Qué casualidad! ¡Doscientos años exactos! Hay unos agujeros en el espacio y el tiempo. Son la entrada a un embudo. Su boca es pequeña, mide tan solo 160 segundos, pero en su fondo mide 200 años. Si, "trepando" las paredes del embudo, se consigue llegar al otro lado del agujero, en la realidad, solo habrán pasado 160 segundos. Es imposible saltar de un lado a otro de ese cuello y si no consigues escalar desde el fondo, te quedas allí por siempre jamás. Así, que esa niña está ahora en el fondo del embudo. 200 años, ese es el tiempo que tiene esa pordiosera, dentro de él, para encontrar al grupo de pillastres y subir por sus paredes. Si no cumplís el trato, o yo encuentro antes los diamantes, el tiempo se acabará en ese momento. Apophis chocará contra esta ciudad y la destruirá con todos ellos dentro. Si justo de aquí a doscientos años exactos cuando envíe a Apophis, me los entregas, te dejaré hacer lo que hayas decidido"

—¿Y podrán volver a la vida?— le pregunté yo.

—No Geneviève. No creo que eso ocurra. Si les das la eternidad se quedarán en ella, tal y como tú estás ahora. Así que 200 años, hasta que vuelva el asteroide, ese es el tiempo que tiene ella para con o sin tu ayuda, encontrar a esos niños.

—¿Quieres decir que yo tengo que decidirme ahora mismo y ella tendrá doscientos años?

—¡Exactamente! Esos pasillos son también agujeros en el espacio tiempo. Tienen un largo de 160. Hay miles de ellos, uno por cada persona que murió sin gastarlos y cayeron en el embudo. Tal vez en ellos pueda hallar las pistas que necesite. Tal vez alguno de ellos le lleve hacia ti, pero haga lo que haga, una vez ponga el pie en uno de ellos, el tiempo dejará de ser el suyo, entrará en la vida no real paralela, y solo dispondrá de 160 segundos para volver. Ella podrá además trasladar cosas de un año a otro, hablar y hacer una vida normal en cualquier época, porque en realidad, ella es la única que es de carne y hueso, está viva y estaba así justo en ese momento, eso le ha dado ese poder. ¿Lo entiendes?

—Sí, creo que sí —le dije yo— Ella tiene doscientos años para encontrar a su hermana y a sus amigos y yo, 160 segundos para devolverte los destellos y decidir si ellos o yo seremos eternos. Además, ella puede viajar en el tiempo. ¿Y podrá hablar conmigo?

—Bueno, tal vez, será divertido. Podrá hablar con cualquier persona. Bueno…se acabó, solo habrá un ganador ¡que seré yo! En cuanto a vosotros, también habrá sólo un ganador. La eternidad merece el esfuerzo ¿verdad? Va a ser divertido, Sólo puedes perder y pasados los doscientos años que os doy, será un placer destruir este planeta y mandar a esos mocosos dónde ya deberían estar, más allá del fin del universo. Yo me tomo muy en serio las apuestas pequeña Geneviève, así que, vuestro tiempo empieza… ¡YA!

—Desde el momento en que ese reloj se puso en marcha, lo único que he intentado es encontrar la forma de salvarles.—Dijo Geneviève

—Eso será muy complicado. ¿Pero, qué pasará si no le devuelves los destellos?—Dijo Mario.

—Con lo malo que es, seguro que destruirá la tierra por completo. Supongo que mandará al asteroide ese con ese nombre tan feo, como lo mandó en 1813. Aunque también es muy egoísta y a lo mejor, sólo con algunos valdrá, ¡sí no los encuentra el antes! Antes que perderlos todos. Por eso tenéis que ayudarme para salvar a esos niños, que eran como vosotros ¿Qué os parece?

—Bueno, si podemos...lo haremos...Iremos todos. ¿Alguien quiere dejarlo ahora?
¡SOMOS UN EQUIPO, JAMAS ABANDONAMOS A NADIE!—Gritaron al unísono.

Geneviève les dijo otra cosa, que no les gustó mucho.
—La pequeña niña que se había salvado tenía mucho miedo. Cada vez que iba de un sitio a otro, Malos la perseguía. Como ella no sabía lo que yo había hablado con él, la pequeña comenzó a buscarme y no me encontró hasta pasados muchísimos años. Cuando lo hizo, quedaba poco tiempo para que se cumpliesen los doscientos años y ahora queda todavía menos. Ella me hizo llegar uno de los diamantes, pues pensaba que me los tenía que dar a mí y que yo me curase y así ayudarla. El mal se reía mucho al ver el caos que había creado. Pero ella, mucho más lista, guardó muy bien los otros dos diamantes y no dirá nunca a nadie donde están, porque Malos esta ahora muy cerca. Ese asteroide se acerca a la tierra. Cualquier fallo, cualquier debilidad y el mal puede coger los diamantes y quedárselos. Por lo tanto, la misión de San Francisco no es tanto encontrar los diamantes que faltan porque al menos uno de ellos está allí, es evitar que Malos los encuentre antes y no se vea obligado a cumplir su promesa. Para eso, seguro que intentará destruir la ciudad. Si el mal aparece con fuerza, será porque está muy cerca, así que si la misión acaba con éxito, no volveremos a vernos en algún tiempo, porque será mejor que piense que va ganando. El otro diamante pronto sabréis donde está, protegedlo, como lo habéis hecho hasta ahora.

Los niños protestaron levemente por tardar en volver a verla y Geneviève pasó a explicarles entonces el plan de trabajo de esa noche. Eso volvió a llenarles de confianza.

Todos sonrieron, se sabían bien protegidos, aunque era seguro que tendrían muchas dificultades. Comenzaron a trazar los planes, y se aprestaron a preparar la siguiente aventura. Dibujar vestidos, uniformes, escenarios. Eran unas reuniones muy divertidas. María le daba vueltas a algo, "protegedlo, como lo habéis hecho hasta ahora" ¿Qué significaba eso? No paró de darle vueltas hasta que lo averiguó. Estaba casi segura de saber a qué se había referido Geneviève, solo entonces se lo dijo a Daniel y sólo a él, coincidiendo en no decírselo a los demás, por su seguridad, al menos, hasta el momento oportuno.

Parte Décima

San Jose, cerca de San Francisco, California 15 de febrero

Elena despertó sentada en una silla. No era una silla cualquiera, bueno, la silla si lo era. Lo que no era cualquier cosa era el auditorio donde se hallaba. A continuación se lo iban a explicar.

—¿Eh? ¿Dónde estoy? Y… ¿Qué hacéis vosotros dos aquí?

Elena se refería a Daniel y a María. Los tres se encontraban sentados en la primera fila de asientos con el escenario justo en frente. En este había un atril de lectura con un micrófono y varias sillas. No había evidencia alguna del lugar en el que se hallaban pero nuestros intrépidos si lo sabían.

—Este es el salón de conferencias de la empresa "Softwells", en San José, Silicon Valley, California, dedicada al software para informática…

—Sé que es "Softwells". Lo qué no entiendo es que hago yo aquí, en un auditorio vacío.

—Bien. Estará vacío hasta poco antes de que empieces tu disertación.—dijo Daniel— (Se ha comido el diccionario), pensó también María.

—¿Mi...disertación? Y ¿puede saberse de qué va... mí...disertación?

—No sé, di lo que pienses, eres libre, di...lo que quieras...por ejemplo, explica cómo te sientes

De repente se abrieron, tanto las puertas laterales, como las del fondo. Comenzó a entrar gente, jóvenes sobretodo. Todos, al igual que Elena iban en pijama. En unos preciosos pijamas de vestir diseñados por el equipo.

—¿Tengo qué hablar para esta gente?

—Sí claro, para eso has venido.

—¡Ja! no...no...

—Sí...sí... por una vez, dale una lección a alguien qué no va, ni ira nunca a nuestro colegio, ahora bien, si no te atreves...

—¿Cómo? Me parece bien. Tal vez no me creías capaz—contestó Elena—, al tiempo que decía ¡Pues vale! Se levantó y subió al escenario. Elena hablaba muy bien en inglés y por eso, no tuvo ningún inconveniente en hacer todo su discurso en otros idiomas. Todos le entendieron perfectamente.

—Quieren que os explique lo que siento, pues bien... Soy una mujer joven, al menos, más joven que otras. Soy profesora en un colegio donde cada día comienzan nuevos sueños. Tengo unos hijos estupendos y hasta hace unos pocos años todo me iba muy bien. Ahora las cosas han cambiado, todo me va de mal en peor. Cada vez gano menos, no llego a medio mes y mi alegría por dar clase se esfuma, al mismo tiempo que se esfuma la de mis alumnos por venir a clase e incluso al colegio, que al igual que me ocurre a mí, parece haber caído en una profunda depresión. Hago un gran esfuerzo para que mis hijos no me vean deprimida, pero me cuesta mucho, y aunque lo intentó día a día con ahínco, cada vez me cuesta más. Es un esfuerzo, que me agota tanto física como mentalmente y del que muchas veces, no obtengo ningún resultado. Creo que a mucha gente le pasa lo mismo que me ocurre a mí. Seguro que algunos de vosotros, espero que pocos, os habréis encontrado frente a vuestros ojos un paisaje que debería ser maravilloso. Un paisaje que alguien que se encuentre a tu lado, te asegurará que es idílico y si sigues pensando, te darás cuenta, que habrá también quien se ponga a tu lado y ese mismo paisaje lo encuentre incluso triste. Pero eso no va a consolarte, ni el que lo encuentre triste, ni el que lo encuentre majestuoso, Y es que eres tú y tus circunstancias, lo que hace que ese paisaje cambie en tu mente, mientras fuera de ella, es exactamente igual para todos. Cada persona, según trascurra su vida, verá ese mismo paisaje con más o menos colores, con más o menos nitidez o con más o menos brillo y con más o menos intensidad, la que le llegue al corazón, o la que, como en mi caso, la que no me prohíba disfrutar mi ansiedad. Me gustaría, (siguió Elena, con los ojos enrojecidos), que llegue un día en el que muchas personas, podamos ver un paisaje precioso y percibirlo precioso, disfrutarlo y tal vez después, volver a luchar con más fuerzas contra nuestros problemas, que seguro, no marcharán porque sí. Pero si pudiésemos saborear un horizonte azul, una cumbre blanquecina o una duna marrón y dorada, tal vez después, podríamos ofrecer esos colores a los que nos rodean, les ayudaría y a nosotros, también."

Una cerrada y prolongada ovación siguió a esas palabras. Elena se apartó del atril y se dirigió a las escaleras dando las gracias, gratamente sorprendida y contenta de haberse quitado un peso de encima y de haber hecho caso a María y a Daniel.

Los tres se levantaron y todavía entre aplausos, se dirigieron a una de las salidas laterales. Al llegar a ella, un hombre de unos casi cincuenta años que no había estado sentado junto a quienes les acompañaron en el escenario, les abrió la puerta. Al hacerlo, les pidió que se detuviesen un momento y dirigiéndose a Elena, le dijo:

—Sabe Ud., soy una de las personas más ricas de nuestro planeta, pero esta noche hubiera dado todo mi dinero, por ser yo quien dijese las preciosas palabras que Ud. nos ha regalado.

—Bueno aún puede hacerlo. Hay un montón de gente muriendo de hambre, en este que llama usted "nuestro planeta".

—Tiene Ud. mucha razón, le prometo que lo tendré en cuenta, le ruego que perdone mi inoportunidad, no quería molestarla.

—Esta Ud. disculpado, buenas tardes o buenos días o buenas noches, no sé muy bien en que parte del día estamos.

Salieron al exterior, hacía una noche muy soleada, si, soleada, estamos en la vida no real paralela, todo es posible.

Repito:

Salieron al exterior, hacia una noche muy soleada. No salieron a una calle de San José, la puerta daba directamente a una hermosa playa del Big Sur californiano. Elena miró con asombro a sus pies, que pasaron directamente de la puerta, a la arena de la playa.

—¡Vaya! ¡esto es increíble! —se atrevió a decir.

—Sentémonos en aquel banco junto al paseo, dijo María.

—De acuerdo— dijo Elena

—¡Hola Ana! ¡Tú también has venido!

—Sí. Estaba yo en un centro comercial, con mis padres y mi hermano y....bueno....no te lo voy a explicar. Nunca lo creerías.

Elena miró a su alrededor, miró a Daniel y a María, a la playa del Big Sur y a ella misma en pijama y dijo.

—Prueba...Prueba...

Ana fue narrando con todo lujo de detalles lo que le había ocurrido. Estaba con sus padres y su hermano en un centro comercial. Eran las 20:00 cuando comenzaron a sonar todas las alarmas de las puertas anti robo en todas las salidas. En ese momento vio a Pau y a Joan que había improvisado un campo de golf en la sección de deportes. Pau colocaba la bola y Joan la golpeaba, hasta que le dio a un inmenso cesto de pelotas de baloncesto cuyas cuerdas se desataron, cayendo las pelotas del cesto y arrastrando las otras de futbol, balonmano, golf etc., que había en otros estantes. Las escaleras mecánicas se llenaron de pelotas, mientras las alarmas sonaban permanentemente.

Y —siguió María— Así conseguimos que el centro comercial se viese obligado a cerrar antes de la hora. Cuando Ana llegó a su casa, nosotros estábamos esperando. En el colegio yo había metido un libro mío "por error" en su mochila y fui a recuperarlo, Lo demás fue ayudarle a acabar los deberes. Tarragona quedó dormida y a las 22:00 ya estábamos en el aeropuerto de camino a San Francisco.

—¡Vaya!...y... ¿Cómo conseguisteis que sonasen todas las alarmas al mismo tiempo? —preguntó Elena—

—Muy sencillo. Un rato antes los demás habían arrancado docenas de dispositivos de alarma de la ropa y demás artículos del centro comercial y los pusieron discretamente en los bolsillos y las bolsas de los clientes, de forma que sonaban en cuanto pasaban el arco detector.

—¡Pero eso es una mala jugada para ese centro comercial!

¡Bah, no lo creas! A las diez en punto, en la vida real, cerraron como cualquier otro día. Además, se portaron tan bien con todo el mundo, que seguro que aumentarán su clientela, por cómo han sabido llevar una situación tan, tan… inesperada.

—¿Sabes?—le dijo Ana a Elena—. Llevo un buen rato aquí y ahora después de reír tanto, me estoy dando cuenta de lo precioso que es este lugar. Es como si antes no hubiera estado delante de mí.

—Tienes razón—le contestó Elena—, tienes tanta razón, que ojalá pudiese ser siempre así de maravilloso.

—La playa va a ser siempre igual de fantástica, solo cambiará nuestra forma de verla, añadió María.

Por la playa se acercaron dos niños andando por la arena. Iban hablando y riendo. Eran Pau y Joan, dos mellizos que también eran del equipo. Cuando llegaron a su altura, Pau fue cogiendo unos cantos rodados que había en la orilla. Comenzó a lanzarlos para hacerlos saltar rebotando en el agua. Lo hacía bastante bien...

—Muchas veces, —dijo María— la dimensión de los problemas nos abruma.

—Y hay gente, dijo Daniel, que es capaz de afrontar y cambiar totalmente la perspectiva y la aptitud ante los grandes problemas que le acosan.

—¡Pero bueno! ¡Si ya sois graduados en psicología! ¡Y no llegáis ni a adolescentes! Aunque esa teoría es muy bonita, dijo Elena, creedme jóvenes, la práctica, la vida real es muy…difícil.

—Tal vez en esta soleada noche podamos hacer algo para cambiarlo, —dijo María.

—¿El qué? ¿Me va a tocar la lotería? ¿Me voy a hacer rica?

—No, será mejor que eso. No te va a hacer falta.

—Hola jefe...y... hola jefa— dijo Pau acercándose con Joan—.

—Oírme par de dos, no os ha dicho Mario que no nos llaméis jefes.

—Bueno, —dijo Pau—Ha sido él, precisamente, el que ha insistido en que lo hiciésemos.

—¡Este Mario no cambiará nunca! —dijo Daniel.

Joan y Pau habían estado toda la noche estudiando el plano de la bahía de San Francisco por orden de María y de Daniel, para localizar los lugares a los que tenían que ir.

—Bueno ¿qué ha de ocurrir ahora?

—Parece que ahora se levanta el viento.

Fue como un portazo que te diese en las narices. De repente, un tornado de arena les envolvió. No podían verse pese a estar juntos. El viento se tornó huracanado y apenas conseguían mantenerse en pie. Gritaban intentando localizarse unos a otros pero resultaba infructuoso. Daniel alcanzó a coger el hombro de alguien, sin saber de quién se trataba, le gritaba, pero ni oía a nadie, ni creía que nadie le oyese a él. Notó como su máquina de fotografiar se elevaba al levantarse su brazo por la fuerza del viento contra su cazadora que hacía de vela. Le pasó por la cabeza soltar aquel hombro, pero fue solo un segundo, al segundo siguiente ya había recapacitado y decidido que no soltaría a aquella persona. La máquina salió volando succionada por aquel huracán. Entonces, con mucha dificultad, aferró a aquella persona con ambos brazos y cayeron al suelo. No sabía quién era, ni dónde estaban. Apretó con su cuerpo a aquella persona contra el suelo y estiró el brazo izquierdo, intentando palpar cualquier señal que le indicase donde se hallaban. Tocó algo metálico y lo golpeó. Movió la mano de un lado a otro, si, creía saber lo que era, un coche. No tenía alternativa ¡improvisa!—se repetía—una y otra vez. Como pudo, pasó las piernas rodeando el cuerpo de lo ya le parecía una chica, se medio incorporó y palpó lo que debía ser la puerta del coche. Encontró el tirador de la puerta e intentó abrirlo pero era imposible. Entonces, algo o alguien, golpeó la puerta del coche. Su mano tocó la mano de esa otra persona. Entonces sin poder comunicarse, ambas manos tiraron con fuerza y la puerta se abrió lo suficiente para que Daniel, en un acto reflejo, introdujese su hombro en el hueco. Gritó de dolor, pero no pudo ni oírse. La puerta le estaba aplastando por la presión del viento. El notaba que aquella persona a la que estaba aferrado se iba soltando, aunque intentaba agarrarse desesperadamente a su ropa. Entonces, Daniel tomó una decisión muy arriesgada, pero para evitar un mal mucho mayor. No podía aparecer sin pantalones cuando pasase el huracán, de eso nada. Hizo todo el esfuerzo que pudo con el hombro y consiguió ir metiendo el resto del cuerpo. De repente, algo tiró de él hacia el interior del coche y él a su vez arrastró a las otras dos personas. Dentro del coche, se hallaban las piernas y brazos mezclados de Daniel, María y Ana, mientras el conductor les miraba tranquilamente.

—No son habituales los tornados en esta zona. El último fue en 1998. Habéis tenido suerte que estuviese aparcado en un lugar que marca la separación entre la vida real y la que no lo es.

—Bueno— dijo Daniel— yo contaba con algo así, pero no creo que fuese necesario machacarme el hombro, aunque sigo conservando mi sombrero. La verdad, he pasado mucho miedo.

—¡Aquí faltan tres personas y no sabemos dónde están!— Dijo María.

—Yo he perdido la máquina de fotografiar sueños...—dijo Daniel.

—¿Que la has perdido nada más comenzar la misión? —Dijo María muy preocupada.

—No podía hacer otra cosa. Para impedirlo debía soltar a una de vosotras y...eso no, no, no sé qué consecuencias habría tenido.

—¡Fantástico! ¡Ahora sí que no sabemos qué consecuencias tendrá! Hay que buscarla ¡YA!

—Está dentro del tornado, con los demás dijo Daniel.

Daniel había estado observando el exterior durante la conversación de Ana y el taxista. Todos miraron sin pensarlo a través de la ventanilla. Efectivamente, el tornado se alejaba bordeando la orilla. En su interior, esta vez de agua, podía verse a Elena Pau y Joan Este último parecía un poco contrariado seguramente por algún comentario con humor inglés de Pau. Elena parecía querer poner paz. Acertaron a ver la máquina de fotos, porque ésta no dejaba de hacer fotos en automático.

—¡Siga a ese tornado! —dijo por fin Daniel—

El taxi tarraconense enfiló la Autopista nº 1 en dirección a San Francisco. En las ocasiones en las que la carretera se acercaba al borde de la playa, llegaban a tener el tornado a escasos metros. Joan se pegaba a las paredes de éste y les hacía carotas. Pau, Joan, ya reconciliados, estaban explicándose cosas, chistes, sin duda, pues por la cara de Elena, no podía tratarse de otra cosa. Al entrar la carretera hacia el interior lo perdían de vista, pero después volvían a verlo al acercarse la carretera a la línea de la costa. El tornado acrecentó su velocidad y se introdujo en tierra, justo por en medio del zoo de San Francisco, donde recogió a otro peculiar pasajero. El tornado se adentró después en la ciudad sin levantar una mota de polvo. Pasó por la torre de comunicaciones Sutro y puso la directa en Market Street. El taxi le seguía a toda velocidad. Llegados a la Avenida Grant, el tornado fue reduciéndose. Ya muy empequeñecido y con todos sus ocupantes, cruzó la Chinatown Gate y se introdujo por la ventana de un edificio cercano a esta. Daniel y los demás apenas vieron la cola entrando por la ventana.

El taxi de Tarragona se detuvo junto a la entrada de aquel bonito edificio de estilo asiático. Todos excepto el taxista se introdujeron en él. Subieron en el típico montacargas de las películas. El bajo del edificio era una tienda de artículos orientales. Al llegar al segundo piso, quedaron impactados por la fabulosa decoración china. Una enorme sala en la que había figuras, jarrones, tapices, peceras, máscaras, y todo parecía exclusivo y carísimo.

En los bajos del edifico estaba la tienda de Wing Tau, un comerciante que en ese momento dormía en su casa, cómo el resto de habitantes de San Francisco, cada cual en la suya, claro. En la planta de arriba había un almacén con muchas cosas de valor. Las superiores eran almacenes de otros comercios. En el edificio no había nadie esa noche, pues estaba siendo remodelado debido a su antigüedad. Malos presumía que en ese lugar se hallaba, al menos, uno de los diamantes de la eternidad

—Os estaba esperando —dijo una voz—

Tras un precioso biombo que se hallaba en el centro de la sala, apareció una niña china ataviada con un espectacular vestido chino.

—¿Y tú quién eres?— le preguntó María.

—Mi nombre es Sü Làn —dijo la niña— mientras plegaba con sus manos el biombo, hasta dejarlo del tamaño de un sobre de azúcar

—¿Y qué quieres de nosotros...Sol?, le preguntó María.

Veo que entiendes el chino, diosa de la alegría.

—Esta noche se muchas cosas de las que mañana seguro ya no podré acordarme y otras que no podré olvidar aunque me esfuerce, pero... ¿por qué me has llamado así?

—Porque quien esté contigo será siempre feliz, dijo un poco compungida, al tiempo que soplaba el biombo en su mano y este, convertido en halcón, salía volando por el ventanal.

—¡Bueno! ¡Bueno! ¡Vale de piropos! Queremos saber dónde están nuestros amigos y la cámara, que tu seguro, nos has sustraído.—dijo Daniel—.

—Yo no tengo vuestra cámara, pero vosotros si tenéis los diamantes.

—¿Los diamantes? ¡No los tenemos! ¿Qué crees que estamos haciendo aquí? Los buscamos, al igual que pareces hacer tú. ¿Dónde están nuestros compañeros? ¿Dónde está mi cámara?

Sü Làn chascó los dedos y por detrás de ella cayó una brillante cortina de color granate que ellos no habían visto porque hasta ese momento era invisible. Justo detrás de ella aparecieron Pau y Joan, en una parte de la sala, que hasta ese momento estaba vacía

—¡Ah! ¿no? Entonces ¿De quién era esa limusina fucsia que ha marchado de aquí a toda velocidad antes de que yo iniciase mi turno?—le replicó Sü Làn—

—¿Una limusina rosa? No es nuestra. Te lo estás inventando.

—¡No me lo invento! Iba escoltada por otra de color negro llena de tipos duros y en la matrícula ponía "Beauty Moon"
—¿Bella Luna? Mía no es. Yo no soy tan cursi…—dijo María—. Me parece que son excusas para no devolvernos a nuestra inseparable cámara y a nuestra querida profesora, ¿o era al revés? No hay nadie más en la vida no real paralela. Todos los demás son tan solo soñadores. No tienen poder alguno.
—Pues yo no tengo ni a tu profesora mágica, ni sé dónde está vuestra querida cámara. Las tiene quién iba en esa limusina, porque las ha cogido de aquí y para poder hacer eso, debe ser un ser muy poderoso, en cuanto a ellos, son mis prisioneros—invitados, y no les dejaré marchar hasta que me deis los diamantes y os advierto, si no me lo dais antes de las dos de la madrugada de la vida no real paralela, todos sucumbiréis junto a esta ciudad, que será destruida. .
—¡Maldita sea! ¡Pues sí que eres mala!— dijo Daniel
—Es tan sólo un trabajo. Soy una mandada.
—¡Ah! ¡Sí! ¡Excusas! y… ¿Para quién trabajas?
—Trabajo para el mal, pero sólo por esta noche. Me ha hecho un contrato temporal. No es una cuestión personal, ya sabéis como está el trabajo, vaya, esto último, no rima...
—¡No sabemos dónde están los diamantes! Por lo tanto, no podemos dártelos y por cierto son más de las diez—dijo Daniel mirando su magnífico reloj Intrepid@.
—¡Pues encontradlos!
—Acabamos de llegar. Bueno, puedo hacer algunas llamadas…mañana y si eso…yo te llamo y ya te cuento…
—¡NO INTENTES TOMARME EL PELO!

En ese momento se oyó el rasgado de una tela precedido de un ¡Hiaaaaaaa! Y Alex apareció en escena. Bueno lo que apareció de Alex fue su pierna izquierda atravesando otro biombo de esos de varios miles de dólares que estaba a la derecha de Sü Làn. Solo se le veía la pierna. La tela le había quedado a la altura de la ingle tapando el resto del cuerpo. Pero eso estaba solucionado, Alex acabó de rasgar con las manos el resto de la tela del biombo, mientras Sü Làn miraba con espanto y los demás con estupefacción.

—¿Qué pasa? Preguntó Alex. He venido a ayudaros ¿Por qué me miráis así?

—¿No has podido entrar por otro sitio? ¡Ese biombo valía más de treinta mil dólares! ¡Me lo van a descontar del sueldo!—dijo Sü Làn.

—La verdad— dijo Daniel— podrías haber apuntado mejor ¡Es solo una trabajadora!

—He cruzado el Atlántico a bordo de un osito de peluche. Con las prisas he perdido los papeles y he aparecido en un pub del barrio de Castro y encima, ¿queréis que aterrice en el centímetro exacto? ¡Pues lo siento, no ha podido ser!

—¡Pues haberte quedado en el pub de Castro!—dijo Sü Làn— al tiempo que se posicionaba para combatir con Alex, quien, por supuesto, vestía su kimono de karate.

—¿Qué insinúas rollito de primavera?, —le contestó Alex— mientras se ponía en posición de defensa.

—La primavera que verás encerrado en mi mazmorra.—dijo Sü Làn— mientras le lanzaba una patada, que no alcanzó a Alex.

—¿Tu mazmorra tiene jacuzzi y sala de juegos?, —le replicó Alex— al tiempo que le replicaba con un puñetazo fallido. ¡Creo que estás muy guapa cuando te enfadas!

—¿De veras? ¡Eso se lo dices a todas! ¡Lo haces para que os deje marchar!—dijo Sü Làn mientras lanzaba otro fallido ataque sobre Alex.

—¡No me conoces bonita! Sí no fueses tan bruta, arrancaría de una patada una docena de rosas y te las pondría de un salto en uno de esos caros jarrones que tienes por aquí, —volvió a replicarle Alex, devolviendo con otro golpe el fallido ataque.

—¡NO! ¡NO! ¡LOS JARRONES NO! ¡Ya he visto lo que eres capaz de hacer con los biombos!

En realidad, no tenían intención de tocarse un pelo el uno al otro. Alex sólo intentaba despistarla para que los otros buscasen la máquina y a Elena. Mientras eso sucedía, los demás contemplaban la escena. Pau y Joan, que parecían maniatados, en realidad no lo estaban. Sü Làn les había dado unos rollos, en apariencia de cuerdas, unas rojas y otras negras, que en realidad habían resultado ser rollos de regaliz. Cosas del atrezo. Sü Làn había ordenado a Joan que maniatase a su hermano, pero claro, al ir a hacer el nudo, cortaba el sobrante con la boca y, ni ataba, ni nada. Sü Làn, se había puesto de los nervios al darse cuenta del "material defectuoso", pero por otra parte, los dos retenidos estaban la mar de bien comiendo regaliz, no tenían aparentemente, intención alguna de huir.

—Está bien.—Dijo Daniel— será mejor que nos dejes marchar a todos, o dejaremos a Alex que se comporte como un elefante en una cristalería. Hizo una señal a los demás para que buscasen la cámara, mientras Alex entretenía a Sü Làn, pero Joan y Pau le hicieron gestos indicándole que no estaba allí. Tan solo María y Ana empezaron a moverse sigilosamente. Sü Làn siguió centrada en Alex, con quien se intercambiaba golpes fallidos y a ver quién la decía más gorda. Pero un nuevo personaje apareció en escena. Era un pequeño dragón de Comodo que había llegado allí de la misma forma que Joan y Pau, en el tornado a su paso por el zoo. El dragón no media más de un metro de largo, pero era el enviado del mal para controlar a la eventual Sü Làn. Era su superior directo, por decirlo de alguna manera. El dragón se colocó a un metro de Sü Làn, casi en el centro de aquella enorme sala. María y Ana, tras un primer momento de sorpresa, continuaron buscando la cámara. Fue Daniel quien observó que a cada paso que daba alguna de las dos niñas, el dragón se hacia un poquito más grande, paso a paso, poquito a poco, hasta que su crecimiento fue percibido por todos. En ese momento, Joan le había dicho ya a María al oído que la cámara no estaba allí y tampoco Elena.

Sü Làn les grito.

—No os mováis, ¡NO DEIS UN PASO MAS!

Ana hizo caso omiso y salió zumbando por la puerta sobre la que había un cartel donde se leía "STAIRS". Cuando María y los demás se disponían a hacer lo propio, se quedaron paralizados de terror.

El dragón comenzó a crecer y a crecer a medida que Ana corría hacia el exterior y eso no era lo peor... Lo peor era que el dragón se iba haciendo cada vez más fiero y temible. Cuando tenía tres metros de largo, se puso a dos patas. Ya entonces, tenía unas rojas escamas encrestadas en el lomo y unas grandes garras afiladas.

—¡ES EL DRAGON DE SANT JORDI! —Gritó Daniel.

—¿ESTAS SEGURO? —Gritó Pau.

—¡Cómo no voy a estarlo! ¡Hasta tú deberías saberlo! ¡Hemos interpretado esa obra los últimos por lo menos, por lo menos, doscientos años!

—¡QUEDAROS QUIETOS! ¡A VER SI SE TRANQUILIZA!— Gritó María.

—¡YA NO SE DETENDRA! ¡ANA SE HA ESCAPADO! ¡EL DRAGON YA NO OS DEJARA ESCAPAR!— Dijo Sü Lán.

—¡TODOS A UNA! ¡CORRED O NOS ATRAPARA! —Gritó Daniel.

Todos, excepto Sü Lán, salieron corriendo hacia el cartel indicador de las escaleras, por donde había huido Ana. El dragón comenzó a agrandarse, hasta que topo con el techo y lanzó un zarpazo, que no consiguió alcanzar a ninguno de los muchachos. Sü Lán paralizada comenzó a llorar. De repente se abrió la puerta y Alex entró corriendo junto a María. Comenzaron a gritar a Sü Lán. El edificio comenzó a tambalearse por el peso del ya enorme dragón. El techo de la sala donde estaban comenzó a desmoronarse. El dragón había sacado ya la cabeza por el techo del edificio, en busca de los fugitivos. Estos se habían refugiado en un edificio subiendo por Bush Street, intentando no ser vistos. Daniel quería volver tras María, pero la escalera interior se había desmoronado. Alex y María agarraron a Sü Lán y tiraron de ella para sacarla de allí, pero fue imposible.

—Lo siento mucho—dijo María a Sü Lán— Vas a tener el primer accidente laboral de la vida no real paralela.

—¡No deberíais haber vuelto! ¡Vais a correr mi misma suerte!

—Somos un equipo, nunca abandonamos a nadie, ni en esta vida no real, ni desde hace poco, tampoco en la vida real, tienes mucho que aprender, pero lo harás, nosotros te ayudaremos.

Los tres se abrazaron y...el edificio se derrumbó...

—¡OH! ¡NO! ¡NO! ¡QUE HORROR!

Gritaron al ver el hundimiento del edificio. El dragón, ahora ya con veinte metros de altura, comenzó a mirar por todas partes.

—¡Tenemos que ayudarles!—Dijo Daniel ¡Hay que sacarles de allí! ¡Sí aún están en esta vida!

—¡CLARO QUE ESTARAN! ¡No vuelvas a decir eso otra vez! ¡POR FAVOR! —dijo Ana.

—Hay que despistar al dragón o no habrá nada que hacer. Son casi las once y si no les sacamos de ahí antes de la dos ¡ya no podremos hacerlo!

—Tienen un edificio encima ¡ES IMPOSIBLE!

Entonces desde Stockton Street apareció un coche sin luces y a toda velocidad que giró frente a la puerta de Chinatown y frenó junto donde ellos se hallaban. Las dos puertas del lado derecho se abrieron de un golpe y desde el interior les gritaron, ¡SUBID RAPIDO, SUBID!

—¡Subid vosotros! ¡Yo no me marcho de aquí! ¡Marchad, despistareis al dragón! ¡Tened cuidado! —dijo Daniel—

Subió Ana en el asiento delantero y Pau y Joan detrás. El taxista de Tarragona que les había recogido en la playa había vuelto. Salieron a toda pastilla hacía abajo, giró por California Street y en ese giro, el dragón que les perseguía perdió su rastro. El taxi, a petición de Ana, se detuvo frente a la entrada del lujoso hotel Nob Hill, Ana se apeó del coche.

—¿Por qué quieres quedarte aquí? —Le preguntó Joan.

—Aquí está mi hermano y quiero estar con él y cuidarle.

—¿Tu hermano? —Tu hermano está durmiendo cómodamente en su cama de Tarragona. No te encierres. Vive esta aventura con nosotros, la necesitas. —dijo Pau.

—Lo sé, pero me debo a mi hermano. También está aquí es parte de mí y quiero estar con él.

—Has estado fantástica esta noche Ana. Quédate si es tu deseo — dijo Joan.

Joan extrajo una tarjeta de visita del bolsillo de su pijama.

—Toma,—le dijo a Ana— acercándole la tarjeta. Esta es mi tarjeta. No está mi nombre, ni mi número, ni ninguna dirección, pero si nos necesitas o quieres participar en esta aventura, solo tienes que marcar sobre ella. El dragón ha ido hacia la zona este, estarás segura aquí. ¡Suerte!

Joan se despidió de ella y subió al taxi. ¡Al parque de bomberos nº 1 de la calle Howard! —Gritó Pau—

Daniel se había encaramado a los escombros gritando en un intento de localizar a los desaparecidos. De repente oyó sirenas que se acercaban. Eran los bomberos.

Dos coches de bomberos, el taxi y un coche patrulla se detuvieron ante los escombros de las calles Bush y Grant.

El conductor del primero de los camiones era Joan. Cuando descendió de la cabina ya iba vestido de bombero de Tarragona, con casco y todo y por la otra puerta otro niño de San Francisco, también vestido de bombero, pero de San Francisco. Diseños todos del equipo de Intrepid@, confeccionados a medida.

El conductor del segundo camión era Pau y a su lado, una niña de San Francisco. Ambos descendieron también equipados como bomberos. Los policías también iban uniformados.

Miraron el montón de escombros del edificio destruido por el dragón.

Tres ambulancias llegaron al lugar, con niños médicos y paramédicos. Bajaron las camillas que no iban a necesitar, aunque era todo parte del sueño.

—Puede que haya mucha gente atrapada en el edificio— dijo uno de ellos—

—No creo que hubiera nadie —les contestó Pau— El edificio estaba siendo reformando. Fíjate qué el dragón camina sobre los edificios del distrito comercial y no daña ninguno. Es un dragón imaginario, como toda en esta noche soleada. Sólo ha dañado este edificio porque está deshabitado.

—Sí, pero lo imaginario debe acabar antes de las dos, o si no, puede volverse definitiva, así que manos a la obra. Si antes de las dos, el mal se hace con los diamantes, este desastre se volverá real y definitivo—apuntó Daniel.

—¡Cómo vamos a sacarles de ahí! ¡No tenemos maquinaria ni herramienta alguna! ¡Es imposible!

Entonces, se oyó el sonido musical de una campanilla.

—¡ESCUCHAD, ESCUCHAD! gritó Daniel.

—Es el tranvía del viejo Marvin. ¡Es su campana! Dijo Janet, una niña bombero de San Francisco.

—El viejo Marvin, ¿y quién es ese?, le preguntaron Pau, Joan y Daniel al unísono.

—Era un conocido conductor de tranvía de los años 70. Todos sabemos su historia. Es una triste, pero preciosa historia. La explican en el museo del Tranvía.

—¿Y cuál es esa historia?

Un día, un chico de quince años subió por primera vez al tranvía de Marvin. Cómo todos los demás conductores, él tocaba siempre con la campana su misma música característica al llegar a este cruce de calles. El chico subía siempre aquí. Un día el chico se puso a tararearla y a los pocos días a cantarla. A Marvin le hizo mucha gracia la letra, tanto que él la cantaba también muchas otras veces durante el recorrido. Un día, Marvin le preguntó al chico porque andaba todo el día peleándose, pues siempre iba lleno de golpes y morados. El chico le contestó que era lo normal entre chicos de su edad. Marvin no volvió a verle al día siguiente. Ni tampoco durante otros muchos días más, pero Marvin seguía tocando la canción con su alegría de siempre. El chico había fallecido por los golpes de su padrastro. Al enterarse Marvin semanas después, se puso tan triste, que jamás volvió a tocar la campana, pero la letra de la canción se le repetía una y otra vez. Enfermó a poco de jubilarse y su estado se agravó rápidamente sin esperanzas. Un día sus compañeros le llevaron la campana del tranvía hasta el hospital. Su pesar era el no haberla tocado nunca más. Se sentía culpable de haber tenido miedo de hacerlo, de haberse desentendido de aquel malogrado niño, cuya única esperanza era aquel tranvía que le alejaba por un tiempo de su desgracia, con la esperanza que al volver, su terror terminase. Marvin no tenía a nadie, ni hijos, ni esposa, ni familia alguna. Entonces tocó aquella canción y sus compañeros la cantaron. Cuando hubieron acabado él dijo: "Espero que mi último tranvía me lleve hacia ti". Murió a las pocas horas.

Janet se puso a cantar al sonido de la campana.

Este tranvía te llevará hasta
donde seas capaz de imaginar
subir y bajar por cualquier estrecho lugar
para volver de nuevo a soñar.

—¡Vaya!— Dijeron todos a la vez—

—Estás noches nos muestran mucho de lo que tendremos que enseñar.

—Siempre habrá alguien a quién sacar de algún estrecho lugar.

—Mi equipo y yo estaremos siempre en eso y cada vez seremos más.

—No dejaremos a nadie por muy estrecho que sea el lugar de donde tengamos que sacarle.

Daniel volvió a escuchar la canción y se giró. Miró a Pau y lo que estaba haciendo.

Pau estaba sentado y lanzaba las mangueras enrolladas por la empinada calle Bush abajo. Los rollos se desplegaban.

—¡YA LO TENGOOOOOO! Gritó Daniel ¡EL USS PAMPANITO!

El Uss Pampanito S—383, es un submarino que participó en la segunda guerra mundial, en la que llevo a cabo con éxito un gran rescate. En 1982 fue abierto como museo en el muelle 45 del puerto de San Francisco. Esta noche el Pampanito tenía una nueva misión…

Durante la reunión de trabajo, que Geneviève había mantenido con el equipo, esta vez al completo, se había decidido que la aventura finalizaría a las dos de la madrugada y no a las doce como en Tarragona, eso debía de ser así, porque Geneviève podría ajustarse mejor y sin errores a los cambios de las regiones horarias. La salida se efectuaría antes de esa hora, cerca del Pampanito, en un lugar llamado Marina Green. Ese lugar pues se había convertido en el lugar de encuentro y dentro del submarino despertó al mando Clara, ya con su uniforme de capitana de navío.

Mientras en Chinatown los niños seguían atrapados bajo el edificio derruido.

.—Vamos, hay que localizarles—dijo Daniel—.

Comenzaron a moverse entre los escombros y a gritar los nombres de los tres niños.

—¡MARIA! ¡ALEX! ¡SU LAN!

El tranvía se hallaba detenido en el cruce de Bush y Powell repicando la campana.

De pronto, se oyó la voz de los niños.

—¡AQUI! ¡AQUI! ¡ESTAMOS AQUÍ! ¡DANIEL!

—¿ESTAIS BIEN?

—¡SI, SU LAN Y YO NO TENEMOS NI UN RASGUÑO, PERO NO PODEMOS SALIR! ¡TAN SOLO VEMOS ALGO DE LUZ! ¡MARIA ESTA CERCA!—chilló Alex.

—¡YO TAMBIEN ESTOY BIEN Y VEO UN POCO EL EXTERIOR! dijo María

—¡DE ACUERDO VAMOS A SACAROS DE AHÍ!

—Daniel fue hasta el cruce de Powell y Bush, subió al tranvía. Allí estaba su conductor, el viejo Sr. Marvin.

—La respuesta es sí, Sr. Intrepid.

—¡Gracias! ¿Cómo sabía? Bueno. Me lo figuro. Gracias señor.

—Todo sea por mi amiga Geneviève y sus intrépidos amigos.

Daniel bajó corriendo y fue hacia Janet.

—Necesitamos más mangueras. Todas las que se puedan conseguir.—le dijo—

—¿Cuál es el plan?— Le contestó esta—

—La canción, el plan es la canción...

"Este tranvía te llevará,
hasta donde seas capaz de imaginar,
subir y bajar por cualquier estrecho lugar,
para volver de nuevo a soñar."

—¡Las mangueras! ¡Las mangueras! ¡El estrecho lugar, llevar, imaginar, soñar! ¡Está muy claro!

—¿?

—Cogeremos las mangueras, las introduciremos por todos los huecos que podamos entre los escombros. Después todas cogidas, las ataremos al tranvía y este las llevará por los raíles hasta el muelle 45, donde las conectaremos a los tubos lanzatorpedos del Pampanito. Después solo habrá que disparar los torpedos y esperar que la aspiración arrastre a los tres.

Es demasiado arriesgado, no cabrán.

—Es la mejor y única posibilidad de salvarles, de salvar San Francisco y Tarragona.

—¿Y si no funciona?

—Entonces habrá que buscar otra forma de hacerlo.

—Bien, dijo Janet ¡manos a la obra!

Janet cogió la emisora del coche patrulla y habló por ella.

—Coche 26 a central. Coche 26 a central ¿Me recibe central? Solicitamos bomberos y ambulancias para una emergencia en Bush Street, pero coloquen los vehículos lo más cerca posible del cruce entre Powell y Bush...

Una voz juvenil contestó la llamada. "Recibido coche 26, la ayuda está en camino".

Geneviève actuó con celeridad y en pocos minutos, muchos niños y niñas recibieron una invitación en sus sueños, para participar en una aventura llamada "salvar la ciudad", iba a ser una noche muy emocionante para todos.

Pronto resonaron docenas de sirenas por toda la ciudad, Ambulancias, coches de bomberos y coches patrulla acudieron a la petición de auxilio.

Mientras tanto en el Skyline de San Francisco, se divisaba la figura del enorme dragón. El dragón enfurecido comenzó a lanzar bolas de fuego por la boca. Numerosos edificios eran ya pasto de un gran incendio imaginario.

Los equipos de bomberos comandados por Joan y Pau, empezaron a lanzar los rollos de manguera desde el cruce, calle abajo, donde otros equipos los introducían por las aberturas entre los cascotes. Junto al tranvía, otros niños bomberos y policías, unían con otros tramos de manguera y después los colocaban atados con cuerda al tranvía. Una vez completados cuatro rollos, con más de un kilómetro de manguera empalmada por rollo, el tranvía hizo sonar su campana y comenzó a subir. Al llegar a lo alto de la colina se dejó caer, arrastrando las mangueras hasta el Pampanito. Allí Clara, se encargaría de conectarlas a los tubos lanza torpedos.

—¿Me recibes Clara? Atención Clara ¿me recibes?,—dijo Daniel por la radio del coche patrulla.

—Te recibo jefe.

—Escucha...asegúrate que los torpedos están en su sitio y coloca el submarino en dirección a Alcatraz.

—Ya lo hemos hecho Jefe.

—De acuerdo, que suerte tengo de contar contigo. Te avisaré para comenzar la operación.

—De acuerdo jefe, a la espera.

—¡No me llames jefe!

Clara volvió a entrar en el submarino.

—¡Suelten amarras! ¡Dos grados estribor! ¡Proa hacia Alcatraz!

—¡Amarras fuera! ¡Virando proa hacia La Roca mi comandante!

El submarino volvía a navegar.

Daniel subió a lo alto de la montaña de escombros.

—¡Escuchadme! Intentar poneros lo más cerca de la luz de la linterna que hemos pasado por las mangueras hacia el interior. Clara lanzará los torpedos del Pampanito y la aspiración de estos os arrastrará hasta el submarino. ¡Sólo pensad que podéis hacerlo y saldrá bien!

—¡Ese plan se te ha ocurrido porque no eres tú el qué está aquí atrapado!— dijo Alex—.

—¡Si se te ocurre otra cosa mejor sal a explicármela! ¡Así no tendremos que usarlo!

—Bien ¿ESTAIS LO MÁS CERCA POSIBLE DE LAS LUCES?

—¡SI!

—¡Clara dispara los torpedos—dijo Daniel por la radio—

Tres torpedos surcaron las aguas de la bahía estallando contra los riscos de La Roca. Clara dejó abiertas las compuertas de lanzamiento y la presión salió tras los torpedos. Las mangueras que estaban conectadas a las compuertas de carga, comenzaron a hincharse desde el submarino subiendo por la pendiente de Taylor. Cuando llegaron a los escombros de la calle Bush, Daniel que estaba junto al coche patrulla ordenó.

—¡AHORA CLARA!

Clara accionó el cierre de las compuertas de lanzamiento de torpedos. Las mangueras se hincharon de tal forma que ensancharon los boquetes por las que habían sido introducidas. Entonces María, Sü Làn y Alex pudieron acercarse a ellas, metiéndose dentro y creando con ello un vacío.

Clara abrió entonces las compuertas de carga y la presión salió por las mangueras, arrastrando a los niños hasta el submarino.

Alex fue el último en llegar al submarino. Los tres cayeron al suelo de la sala de torpedos, donde varios niños y niñas sanitarios se aprestaron a auxiliarles. Se levantaron por su propio pie y aunque sabían que todo era irreal, dejaron que esos niños disfrutaran de su sueño. Así salieron al exterior. Sü Làn se sentó en la puerta de una ambulancia, con una manta por los hombros.

—Gracias por quedaros conmigo Alex y María. He pasado mucho miedo. Sin vosotros no hubiese sobrevivido.

—Bueno. Lo que es seguro, es que ahora no tendrás que preocuparte por los jarrones.

—Pero tú si por las rosas— dijo María— que se acercaba en ese momento.

Alex dio un salto y se acercó a un pequeño parterre. Sólo había una rosa. La arrancó con delicadeza y se la llevó a Sü Làn.

—Has arrancado una rosa de un parterre público ¡Eso no está bien! —Dijo Sü Lán—

—Mañana— dijo Alex— habrá en ese lugar unas preciosas rosas de final de invierno. Siempre serán las primeras en salir—le contestó Alex—

Y así fue, cada año, por siempre. Mucha gente admiró desde entonces ese hecho.

—¡Qué bonito!— dijo María—

Los tres se abrazaron.

En la calle Bush, las cosas sólo habían comenzado a mejorar, aunque el tiempo pasaba y seguían sin tener la cámara ni rescatar a Elena. Para colmo de males, Ana había decidido ir por libre. Los incendios causados por el dragón, aunque imaginarios, empezaron a alarmar a Daniel. Había que extinguirlos antes de las dos, o no se sabía que ocurriría después y acababan de dar las once.

—¡Daniel!—era María por la radio— ¡Necesitamos más refuerzos! ¡La ciudad arde por los cuatro costados!

—Lo sé, Janet, solicitemos más ayuda.

—Coche 26 a central. 26 a central. Necesitamos refuerzos en el distrito financiero, South Beach, North Beach, Civic Center, la ciudad entera está ardiendo.

—Recibido 26, pero ya no podremos contar con muchos más niños.

—Haga lo que pueda central. Extienda la alarma a toda la bahía.

La ciudad se convirtió en un ulular permanente de sirenas que inundaban todas las calles, sin que nadie de la vida real se enterase. Los niños y niñas de San Francisco y de otras poblaciones colindantes, tenían la oportunidad de correr la aventura más alucinante de sus sueños. Luchar contra un monstruo que incendiaba la ciudad. ¡VAYA NOCHE INOLVIDABLE! Eran unos héroes.

Cuando ya creían haber visto todo lo imaginable, lo inimaginable salió a escena. El enorme dragón de 20 metros de altura, se encaramó en lo alto de Coit Tower y desde allí arrojaba bocanadas de fuego hacía las calles.

—¡CIELOS SANTO!— Gritó Daniel—

—¡NO ES POSIBLE!—Gritaron Joan y Pau—

—¡Necesitamos más refuerzos! ¡Necesitamos más refuerzos, central! ¡Necesitamos refuerzos de bomberos y policía! Que acudan a los muelles 1 a 35, repito 1 a 35 ¡Están ardiendo!

—Recibido 26, pero ya no tenemos más refuerzos. He tenido que echar mano de un grupo de niños de doce años de Mendocino, hacen lo que pueden, se lo pasan en grande pero…

—Hay que pedir ayuda a todos los niños del mundo, sí no, no saldremos de esta.

—Aquí el jefe Thomas ¿Me recibe Janet?

—Si, jefe Thomas. Le recibo señor (Thomas era el jefe de bomberos infantil de la vida no real paralela)

—Estamos utilizando todos los efectivos disponibles. No podemos contar con nadie más. Estoy debajo de Coit Tower. He ordenado a mis hombres que retrocedan. No podemos hacer nada contra ese monstruo. Me estoy quedando sin personal. El dragón está mandando a muchos de nuevo a dormir a sus casas…

Muchos de los niños y niñas de que estaban justo debajo del monstruoso dragón, desparecían convertidos en una nube de agua, cuando el dragón les lanzaba bolas de fuego. Pronto, la llamada de auxilio de Janet tuvo respuesta. Niños de todos los colegios del mundo, llegaban al Marina Green y subían ya vestidos de bomberos y sanitarios, a los vehículos de emergencia que llegaban de todas las ciudades cercanas.

La jefa de los servicios médicos de emergencia de la vida no real paralela era Marina Anders. Ella, además de realizar como los demás médicos infantiles esa noche, curas simuladas en el escenario de los incendios, llevaba un listado con todos los niños que durante ese tiempo en la vida no real paralela, debían volver momentáneamente a la vida real, para recibir medicamentos y tratamientos. En esos casos, un coche patrulla se dirigía hacia esos niños y los llevaba hasta el Marina Green. Una vez allí, los niños desaparecían en una nube de agua por tan sólo un instante y cuando regresaban, volvían a ser llevados nuevamente en los coches patrulla a sus puestos... Un trabajo magnífico.

—¡Ah!—continuó Thomas— El dragón lleva a una chica cogida con su garra izquierda.

Daniel cogió los prismáticos del coche patrulla y boquiabierto se los pasó a Janet, al tiempo, que decía...

—¡ES ELENA!

Mientras pensaba que hacer, Daniel se fijó en lo que estaba haciendo Pau.

Pau cogió del suelo un trozo de plástico y lo lanzó al horizonte hacia donde estaba el dragón, como si tuviera intención de derribarle.

—¡YA LO TENGO! ¡AVIONES! ¡USEMOS AVIONES! ¡NOSOTROS SOMOS LOS MEJORES! —Gritó Daniel.

Cogió la radio del coche patrulla.

—Atención Tarragona. Atención Tarragona. ¿Me recibes Tarragona?

—Te recibo, te recibo Daniel. Aquí torre del aeropuerto de Reus. (Tarragona).

—Escucha Vanessa ¿Cómo estáis de trabajo?

—Bueno, desde que Nuria ha llevado a Alex en el osito, no hemos tenido nada importante...Bien, habla con Nuria y que se prepare para hacer otro transporte a San Francisco.

En la primera noche, el transporte también había sido importante. Nuria había tenido que llevar a David Torres desde

Nueva York hasta el aeropuerto de Reus (Tarragona) para que este pudiera estar en Tarragona a la hora precisa. De otra forma, jamás habría podido atravesar el Atlántico a tiempo. Si bien es verdad que David Torres recibió una llamada de Melisa, esta se produjo cuando el ya estaba en Tarragona. El móvil de David Torres recogió el mensaje y sí, ciertamente, la nevada había obligado a cancelar la reunión de Torres en Nueva york, pero eso había sido seis horas más tarde, las suficientes para que él pudiera llegar Tarragona y Melisa comprobase después llamando al hotel, que Torres había pagado su habitación y marchado y por tanto, había recibido el mensaje. Para Geneviève llevar a las personas a la vida no real paralela y devolverlas a la real no suponía ningún problema, pero que ese traslado supusiese además, cruzar los meridianos y sus diferencias horarias e incluso el día y la noche, requería de mucho más que una precisión perfecta. Requería de un poder y ese poder, sólo lo tenía Nuria. Nuria era la única persona que podía "transitar" desde la vida real a la paralela, sin impedimento alguno. Podía entrar en los sueños, tocar y desplazar objetos a través del tiempo y sin que al día siguiente le pesase el sueño ni el cansancio. Lo hacía todo despierta en la noche. Geneviève había arreglado el resto y su querido osito de peluche era ahora, un formidable aparato de transporte aéreo. Aunque el osito podía aterrizar de pie si era necesario, lo voluminoso de las cosas que iba a transportar requería del control absoluto de los aeropuertos. Para conseguirlo, Geneviève había ideado un rudimentario pero efectivo sistema de control del espacio aéreo afectado y había dispuesto en la torre de control de Reus (Tarragona), de una magnífica experta en esa tarea... Vanessa, sí, la tía de Nuria y de María. Vanessa trabajaba en un gran aeropuerto, en el servicio de ayuda a personas disminuidas, así que cuando Geneviève se presentó en su habitación y le propuso ayudar, dijo inmediatamente que sí, además así, cumpliría uno de sus sueños, manejar el aeropuerto desde la torre de control, algo, que en la vida real se escapaba de sus competencias. Ese encargo nocturno no era un trabajo muy complicado, por el contrario era muy divertido.

—Vanessa—dijo Daniel— ponme con la Nuria, por favor.

—Te escucho Daniel.—Nuria lucía un impecable uniforme de comandante de aeronave que ella misma se había diseñado.

—Escucha Nuria. Aquí en San Francisco la cosa está que arde. No tenemos gente para pilotar los aviones cisterna y los necesitamos para controlar el fuego de un dragón que se ha subido a una torre muy alta. Además en una de sus garras lleva a Elena, la profesora, nosotros en Tarragona somos los mejores en apagar fuegos desde el aire.

—¿Te valdría con un par de hidroaviones?

—Probemos...

—Bien le diré a Paula que lo organice, mientras yo preparo el osito.

Paula, una compañera de clase de Nuria, era la responsable de logística del aeropuerto esa noche. Para este cargo de enorme responsabilidad, contaba con la experiencia de vivir en un barrio por el que pasaban los aviones a poca altura para aterrizar en el aeropuerto, eso era más que suficiente. Paula ayudada por Nicolás, localizaron los hidroaviones y los arrastraron con los vehículos hasta el osito.

Nuria formó al grupo de pilotos en la pista del aeropuerto. Todos iban con sus monos de vuelo y dispuestos a entrar en acción.

—Bien, ya os he explicado la misión. Cuando el osito llegue a la bahía de San Francisco, los aviones se soltarán y quedarán bajo vuestro control.

El osito tenía ahora cincuenta metros de alto y diez de ancho. En su pie se abrió una compuerta y los dos hidroaviones entraron por el pie rampa. Por lo demás, el osito por dentro era como un avión convencional, sin estridencias. Nuria se había hecho poner un equipo de música, un televisor de 60 pulgadas, un futbolín, un karaoke y una nevera, entre otras cosas, pero claro, por ejemplo, el vuelo Tarragona— San Francisco que costaba 11 horas, ella lo hacía en menos de un segundo y eso era un rollo porque después tenía que esperar otra misión. Así que como ella era la única que estaba verdadera y realmente despierta, se había instalado algunas comodidades. Además, le había pedido a Geneviève que dejase que le acompañase un pequeño equipo y Geneviève por supuesto, había accedido.

Vanessa estaba en la torre de control. Toda para ella. Había puesto buena música y se había preparado un chocolate instantáneo con churros, bien calentito. Su trabajo consistía en mantener el orden en las rutas de los aviones que daban vueltas en círculo sobre el aeropuerto. .

Geneviève había dispuesto unos móviles gigantes, iguales a los que se instalan en las cunas de los niños y de los que cuelgan muñecos o figuras. En este caso lo que colgaban eran los aviones que entraban hacía el aeropuerto de Reus (Tarragona), mientras duraba la misión. Los aviones estaban mágicamente suspendidos de una cuerda y esta a su vez, del móvil que daba vueltas, es decir, los aviones daban vueltas continuamente alrededor del enorme soporte del móvil clavado en tierra. Los pasajeros que no continuaban durmiendo, estaban soñando. En la mayoría de los aviones se habían organizado fiestas y partidas de juegos y todos, absolutamente todos, volverían con total seguridad a la realidad justo a la hora en que la vida no real paralela de todos desapareciese. Lo demás, lo justificaría una gran tormenta eléctrica sobre el aeropuerto, que también llegaría a esa hora.

Vanessa empleaba el tiempo controlando los aviones colocados en el móvil. Aunque era imposible que los aviones saliesen del círculo que describía la cuerda de la que colgaban, el trabajo tenía cierta responsabilidad, pero no le impidió prepararse un chocolate con churros. Mientras, dentro de los aviones todas las personas estaban en esa vida no real paralela inducida. Los que no dormían, estaban de fiesta imaginaria, leyendo o jugando. Las tripulaciones se sumaban, porque llevaban puesto el piloto automático. Todo y con ello, Vanessa debía estar bien atenta a la radio y a las pantallas. Estos son dos de los conflictos aéreos que tuvo que resolver.

—Aquí control de Tarragona para IB 359.

—Le recibo Tarragona.

—Oiga ¿Qué música tienen puesta en el avión?

—Samba.... ¿porqué?

—Su avión no hace más que balancearse, cambie a Pop y baje el volumen, repito, cambie a Pop y baje el volumen.

—Recibido Tarragona, bajando volumen y cambiando a Pop.

—Atención control de Tarragona, aquí JA687. Repito, aquí JA687. Llevamos a CA239 en cola. Parece la atracción del barco pirata. Es como el péndulo de un reloj, acelera a tope los motores y después cuando está arriba, los apaga. Así lleva un buen rato...

—¡COMO!

Cogió los prismáticos y se acercó a la cristalera. Lo que vio le hizo caer encima el churro que acababa de mojar en el chocolate. ¡Era cierto! Un pequeño reactor era seguido por un Jumbo 747. Este último oscilaba hacia delante y hacia atrás como un columpio. Esto dio a Vanessa la oportunidad, para apoyándose en la mesa de control, decir una de esas famosas que siempre había querido y nunca había podido decir.

—Elegí mal día para volver a comer churros con chocolate. CA239, aquí control de Tarragona. Repito, aquí control de Tarragona. Compórtese o le enviaré el último en la lista de aterrizajes.

—Recibido Tarragona. Ha sido una travesura. No se repetirá...

—Tía Vanessa. Vamos a despegar.—se oyó por el altavoz de la sala— Era Nuria—

—Recibido Nuria, pista uno, viento de cola 3 nudos.

—OK, rodando.

Vanessa pudo ver como el osito despegaba. Duró menos de un segundo. Al segundo siguiente, el osito volaba ya próximo a la velocidad de la luz. Entonces Vanessa cogió la radio de nuevo.

—Atención Torre de San Francisco, Torre de San Francisco, ¿Me recibes?

—Alto y claro….., metro ochenta y dos, pelo rubio y ojos azul…….cielo…

—Gracias por llamarme cielo, San Francisco.

—¡Claro! ¡Es un placer Tarragona!

—¡Vaya San Francisco! Luego hablamos…escucha, te he enviado un osito de peluche de transporte con ayuda para la ciudad.

—Lo tenía en pantalla y ahora lo localizo visualmente Tarragona.

Los dos hidroaviones se preparaban para despegar desde el osito nodriza. María les habló desde la ciudad.

—¡Atención tripulaciones! ¡Tenéis una arriesgada misión! Quiero que miréis vuestras condecoraciones. Sé que sois merecedoras de ellas, antes incluso de comenzar vuestra arriesgada misión. No os preguntéis que pueden hacer por vosotros los pesados libros que llevamos en las mochilas, preguntaros, que podemos hacer para que no pesen tanto y mientras resolvéis eso, pensad que todos somos capaces de alcanzar esas medallas. No importa lo que pesen los libros, las nubes que nos esperen. Esta noche nos jugamos el futuro. Si somos capaces de conseguirlo para nosotros, sin duda, lo conseguiremos también para muchos otros niños, suerte y al dragón.

Las dos tripulaciones miraron sus condecoraciones que colgaban cogidas a sus uniformes de piloto. Eran pins con forma de medalla y escrito en cada una había un número.

—¡Un 8´5 en música!— dijo Nerea a Mario— ¡Un nueve en Mates! ¡Un 10 en historia!

—¡Y YO!— dijo Mario a Nerea— ¡Un 9 en mates! ¡Un 10 en ciencias! ¡Un 9 en historia!

—¡Vamos a por ellas! ¡Está noche estas notas han de ser nuestras!

En el otro hidroavión pilotado por Juliana y por Ona, las condecoraciones eran muy parecidas.

Llegó el momento y los dos enormes hidroaviones quedaron solos volando en el aire de la bahía, rumbo a Telegraph Hill. Su misión, apagar la boca del dragón encaramado a Coit Tower.

Ona cogió la radio.

—Atención torre de San Francisco. Atención torre de San Francisco aquí hidroaviones Águila 1 líder y Águila 2, procedentes de Tarragona. Volamos en formación de a 2, facilítenos coordenadas. Por favor facilítenos coordenadas.

—OK, recibido Águila 1 Líder. Diríjanse al centro de la ciudad. Verán numerosos fuegos, su objetivo es el que está más alto, en lo alto de un monumento.

—OK. OK, recibido San Francisco. Cierro y cambio, digo cambio y...bueno, recibido.

Nerea y Mario, la tripulación de uno de los hidros, el Águila 2, observaron la ciudad mientras su aparato se acercaba a ella. Mario estaba asombrado y dijo:

—¡Vaya! Tienen una refinería, como nosotros, ¡Pero en medio de la ciudad!

—¡No tonto! Es el dragón que tenemos que apagar, los demás son los fuegos imaginarios que ha provocado.— Le contestó Nerea

—Atención Águila 2, Mario y Nerea ¡Vamos a hacer una pasada de reconocimiento, cargamos y lanzamos el ataque! —gritó Juliana.

—OK, OK, recibido Águila 1 Líder. Cargaremos agua después de sobrevolar el objetivo.

Los hidroaviones pasaron por encima del monstruo, Elena les hizo señales con los brazos desde la garra del dragón.

El hidroavión más rápido en cargar fue el de Mario y Nerea. Llenaron los depósitos en la bahía y se abalanzaron sobre el objetivo. Cuando estaban a la altura del hombro derecho del dragón este lanzó su garra pero pudieron esquivarla y lanzar el agua. No acertaron a las fauces del dragón. El segundo hidroavión de Juliana y Ona corrió la misma suerte y si estuvo a punto de ser alcanzado por la garra.

El agua que soltaban caía sobre el cuerpo del dragón pero no sobre su boca, Lo intentaban y lo volvían a intentar pero no había suerte. En una de las pasadas, Ona se percató de algo en lo que no se habían fijado en las otras pasadas. Si el hidro aparecía de frente al dragón, a éste le molestaba la luz de los potentes focos que el hidroavión llevaba bajo la cabina. Si el hidroavión aparecía por uno de los costados, el dragón lanzaba la garra derecha, la que tenía libre, de forma instintiva, pero giraba la cabeza, para evitar los focos.

—Atención Águila 1 Líder a Águila 2. —dijo Ona por la radio de su hidro.

—Aquí Águila 2, te recibo Juliana.

—Bien Nerea, vamos a intentar una cosa.

—Explica.

—Al dragón le molestan las luces de nuestros hidros. Así que uno de nosotros se lanzará sobre él de frente, mientras que el otro lo hará por el costado izquierdo, el lado por dónde tiene cogida a Elena y se sujeta a la torre. Si se da cuenta, seguro que no levantará ese brazo y eso nos dará un segundo o dos vitales.

—Lo entiendo, se trata de despistarle.

—Así es. Si lleva a Elena en su garra es por algo, así que no querrá hacerle daño y además es con ese codo con el que se sujeta a la torre, mientras que el otro brazo, deberá lanzarlo a ciegas y esperemos…que quede un hueco.

—Debe haberse enamorado de ella. Bien. ¿Quién va de frente?

—Yo soy la líder. Iré por el costado y lanzaré el agua, justo cuando esté sobre su boca.

—Es muy arriesgado, suerte.

—Vosotros ir de frente y cegarle. En cuanto se despiste, virar y alejaros, nosotras haremos el resto si podemos.

—De acuerdo. Recibido Águila 1 Líder. Águila 2 virando tres grados este, nos situaremos a las doce en punto del dragón y avanzaremos a 230 nudos hasta la tangente de Pionner Park... Llevamos viento de cola de tres nudos, rumbo 125 descendiendo a 116— Concretó Nerea. Mario estaba tan asombrado por el derroche técnico de su compañera, que no le salían las palabras.

—OK Águila 2 nos encontrará en aproximación al dragón en las tres en punto, procedan y... ¡suerte!

—OK. Suerte águila 1.

Los dos hidroaviones se colocaron en posición. Águila 1 entró por la izquierda y desde detrás del dragón hizo un giro para situarse a unos 300 metros a su izquierda, acelerando justo en el momento en que veía perfectamente el costado y el torso del dragón.

Águila 2 se situó a aproximadamente unos 300 metros delante del dragón y aceleró en perfecta línea recta, como si fuese un dardo lanzado contra la nariz del dragón. Abajo en tierra, los equipos luchaban sin descanso.

En el Águila 2 Mario y Nerea se dieron la mano deseándose suerte. En el Águila 1, Ona y Juliana hicieron lo mismo. No había vuelta atrás. Era esa oportunidad o no habría otra.

Cuando Águila 2 estaba a escasos metros del dragón, este puso el brazo izquierdo delante de su cara protegiéndose los ojos. ¡Sí!— gritaron Mario y Nerea. Águila 1 se encontraba a la misma distancia por el flanco derecho.

Águila 1 pasó por al lado de la torre y cogió algo de altura hacía la boca del dragón. Pero en ese preciso momento, el dragón metió su mano tras su espalda y sacó de detrás de él...

¡UNAS ESTUPENDAS GAFAS DE SOL NEYBAN! Se las colocó en un santiamén, con lo cual deslumbrarle era tarea imposible...

—¡CIELOS SANTOOOOOOOO! —Gritó Nerea

—¡SON LAS GAFAS QUE LE HE PEDIDO AL RATONCITO PEREZ, POR EL ULTIMO DIENTE QUE SE ME CAYÓ AYER! Gritó Mario.

—¿DE VERDAD? ¡PUES AHORA LAS LLEVA EL! ¡NOS ESTRELLAMOS!— gritó Nerea.

Pero Mario no estaba dispuesto a que la operación fracasase, ni tampoco a que ese dragón se quedase con unas gafas que había pedido él. Apretó el botón de apertura de las compuertas de los compartimentos de agua, mientras Nerea tiraba de los mandos todo lo arriba que pudo, en un intentó final de sobrepasar la cabeza del dragón. El agua salió de los compartimentos y... ¡SI!... alcanzó de lleno en la boca del dragón. Cuando el dragón medio aturdido y totalmente sorprendido, intentó atrapar a águila 2, apareció águila 1. Juliana viró el hidro y pasó de costado justo por encima de la montura superior de las gafas. En ese momento Ona accionó el botón de los depósitos y el agua cayó entrando por el espacio entre las cejas y la montura de las gafas. El dragón, totalmente desconcertado, agitó tanto el brazo izquierdo, que estuvo a punto de caer al vacío. El Águila 2 de Nerea y Mario, recibió un golpe de garra en la cola y aunque el avión consiguió superar la altura del dragón, los daños eran lo suficiente importantes para que el aparato no pudiese seguir volando. Águila 1 se libró por poco, pero pudo superar al dragón por la derecha sin ser alcanzado.

—¡NOS HA DADO NEREA! ¡HEMOS SIDO DERRIBADOS!

—¡SI! ¡TENEMOS QUE ABANDONAR LA AERONAVE!

—Un momento, siempre he querido hacer esto— dijo Mario cogiendo la radio del avión.

¡MAYDEY, MAYDEY! Aquí Águila 2. Hemos sido alcanzados. Nuestra última posición se sitúa sobre el centro de la ciudad, ¡MAYDEY!... ¡MAY...!

—¡VAMOS! Le gritó Nerea. ¡Hay que ponerse los paracaídas y saltar!

—¿COMO? ¿SALTAR? ¡De eso nada! ¡Yo me quedo! ¡No pienso saltar con un paracaídas! ¡De eso nada! ¡Me quedo! ¡Vamos hacia el mar y esto es un hidroavión! ¡Seguro que conseguimos amerizar de alguna manera!

—¿AMERIZAR? ¿TE HAS VUELTO LOCO? Mira Mario. A pocas millas de donde estamos, hay unos islotes llamados islas Farallon. Allí existe una de las mayores colonias de tiburones blancos del planeta y por la velocidad que llevamos, diría, casi seguro... que este hidroavión va a amerizar justo allí, pero claro, siempre puede amerizar mal... volcar...y ¡hundirse...!

No hizo falta más.

—¿TIBURONES? ¡DEJAME PASAR! ¡DEJAME PASAR!

Mario se levantó de un brinco de su asiento y comenzó a correr por el pasillo, totalmente enloquecido. Se acercó a la compuerta del avión y se arrojó al vacío.

—¡EY TONTAINA! ¡¡QUE TE HAS OLVIDADO EL PARACAIDAS!

Por suerte Nerea se lo vio venir y saltó detrás de él alcanzándole y cogiéndose el uno al otro en la caída.

Fueron a caer en unas pistas de tenis, en lo más alto de la ciudad.

—¡Ha estado fenomenal!— Dijo Mario.

—La verdad es que hemos estado muy bien. Hemos apagado a ese dragón, pero desde aquí y con todos esos árboles, es imposible saber qué ha pasado después. Vamos a salir de aquí, a ver si nos enteramos de qué ocurre.

—¡Qué lástima que no tengamos raquetas! ¡Te hubiera dado una paliza al tenis!— Este era Mario.

—¡Tal vez que puedas demostrarme tu destreza con el monopatín!

Por extraño que parezca, el paracaídas que habían utilizado llevaba incorporado un solo monopatín, porque sólo habían usado un paracaídas…las prisas de Mario.

Salieron de las pistas y cuando bajaron a la calle veían el monumento de Coit Tower pero no al dragón. Todavía había numerosos incendios, aunque menos, gracias al incansable trabajo de los bomberos infantiles y también de Águila 1, que comandado por Ona y Juliana se dedicaba ahora a lanzar agua sobre los edificios.

Cuando cruzaron la calle y se asomaron a Lombard Street, se quedaron atónitos.

—¡MARIO, MARIO, QUE PASADA! ¡ESTA CALLE LA HAN PUESTO AQUÍ, PARA QUE LA BAJEMOS EN MONOPATIN!

Lombard Street es conocida como la calle con más curvas del mundo. Su calzada de ladrillo rojo está abierta al tráfico y discurre llena de curvas entre preciosos parterres, que en primavera y también esa noche estaban llenos de flores. Un lugar maravilloso.

—Vaya, pero sólo hay un monopatín— dijo Nerea.

—Quédatelo— le contestó Mario.

—No, mira, allí hay unas bicicletas, voy a coger una prestada. Total, mañana volverán a su sitio. Además, yo prefiero la bicicleta.

Dicho y hecho, Mario en monopatín y Nerea en bicicleta se lanzaron por Lombard Street, con unas sonrisas merecedoras de foto (y la hubo).

Gritaban contentos y felices dejando atrás las curvas de Lombard y siguieron bajando y bajando. Estaban disfrutando de lo lindo. Pasaron un cruce y otro cruce, siempre pendiente abajo. Al llegar a un cruce de calles, Nerea recordó unas palabras de su padre, muy aficionado al ciclismo." No te confíes con la bicicleta hija, cuando más la estés disfrutando, más consciente debes ser. La prudencia debe ser lo primero, porque nadie la va a tener por ti." Nerea apretó los frenos y Mario al darse cuenta, hizo lo mismo. Eso les salvó, porque justo en ese instante bajando por la avenida Columbus, un tranvía pasó a toda velocidad. De no haber frenado les habría arrollado, con consecuencias desconocidas.

—Gracias Papá.— susurró Nerea en voz baja.

—Nos ha ido de un pelo—susurró Mario.

Desde ese punto, pudieron ver que el dragón había bajado de la torre y avanzaba por la ciudad.

El tranvía se alejaba, pero no el tremendo ruido que producían sus ocupantes. Nerea y Mario tuvieron que mirar dos veces. Si, el tranvía estaba ocupado por un grupo de cowboys que iban disparando botes de salsa hacia todas partes y tiraban unos petardos ensordecedores. Esos petardos eran de pega pero hacían mucho ruido. Falsos eran, pero el estruendo que producían era insoportable. Nerea y Mario vieron como cargaban en el tranvía grandes bolsas de los comercios por los que iban parando. .

—Hay que dar parte a María y a Daniel de esto. Me huele muy mal—dijo Mario

—Si, vamos hacia el Pampanito—le contestó Nerea

Después de su fascinante recorrido por las calles de San Francisco, llegaron al muelle 45 donde se hallaba el Pampanito y el centro de mando del equipo esa noche. Una multitud de alegres niños con sus camillas y maletines médicos, estaban deseosos de curarles sus inexistentes heridas, mientras les felicitaban y vitoreaban por el éxito de la operación "apagar el dragón".

—¡Buen trabajo! ¡Habéis estado geniales! Eran María y Daniel. Luego se abrazaron

—Al bajar hacia aquí hemos visto a un grupo de cowboys subidos en un tranvía. Paraban en algunas tiendas, sacaban unas bolsas llenas y las subían al tranvía. Iban disparando a todas partes con pistolas de plástico detonadoras de petardos.

—Sus caras me suenan. Creo que son alumnos de bachillerato.

—Habrá que investigarlo. Es raro que esos cowboys vayan por libre ¿Que harán en esta parte de la realidad? No nos atacan. No se meten con nosotros, pero llaman la atención... ¡qué extraño! Bien Joan y Pau. Quedáis asignados al departamento anticorrupción. Allí detrás tenéis un coche. Ir a investigar, me huele que detrás de esos personajes puede estar la clave de esta historia.

—De acuerdo jefe.

Fueron a mirar dentro del tinglado y si.....allí estaba, un Crown de 1975.

—Pero ¿qué pasa en este departamento? Vaya birria de coche nos habéis asignado. Con este coche no luzco la ropa. —exclamó Joan.

Salieron del tinglado.

—No comprendo tu enfado— dijo Daniel. Es el coche que podrá permitirse el departamento, digo yo....volved a mirar...—dijo medio riéndose.

Lo hicieron, y exclamaron de sorpresa. En el almacén se encontraban esta vez, todos los coches que habían sido utilizados en las mejores series y películas de cine. Estaba lleno. Joan eligió el que había visto en el poster del detective del que se había diseñado la ropa. Era un corvette negro descapotable, Al subir al coche, Joan era ya el agente Johnny el Coquet. Llevaba un traje chaqueta de lino blanco y una camiseta color beige. Los zapatos eran también de color blanco. Todo ello había sido confeccionado según sus propios diseños, pues había sido muy claro en que quería esa ropa. Aceleró y casi levantando las ruedas delanteras, salieron hacia el distrito financiero.

—Oye Joan, hermano, creo que te has equivocado de serie. Esta ropa no pinta nada en San Francisco. Es ropa de verano ¡de playa! Seguro que es de un detective de otra ciudad. Además, a mi no me gusta nada este traje azul pastel ni la camisa negra que me has puesto. Lo único que me gusta es el coche— Dijo Pau.

—No sé de qué ciudad es. Sólo sé que es de un poster que tenía papá en su habitación cuando era joven. Tenemos que pasar por tipos duros y con pasta. Bueno, es igual, vamos a lo nuestro. Investiguemos a esos gamberros del tranvía.

Mientras, en el centro de mando junto al Pampanito, María y Daniel, intentaban hacerse una idea de la situación.

—No sabemos dónde está la máquina, ni Elena, ni Ana y solo nos quedan dos horas. Además, parece que el dragón, aunque sin fuego, se dirige hacia aquí— argumentó Daniel. María le explicó a Daniel que creía saber dónde se hallaba la máquina, aunque no sabía por qué, pero tenían que confirmarlo.

—María cogió la emisora del taxi.

—Águila 1, me recibís.

—Te recibimos María.

—Escuchadme bien. Voy a hablar en tu idioma secreto Ona.

—OK recibido.

—Acamprabad avalanda atarra asatra. Aas apasabla aka ala amakana aasta aalla aarraba acalgada aagaal akaa na alas alazas arajas . Asar adascratas.

—Comprendido María. Avamas aa acamprabar. Asaramas adascratas

A los pocos minutos, Ona volvió a hablar.

—María ¿me recibes?

—Te recibo.

—Asa, acasa asagara aquaa aas ala amakana.

—Ok recibido. Gracias chicas, buen trabajo.

Daniel y María volvieron a hablar. Todo parecía estar bastante más controlado de lo que pensaban, pero eso incrementaba las incertidumbres y las preguntas sin respuesta. Miraron al dragón. Este, aunque sin fuego, bajó de Coit Tower y se puso a caminar en dirección a donde ellos se encontraban. Águila 1 y 2 le habían bajado los humos, pero, ¿Por cuánto tiempo?

María echó un vistazo a su alrededor, ¿qué era? ¿Qué era? Lo había visto y le había hecho pensar ¿qué era? Entonces lo volvió a ver. Un niño policía a caballo. Se acercó al muelle y cogió un bichero, uno de esos palos largos con un pincho en su extremo que se utiliza para coger los cabos (cuerdas) de amarrar los barcos. Le pidió al niño policía que se bajase del caballo y le pusiese la mano para subir. María que jamás había montado a caballo, acababa de convertirse en una amazona como si lo hubiera hecho toda la vida.

—¿Dónde vas?— le preguntó Daniel.

—¡A CAMBIAR EL CUENTO! le contestó María y salió al galope por el embarcadero.

El todavía enorme dragón de treinta metros de altura, estaba en un cruce de calles cercano a una zona de aparcamiento en el embarcadero. Llevaba a Elena en su garra izquierda. María lo vio pero no quiso darle tiempo a reaccionar. Siguió galopando sin mirar hacia arriba. Era ahora o nunca. No había vuelta atrás. Se abalanzó sobre el pie del dragón con el garfio en ristre. Este la vio llegar y cuando la tenía casi debajo levantó una pata. Podría parecer poca cosa, pero eran cinco metros de alto. María estaba bajo la pata a punto de ser aplastada cuando se oyó un reventón al clavarse el garfio en la planta de la pata del dragón. María cayó del caballo que salió desbocado. Era inevitable que María resultase pisoteada por el dragón salvo porque al ir desinflándose éste, lo primero que disminuyo fue la pata y María fue empujada hacia fuera por el enorme chorro de aire que salió por el agujero provocado por el pinchazo. El dragón siguió desinflándose lentamente. Se arrugaba. Era un enorme muñeco inflable de playa, pero seguía pesando varias toneladas en plástico.

El monstruo se desplomaba y María salió corriendo para ponerse a cubierto. Lo había conseguido. Había derrotado al dragón y cambiado la leyenda. Este al desinflarse, apoyó su garra izquierda suavemente en el suelo. Elena aprovechó para salir corriendo, aunque en dirección opuesta a donde estaba María. Aunque María no pudo verlo, un grupo de cowboys la introdujo a la fuerza en una limusina negra y se la llevó

El deportivo negro de Joan y Pau apareció de la nada y se colocó junto a María.

—¡VAMOS, VAMOS, SUBE YA.....!

María dio un salto y se colocó en el hueco de atrás.

- —¡BRAVO MARIA! ¡HAS ESTADO FENOMENAL! ¡HAS VENCIDO AL DRAGON! ¡POR FIN SE PODRAN APAGAR LOS INCENDIOS!
- —¡GRACIAS CHICOS! ¡PERO VAMOS! ¡ANTES QUE CAIGA DEL TODO!

Joan aceleró y les fue de pocos metros que varias toneladas de plástico les cayesen encima. Al alejarse, María buscó a Elena, pero los restos desinflados del dragón le impedían la vista y el paso. Mirando de localizarla María vio luces en lo alto de un edificio. Eran unas luces tenues, rosáceas, que se movían de un sitio a otro, como si bailaran.

—¿Sabéis qué edificio es ese?

—Claro, es la torre del Hotel Nob Hill, donde dejamos a Ana.

—Pues algo extraño está ocurriendo allí y no creo que se trate de Ana.

Vamos, ya le hemos dado mucho tiempo, si no ha utilizado la tarjeta ya no la usará, no podemos arriesgarnos a perderla. Además puede que no esté sola en el edificio y quiero saber si hay alguien más...

Mientras tanto, Mario y Nerea se habían detenido en una esquina y se habían pedido unos perritos calientes, en el único puesto que estaba abierto. Subieron al espectacular Cadillac policial camuflado, un modelo que aun no había salido al mercado, ni siquiera se había acabado de diseñar.

—No sabía que en esta esquina hiciesen los mejores perritos calientes de la ciudad. Doble pepperoni, mostaza, queso… ¡Espero que nos los dejen comer tranquilos…!

Pero fue justo decir "tranquilos" y un tranvía pasó a toda velocidad lleno de cowboys que disparaban sus botes de salsa y arrojaban petardos en todas direcciones. El tranvía se paraba delante de los bancos y los cowboys, sin problema alguno, entraban en las oficinas y salían con bolsas llenas de dinero.

—¡Tranquilos! —dijo Nerea.

Nerea conducía en esta ocasión. Se acercaron al tranvía a poca velocidad. Cuando los cowboys se apercibieron, les recibieron con el ruido de sus petardos y el tranvía se puso de nuevo en marcha, saliendo a toda velocidad, demasiada para un tranvía. Nerea se sorprendió tanto, que en vez de la luz roja de emergencia, por error, cogió el perrito caliente y lo estampó en el techo del coche, Mario, que no dejaba de reírse al ver el kétchup descendiendo desde el techo sobre la ventanilla, colocó, esta vez sí, la luz roja en el techo del coche. Mario se dio cuenta que llevaba uno de esos botes de salsa de plástico en el bolsillo de la americana y se asomó a la ventana del coche, comenzando a apretarlo con fuerza, mientras pedía refuerzos por radio.

—Atención central de Pampanito. Atención central de Pampanito. Aquí el detective Mario en el coche 17. Perseguimos a un grupo de forajidos armados con petardos y botes de salsa que bajan de la colina en un tranvía. Parece que son los mismos tipos que hemos visto más arriba robando en las tiendas.

—Recibido coche 17, Aquí María a bordo del coche 22. Intentaremos acudir en su ayuda.

—Acércate más Nerea. ¡Voy a ver si le doy a una rueda!

—¿Pero qué dices? Son de metal, además, esto es salsa de cocinar.

—Ya lo sé, ¡Pero es muy divertido!

El tranvía circulaba a toda velocidad por las calles de San Francisco, perseguido por el vehículo policial de Mario y Nerea, al que le salían chispas cada vez que el parachoques delantero chocaba contra el suelo tras saltar en los desniveles de los cruces.

—Bien, le dijo Nerea a Mario, vamos a dejarles ventaja, a ver a donde van con todas esas bolsas.

El Cadillac de los detectives Mario y Nerea redujo la velocidad y se ocultaron tras una esquina, muy cerca de dónde se había detenido finalmente el tranvía, frente a un edificio de cristal.

—Un momento—dijo Mario—Ese edificio ¡ES LA RESERVA FEDERAL DE LOS ESTADOS UNIDOS! No sé lo que están tramando, pero debe de ser muy serio.

Los gánsteres bajaron del tranvía y este se alejó. Alguien les abrió la puerta desde el interior y entraron con las bolsas.

—Tenemos que entrar—dijo Mario a Nerea.

—¿Entrar ahí? ¡Eso es imposible! ¡No nos dejaran! ¡Seguro que es un edificio muy protegido!

Mario cogió la radio del coche.

—Aquí coche 17, me recibes Daniel.

—Te recibo Mario.

—Estamos frente al edificio de la Reserva Federal, hemos seguido hasta aquí a varios sospechosos de aspecto juvenil y disfrazados de cowboys que han entrado en el edificio con bolsas de dinero, solicitamos instrucciones o refuerzos. Sospechamos que se está cometiendo un 10—9.

—De acuerdo Mario, un momento, un 10—9, ¿eso qué es lo que es?

—No lo sé, pero como sólo es una sospecha, supongo que da igual. Es lo que dicen en la tele.

—Bien, no hagas nada hasta que lleguemos...que te conozco Mario, ¡Ah! .y buen trabajo.

Entrada del hotel Nob Hill

Mientras tanto, en el corvette negro con Joan, Pau y María, se había escuchado a Mario diciendo que estaban vigilando a unos sospechosos. Decidió que sería mejor acercarse a aquel Hotel de Nob Hill, donde se habían visto moverse una luz rosa, a ver de qué se trataba.

Llegaron a las cercanías del hotel. Al aproximarse observaron una enorme limousine fucsia y otra negra, detenidas en el entradero del vestíbulo del hotel. De la limusina fucsia con matrícula "Beauty Moon", descendió una joven de la misma edad que ellos, morena, con un vestido negro precioso que emitía continuos destellos. Un nutrido grupo de cowboys, sin duda a su servicio, entró con ella en el hotel, algunos llevaban bolsas y lujosas maletas. Al rato, dos de ellos salieron con las bolsas y las maletas, se subieron a la limusina negra y se alejaron.

—Bien, vamos a ver qué pasa. Además, Ana debería estar dentro y tal vez ella nos aclaré que está pasando. Antes avisaremos a Nerea y Mario que estén atentos.

—Atención coche 17.

—Aquí coche 17, estamos frente a la Reserva Federal, esperando instrucciones y refuerzos.

—Una limousine negra ha salido de aquí, sospechamos que llevan dinero en bolsas y maletas, es posible que se dirijan hacia allí. Estar atentos.

—Recibido María.

El corvette se colocó detrás de la limusina fucsia. Un tipo joven altísimo y corpulento, con traje azul oscuro y corbata les franqueó el paso.

Johnny sacó la placa. La placa que le mismo había diseñado esa noche.

—Soy el agente Johnny el Coquet, de anticorrupción, este, (señalando a su hermano), es el agente Pau y, ella es la jefa, la intrépida María.

—Tengo órdenes de no dejar pasar a nadie.

—¿Ordenes de quién?

—Tengo órdenes de no decir quién me da las órdenes.

—¿Y quién te da las órdenes, para que no de las órdenes del otro?

—Mis instrucciones son no dar información de quienes me ordenan no informar de las órdenes que me dan los otros.

—¿Y no creé que esas órdenes, pudieran no informar a quienes somos los destinatarios últimos de esas órdenes y por tanto, al final, no seriamos informados de nada? o sea, ¿Para qué estás tú aquí? ¿No eres el botones?

—Quítate de en medio Johnny, tal vez esto le refresque la memoria y a nosotros nos alivie el dolor de cabeza. —comentó Pau.

Pau sacó un cromo del bolsillo de su americana azul pastel. Era un cromo de la liga profesional americana de béisbol y se lo tendió al botones, portero o guardaespaldas, o lo que fuera.

—¡Vaya! Es Lewis Guarrington, el cátcher más duro de la liga. Este cromo vale una fortuna…

—Pues quítate de en medio y es tuyo.

—¡Claro! ¡pasad! ¡pasad!.

Entraron en el hall del hotel. Ana no estaba allí.

—Hemos perdido a Ana— dijo María.

Poco antes de su llegada al hotel, Ana estaba sentada en un cómodo sofá. Hablaba con su hermano Sergi. En la vida real, su hermano mayor y debido a su enfermedad, tenía muchas dificultades de habla. Pero esa noche, hablaba muy claramente con su hermana.

—De verdad hermano. ¿Estarás bien?

—Si, estaré bien. Soy mayor que tú y desde casi al nacer, has tenido que dedicarte a cuidarme, siempre has estado tan pendiente de mí que te has olvidado de ti. Mi vida no es la misma si tú no eres feliz...

—Pero, pero, yo soy feliz cuidándote.

—Sí, tal vez lo seas, pero eres feliz como cuidadora mía, no como la niña Ana.

—¿Entonces tú crees?

—Claro, vive tu vida. La mía, lo que dure, es mía, pero sea lo larga que sea, será más feliz, cuanto más feliz seas tú, cuanto más vivas tu propia vida.

—¡Pero yo quiero estar siempre junto a ti!

—Y yo, quiero que lo estés y siempre lo vas a estar, porque allí donde estemos vamos a seguir pensando el uno en el otro. Mira hermanita, yo no puedo soportar que tus amigas y tus compañeros hayan aprendido a dejarte al margen. Soy yo el que está minusválido, no tú. Tú eres como ellos.

—Tú también.

—Sí, pero para serlo debo aceptar como soy, con mis diferencias, tú debes aceptarte como eres, sin ellas. No puedo evitar que haya gente que las vea insalvables y no me aprecien.

—Pero deben respetarte...

—Tu respeto me importa más que el de nadie porque tú eres parte de mi vida, pero lo que más me importa es tu felicidad.

—De verdad piensas...

—Sí, pienso que debes utilizar esa tarjeta.

En ese momento el hermano de Ana se desvaneció en una nube de agua y siguió durmiendo plácida y tranquilamente junto a sus padres en Tarragona.

Ana sacó la tarjeta de visita blanca y en blanco que le había dado Joan. Tecleó sobre ella. Nada sintió, nada notó y se quedó mirando decepcionada a través de los ventanales del hall.

—¡ES EL DRAGON!— Exclamó de repente—, en voz alta para sí misma. Salió a la calle. El dragón, otra vez en su tamaño natural de poco más de un metro, no era ya de plástico, ni tan siquiera era malo. Estaba asustado. Iba perdido calle abajo.

—Se va a perder, está desorientado, este no es su hábitat. Tengo que impedir que le pase algo—se dijo Ana.

Algo más tarde en el hall del mismo hotel

El hall del lujoso hotel estaba vacío. Los tres echaron un vistazo. No había señales de vida, salvo...

—¡Mirad!— dijo Joan, al tiempo que se agachaba para recoger algo de una mesa. Era una nota de Ana que decía lo siguiente "Tengo una misión muy importante, Sergi, si vuelves, piensa que te quiero mucho. Hasta mañana"

—Bien—dijo María, parece que ha usado la tarjeta que le diste, fenomenal. Hemos recuperado a Ana. Respecto de la máquina, quiero que hagáis una cosa. Venid, os explicaré.—María comenzó a hablarles muy bajito.

Ana no está, pero aquí en algún lugar, hay alguien que puede saber muchas cosas. Una de ellas es donde está nuestra máquina de fotografiar sueños, pero, creo que yo también se donde está...

—¿De veras...?

—Sí. Lo sé desde hace bastante tiempo. Sólo se lo he dicho a Daniel, pero ahora debéis saberlo vosotros. ¿Sabéis dónde está la Torre Sutro? ¿Verdad?

—¿La torre susto? Yo no quiero ir—dijo Pau.

Su hermano Joan le dio un codazo y le dijo.

—¡Deja ya de bromear! ¡Claro que sabemos dónde está la torre Sutro! Es una torre de comunicaciones, está en el punto más alto de la ciudad, al oeste, en dirección al zoo.

—Bien, pues en esa torre hay muchas luces rojas de posición para avisar a las aeronaves.

—Exactamente 48...—dijo Joan.

—Correcto, pero hoy hay 49, una de ellas blanca.

—¿Por qué?... —preguntaron los dos al unísono.

—Porque una de ellas es nuestra máquina.

—¡Hala! ¿Cómo es posible?

—No sé quien la ha puesto allí, pero casi desde el principio, Daniel y yo nos dimos cuenta que a pesar de haber perdido la máquina, las cosas no nos iban tan mal. Os habíamos recuperado, pero seguimos sin tener la máquina ni a Elena. En cuanto a Ana, sólo la tenemos controlada. Sin embargo nos sacaron del edificio. La operación dragón salió bien. Sólo podía pasar una cosa. La máquina estaba extraviada y no estaba en posesión de Malos. Entonces vimos que en la torre Sutro había una luz que parpadeaba de forma diferente a las demás. Su ritmo es mucho más rápido y sobre todo, es un destello muy, muy, muy pequeño, pero es blanco. Entonces le pedimos a Águila 1 que comprobase discretamente, y si…Aunque no pudieron distinguirla, casi estaban seguros de que lo era. No podíamos decir nada por miedo a que interceptaran las comunicaciones, además queríamos saber quién y por qué la ha puesto allí y por qué nos permite seguir "en el juego".

—¿Qué vamos a hacer?

—Vais a ir hasta la torre, con mucho cuidado y discreción. No sé lo que medirá la torre, pero…

—Mide 297´8 metros exactamente— dijo Joan

—……..Que uno intente subir a lo más alto y estar vigilantes de que nadie la coja antes que nosotros. Al bajar del coche iréis perfectamente vestidos y pertrechados para la tarea. Si las cosas van como espero, pronto estaré allí.

—¿Y tú que vas a hacer aquí?

—Averiguar quién es el misterioso y poderoso personaje que se aloja en este hotel. Seguro qué está lleno de sorpresas.

—De acuerdo.

Joan y Pau marcharon sigilosamente y subieron al coche.

- —Bueno Joan, a la derecha hay un túnel en la calle Stockton, entraremos en él y cuando salgamos, ya no nos podrá ver quién esté aquí, mire desde el lado que mire. Luego cogemos cualquier calle que vaya al oeste y hacia la torre Sutro.

El corvette de Joan y Pau atravesó el túnel de Stockton, pero cuando salían...

—¡Frena! ¡Frena! ¡Es Ana! ha entrado en ese parking (justo a la salida del túnel hay un parking)

Joan reculó el coche y entraron en el parking. Bajaron y comenzaron a llamar a Ana.

Interior del hotel Nob Hill

Mientras tanto en el hotel, María subió al ascensor exterior de cristal de la torre y pulsó el botón del piso más alto. Creía saber quién era aquella niña que había entrado en el hotel y si tenía razón, seguro que no se alojaba en una habitación pequeña.

Salió del ascensor. La puerta de la única habitación estaba abierta.

No llamó, simplemente entró.

Un cowboy alto y cuadrado, le impidió el paso.

—¡Vaya!..Adrian. ¿Ya no trabajas de modisto...?

—¡Claro...! pero lo hago en exclusiva para una cliente muy especial.

—¿De veras? Pienso que tienes más futuro por libre. Precisamente llevo una carpeta llena de bocetos que podrías revisar, a ver que te parecen. Toma—Le dijo entregándole una carpeta llena de dibujos.

Al ver que María intentaba entrar gracias a la treta de la carpeta, intentó impedírselo cerrándole el paso. Cuando iba a agarrarla del brazo, una voz se oyó detrás de él.

—¡María la Intrepida! pasa, pasa, te estaba esperando.

María pasó aquel enorme vestíbulo de la habitación.

—¡Luna! Somos compañeras de colegio y de clase, pero en la vida no real paralela ¿Qué somos?

—Permíteme...María... que te corrija levemente. Es verdad que somos compañeras de colegio desde hace tan sólo unas semanas, pero no, no somos compañeras de clase... porque... es evidente, que clase, lo que se dice clase, tengo yo bastante más que tú. No es algo personal, es... un... ¿problema? que tiene el mundo conmigo, lo que comúnmente se llama... envidia.

Luna estaba en la habitación más lujosa de San Francisco. Ocupaba toda la planta superior de la torre del hotel. Todo era increíblemente lujoso. Estaba sentada en una silla de madera de Boj fabricada en Monzón en el siglo XVIII por encargo de María Antonieta, esposa de Luis XVI y a quien le llegó tarde, un poco después de que le "llegase" otro mueble, la guillotina.

Su precioso vestido de seda negro azabache, emitía brillos por toda la tela. Salían de la misma tela negra. En su dedo anular izquierdo, un anillo con un enorme pedrusco amarillo naranja, que también poseía brillo procedente de una intensa luz interior.

—Muy bien Luna, tienes mucha clase, vistes muy bien...

—Se te olvida decir que soy muy guapa.

—Vale, y eres muy guapa, pero eso a mí no me importa demasiado ¿sabes? Yo lo único que quiero saber, es que hace una niña como tú en un lugar como este, en una soleada noche como esta, o lo que es lo mismo ¿Por qué has venido al colegio Atlas? ¿Por qué? hablamos de lo mismo ¿No?

—Todo lo que tienes de lista ¡lo tienes de mal pensada! Me he matriculado en el colegio Atlas para estudiar, por supuesto…

—Claro, claro, y ahora estás haciendo los deberes.

—¡Aja! Yo no lo habría dicho mejor. Mira María, yo no soy como vosotros. A mí no me gusta estudiar, es una tontería. El vuestro es el colegio ideal. Nadie se preocupa de si estudias o no, de si haces los deberes, somos mayoría…

—Vale, vale, no te enrolles. ¿Qué quieres de nosotros? y ¿Para quién trabajas?

—Yo no trabajo para nadie, soy libre, trabajo para mí y para mis caprichos.

—Bastante exclusivos y caros por lo que veo.

—Bueno, en esta parte de la vida, una puede conseguir prácticamente todo lo que quiere.

—Nosotros no estamos aquí para eso, pero ¿prácticamente todo?

—Solo tiene una pequeña... pega...

—¿Cuál?

—Que no te lo puedes llevar a la vida real, bueno, yo... sí. Cuando aparezca de nuevo la entrada en el agujero espacio—tiempo, yo me llevaré todos los diamantes de San Francisco.

—¡Eso es imposible! Quién te ha traído a la vida no real paralela. No creo que haya sido Geneviève.

—He despertado en medio de una intensa niebla. Me he puesto a caminar y he encontrado la limusina que has visto en la puerta. Dentro había una carta para mí. La he leído. Me ha parecido un buen plan y la verdad, está saliendo muy bien.

Muelle del pampanito

Por la emisora del taxi se escuchó un mensaje.

—¡Quiero hablar con Daniel el Intrépido!

—Daniel, alguien quiere hablar contigo por la emisora del taxi, no sé quién es.

Daniel se acercó a coger el micrófono.

—Soy Daniel, ¿quién es?

—Soy Malos

—Perdón.

—Soy… Malos…

—Disculpe pero no le entiendo bien.

—¡Que soy Malos…!

—¡Sí! ¡sí! Le he oído. Es que emplea usted mal las terminaciones verbales, o…"Somos malos" Primera persona del plural... o "Soy malo" Primera persona del presen...

—¡CÁLLATE! ¡Soy Malos! ¡Soy el Mal…!

—¡Perdone! ¡Pero es Ud. el que habla mal!

—Es una forma de confundir.

—¡Vaya! ¡Pues lo consigue...! Y... ¿Qué quiere de mí Malos?

—Os pensáis que esto es un juego de niños y pagareis las consecuencias.

—Estamos aquí por una buena causa. No tenemos miedo.

—No podéis luchar contra mí, pero os daré una oportunidad. Hablemos, tal vez podamos llegar a un acuerdo.

—Acuerdo ¿sobre qué? Sí quiere la máquina no sé dónde está. Si quiere otra cosa, no sé qué puede ser...

—Hablemos u os arrepentiréis. Ese ángel que os ha traído no podrá haceros regresar si no llegamos a un pacto. No podéis imaginar lo que es el mal, pero no tiene nada que ver con la fantasía que estáis viviendo ¡Es el final de todo!

—De acuerdo, ¿Donde y cuando?

—No, contigo no. Sólo hablaré con la agente especial Claris. Que venga sola a la prisión de Alcatraz. Estaré en la última celda del pasillo principal.

—¿Quiere que vaya Clara?

—Así es...sólo ella.

Daniel subió al Pampanito. Explicó a Clara la conversación con Malos.

Clara junto a Daniel subieron a una lancha manejada por Alex en la que llegaron al muelle de Alcatraz. Cuando descendió de la lancha, Clara era ya la agente especial Claris. Llevaba un traje chaqueta azul, blusa blanca y una experiencia de 20 segundos en el departamento de investigaciones especiales. Aprovechando ese momento, Sü Làn volvió a ser hipnotizada por Malos y huyó del Pampanito. Malos le había encomendado una misión, prometiéndole de nuevo eternidad y riqueza.

La agente especial Claris entró en el edificio prisión de Alcatraz sola, tal y como había pedido Malos. No tenía miedo, rara vez lo tenía, aunque si mucha incertidumbre.

El pasillo estaba a oscuras, salvo por la poca luz que entraba por la puerta por la que había accedido al interior y por la luz que salía de la última celda al final del pasillo. A la agente especial Claris le dolían los pies. El traje azul que se había diseñado ella misma para la ocasión le quedaba perfecto. Funcional, si, aunque elegante, lo adecuado para una agente del F.B.I., pero los zapatos, los zapatos… Se había diseñado unos de terciopelo azul marino de tacón, a juego con el traje, iguales a unos preciosos que tenía su madre. Le parecía que el número era el suyo, pero los tacones eran… ¡los mismos que los de su madre¡ que era mucho más alta, así que le costaba caminar por aquel lúgubre paisaje de vacías y tenebrosas celdas.

Llegó delante de la celda indicada. Un catre, una mesa y una bombilla, eso era todo. No había nadie dentro, pero se oyó la voz de un ente, de un ente mucho más peligroso que cualquier otro. Era la voz del mal...

—Agente especial Claris. Me alegra verla de nuevo ¿Todavía sueña con las muñecas de trapo a les que les brillan los ojos en las noches de tormenta?

—No, hace años que no juego con esas muñecas. Ahora se llevan las "Postres Singreis"pero… ¿De qué nos conocemos?

—Hace dos siglos Claris. Tú no lo recuerdas. Yo os conozco a todos y por eso estoy aquí, para hacer cumplir el pacto, o romperlo. ¿Quien tiene los diamantes Claris?

—No sé de qué diamantes me habla. Todo el mundo habla de ellos, pero nosotros no sabemos dónde están.

—No, pues probaremos de otra forma... ¡Mira la luz de la lámpara Claris! ¡Mírala!, así, ¡Mírala! ¡Es atrayente verdad! sí, te atrae, te vas a dormir Claris... 1, 2, 3. Duérmete y contestarás a mis preguntas en cuanto oigas el chasquido de mis....bueno, yo no tengo dedos, cuando oigas el chasquido...y ya está...

Y Malos puso el clip de sonido que reproducía el de un chasquido.

Clara comenzó a quedarse dormida, cayéndose contra la pared se quedó sentada.

—Bien...Claris...dime ahora ¿Donde están los diamantes?

—NO LO SE NO NOS LO HAN DICHO, —Claris hablaba como un robot—

—Vamos no me mientas. Estás hipnotizada. Esa pequeña los dejó en algún lugar, seguro. Tiene que habéroslo dicho, seguro.

—LA NIÑA PEQUEÑA NO SE QUIEN ES. NADA NOS HA DICHO SOBRE ELLOS.

—Claro, se lo ha dicho a Geneviève ¡Pero ella os lo ha tenido que decir a vosotros!

—GENE VI EVE SO LO QUIE RE E VITAR LA DES TRUCCION DE LA CIUDAD.

—¡Pues no lo va a poder evitar! ¡Levantaré hasta el último ladrillo, para encontrar esos diamantes!

A Clara le dolían tanto los pies, que se despertó a pesar de estar hipnotizada y aunque no recordó haberlo estado, siguió la conversación como si nada.

—¿Qué pasa? ¿Qué hago en el suelo? No entiendo nada, ¿diamantes? ¿destrucción? No sabemos nada de eso ¿qué es lo que quiere?

—Quid por churros Claris, tú me ayudas y yo te ayudo.

—No entiendo el latín, solo estoy en secundaria, bueno, lo de los churros si…

—Alguien de vosotros tiene los diamantes Claris. Dile a tus jefes que si no me los entregáis antes de llegar de nuevo la entrada del agujero espacio—tiempo, puedo asegurarte que vosotros no entraréis en el por mucho que os intente ayudar ese ángel. Para evitarlo os enviaré a la peor de las armas y ninguno de vosotros regresará jamás a la vida real. Sucumbiréis en el fuego que engullirá San Francisco mientras Tarragona se derrumba como un castillo de naipes.

—¿Cómo sabe que los tenemos alguno de nosotros? Yo lo dudo, lo sabría, no hay secretos en el equipo…

—Alguien los cogió del edificio de Chinatown dónde estaban, Claris ¡Y no fue Sü Lán!

—¿Quien le está ayudando además de Sü Làn? ¿Qué hacen esos cowboys robando tiendas y bancos?

—Hay gente dispuesta a todo por un puñado de dólares Claris. En cualquier caso, no trabajan para mí, pero son de gran ayuda.

—No puedo ofrecerle nada, porque está claro que Ud. juega con otras cartas que nosotros desconocemos. No caeremos en su trampa.

—Está bien, si me dais los diamantes, yo os daré la eternidad. Pensadlo bien, o se la quedará esa niña y vosotros seréis simples restos más allá del fin del universo.

—Sabe que le digo. Tenemos una misión y es intentar que no consiga esos diamantes y eso es lo que vamos a hacer.

—Siento oír eso agente especial Claris ¿Volveremos a vernos? ¿O Tendré que seguir recordándola por el aroma de ese perfume barato que lleva?

—Lo dudo y menos si tengo que volver a llevar estos zapatos.

—Debo ir a Florencia Claris. Tengo que cenar a un viejo amigo ¡huy! perdón, quería decir con un viejo amigo. Aprovecharé para comprarle un buen y caro perfume para la próxima ocasión en la qué coincidamos, agente especial Claris.

—No habrá otra ocasión. En cuanto al perfume, bébaselo.

Clara salió de aquel lugar con un gran dolor de pies. Subió a la lancha y volvieron al Pampanito. Una vez allí hablaron. El asunto de los diamantes les tenía confundidos. No sabían dónde estaban y por tanto no sabían cómo impedir que el mal se hiciese con ellos. Aquella pequeña de 1813, quien fuera había hecho muy bien. El mal era capaz de todo. Si Claris hubiese sabido el paradero de los diamantes, Malos ya los habría recuperado.

Daniel salió zumbando en el taxi nº 9 de Tarragona. Mario y Ona le esperaban junto a la Reserva Federal.

La radio del submarino emitió un aviso.

—Aquí torre de San Francisco ¿me recibís?

—Aquí Pampanito. Te recibimos, soy Alex.

—He captado seis señales en el radar. Son aviones, sin duda.

—¿Aviones? ¿Están de nuestro lado?

—No lo sé. Ahora compruebo que hay seis aviones pequeños Un momento, sí, son aviones. Seis cazas A36 de 1942. No creo que sean amigos.

En la reserva federal

Mario y Nerea acababan de recibir el aviso de María, sobre una limusina que probablemente se dirigía hacia la reserva federal.

Mario y Nerea se colocaron con el coche en el chaflán de las calles Market y Front.

—Muy bien Nerea— dijo Mari— Colócate en la esquina y mira si vienen. Cuando veas la limusina, hazme una señal y yo saldré cortándoles el paso. Entonces intervienes tú y me cubres. Coge un bote de salsa de ajo del maletero.

—Mario se metió en el coche con el motor en marcha. Nerea se colocó en la esquina y con sigilo miró a la calle Market. La limusina apareció al poco tiempo.

Nerea volvió a mirar. La limusina estaba ya muy cerca. Nerea le hizo un gesto a Mario con el brazo y Mario aceleró. El Cadillac salió de improviso en medio de Market street. La limusina no tuvo tiempo de esquivarle y chocó levemente con la parte trasera del Cadillac. Nerea salió del coche corriendo con el bote de salsa desprecintado. Mario también salió. Los cowboys de la limusina hicieron lo mismo. Uno de ellos comenzó a dispararles con un bote de salsa de tomate caducado, un arma muy peligrosa. El otro intentó sacar su bote de pimienta, pero Mario le hizo la zancadilla y cayó al suelo.

Nerea se enzarzó en un tiroteo de salsa con el otro cowboy, cubriéndose tras la limusina. El cowboy le disparaba desde detrás de la marquesina de una parada del bus. Mario ató a la ventanilla del coche al que había capturado, con unos trozos de regaliz rojo que llevaba en el bolsillo de su americana.

—No te muevas de aquí, o será peor.

Hizo un gesto a Nerea. Esta se lanzó rodando y disparando salsa hacia el centro de la calle. El cowboy salió de su escondite y comenzó a disparar salsa a Nerea, sin alcanzarla. Mario aprovechó y le salió por detrás. Al oírle, el cowboy se dio la vuelta y se lo encontró de cara. Intentó dispararle un chorro de salsa, pero Mario le propinó una patada en la mano y el bote salió despedido a varios metros. Mario cogió otro bote de salsa y se plantó delante del cowboy que estaba a punto de recuperar el suyo.

El cowboy le miró y se dio cuenta que Mario llevaba un bote de salsa nuevo, alargó la mano hacia su bote y...

—No...No...—le dijo Mario—, El cowboy miró cómo Mario que estaba a solo dos metros de él, apuntaba con su bote de salsa a sus exclusivas zapatillas CONVENT de caña alta.

—Se lo que estás pensando—le espetó Mario— Sí con este jaleo, me he acordado de desprecintar el bote o no, pero tratándose de un bote de salsa Tabasco con doble de guindillas ¡Yo de ti me lo pensaría! Sí el bote está desprecintado y te alcanzó en esa maravillosas CONVENT que llevas, la mancha no se le irá jamás y tal vez te despiertes mañana y tus CONVENT estén manchadas con Tabasco.

El cowboy desistió en su intento por recuperar el bote de salsa y se puso de pie. Mario le maniato con un trozo largo de regaliz de fresa y lo llevó a la limusina junto al otro cowboy, lo ató también a la ventanilla. El cowboy le dijo entonces a Mario.

—¡Tengo que saberlo!, ¡Tengo que saberlo!

Mario quitó del todo el seguro (la cinta de plástico que sella el tapón) del bote de tabasco, lo volvió a abrir, apretó y la salsa no salió. Seguía precintado con un papel de aluminio interior.

—¡MALDITASEA! —Gritó el cowboy— ¡He caído en la trampa!

—Sí —dijo Mario— Ha sido un día muy duro. Un descuido lo tiene hasta el mejor policía. Lástima que no hayas sabido aprovecharlo.

Mario, sonriente, desprecintó, esta vez sí, el bote de salsa Tabasco. No era un bote muy grande. De material plástico, tenía una capacidad de solo 300 gramos. Era muy ligero y fácil de apretar. Tenía un tubo muy largo que le permitía poner salsa en cualquier lugar del plato sin necesidad de mover la comida. Eso le daba también una enorme precisión de alcance al apretar.

—Bien ¡Léeles sus derechos Nerea!

Y Nerea empezó a leer sus derechos a los cowboys detenidos.

—Tenéis derecho a convertiros en agua y volver a vuestras casas en cualquier momento. Tenéis derecho a comeros el regaliz con el que os hemos atado en cuanto nos marchemos. Tenéis derecho a despertaros contentos como los demás y a salir mañana en el Intrepid

—Bien y ahora, decirnos que está pasando en la reserva federal.

Uno de los cowboys comenzó a cantar.

—Hemos recogido todas las joyas, todos los cuadros de valor, tablets, móviles y todo el dinero que hemos podido y lo hemos trasladado aquí. También hemos cogido todos los diamantes de las joyerías.

—¿Pero, para que los queréis?

—Luna nos ha prometido que si le ayudamos a cargar los diamantes y meterlos en el furgón, nos ayudaría para poder llevarnos nosotros el dinero, tablets y moviles en otro furgón

—¿Luna? ¿Llevároslos? ¿Furgón? ¿A dónde?

—¡Pues a la vida real! ¡A donde va a ser! Luna es una niña de tu colegio, una muy guapa, con mucha clase y muy elegante.

—Vale…Vale…. Ya sabemos quién es— dijo Nerea—

—¡JUA! ¡JUA! ¡JUA! Y vosotros la habéis creído— dijo Mario—

—A nosotros no nos lo ha explicado, pero sabemos que trabaja para alguien de la vida no real y podemos asegurar que tiene un plan para llevarse los diamantes y lo conseguirá.

—¿Cuántos cowboys hay allí dentro?

—Cinco y tienen una rehén.

—¿Una rehén…? ¿quién es?

—Elena, la profesora de cuarto.

—¡Jo...! ¿Y qué piensan hacer con ella?

—Llevarla al valle de la muerte…

—¿Y…?

—Abandonarla en un lugar del desierto desde el que no pueda regresar a tiempo.

—¿Dónde están los furgones?

—En la zona de carga de la parte de atrás. Pero por allí es muy difícil entrar, primero hay que llamar para pasar una valla y después una puerta de garaje, donde siempre hay un cowboy vigilando, en cuanto os vean ¡zas!

—¿Pero por qué les dices todo eso?— Le dijo el otro cowboy—

Para que no se tomen tantas molestias.

—¡Serás tonto! ¡Son polis! O es que todavía no te has dado cuenta... A Luna no le va a gustar esto. Sus diamantes están allí dentro.

—Bien, haremos un trato muchachos. Os vamos a dejar escapar. Os soltaremos, correréis y os alejareis un poco para convertiros en agua y volver a la cama, ¿De acuerdo? De esta forma, mañana quedará como que habéis conseguido escapar ¿Que os parece? Pero necesito vuestros sombreros y uno de los chalecos.

Los dos cowboys se miraron. Le acercaron los sombreros y el chaleco.

—¡Vale!— dijeron los dos— Pero si nos dais un poco más de regaliz.

—¡Bueno! ¡Tomad! Nerea cortó el regaliz y se lo dio a los cowboys. Estos salieron corriendo y se pararon a unos metros. Se comieron el regaliz desapareciendo convertidos en una nube de agua.

—Bien—dijo Mario— Tengo un plan.

—Tú dirás, pero… ¿no deberíamos consultarlo con Daniel y María?

—No podemos ¡Podrían descubrirnos! Tampoco creo que tengamos mucho tiempo.

Mario cogió un destornillador y reventó las dos ruedas delanteras de la limusina. Nerea le miraba asombrada y Mario le explicó el plan. Luego se acercaron a una zona vallada donde había material de construcción para el arreglo de una fachada. Cogieron dos tablones de suelo metálico para andamio. Al cogerlos, a Mario le cayó encima de la chaqueta parte del yeso de un saco abierto.

—¡Puag! ¡Me he puesto perdido!

El edificio de la Reserva Federal está protegido en toda su fachada, por la acera, con grandes pilones de acero, para evitar que los coches suban a la acera en la proximidad del edificio. La distancia de los pilones a la entrada es de unos diez metros de acera.

— Vamos a poner los tablones con mucho cuidado, apoyándolos en los pilones anti—intrusión del banco. Los pusieron en los dos pilones que se encuentran justo frente la entrada principal. Quedaron como una rampa.

Desde dentro de la Reserva Federal los tablones no podían verse sin fijarse mucho. Los mismos pilones los tapaban. Mario intentaba quitarse el yeso, pero le quedaban muchas manchas.

Nerea se subió a la limusina. El coche hacia ruido al rodar con los neumáticos pinchados. Aunque iba muy despacio, el ruido era muy estridente. La limusina se situó de costado a pocos metros de los pilones de la entrada principal del edificio.

Mario colocó el Cadillac en paralelo. La limusina era muy larga y el Cadillac más alto. Al ser los dos vehículos negros parecían el mismo coche. Nerea llevaba el sombrero, el otro, lo había colocado en el reposacabezas del copiloto

Nerea tocó el claxon varias veces. Alguien les chilló desde dentro.

—¡Dejad de tocar el claxon! ¡Toda la ciudad se va a enterar de que estamos aquí! ¡Tenéis que entrar por detrás, por el patio de carga!

Nerea asomó un poco la cabeza.

—¡Ya lo sé! ¡Pero es que hemos pinchado y el coche hace mucho ruido! Además, yo no sé muy bien donde es y con las ruedas así...igual se presentan antes esos intrépidos y nos descubren. Creo que nos han podido oír al pinchar.

El Cowboy que les hablaba, nervioso, abrió la puerta principal y salió al exterior. La puerta permaneció abierta.

—¡Yo os acompañaré! ¡pero rápido! ¡Vaya personal más tonto!

Al llegar a los pilones vio algo raro ¡los tablones! Pero ya era demasiado tarde, pensar y reaccionar. No tuvo tiempo de nada.

Mario aceleró bruscamente y el Cadillac salió disparado. El coche subió por los tablones, mientras el vaquero se lanzaba al suelo asustado y a punto de ser arrollado. El auto salió volando y entró por el vestíbulo principal de la Reserva Federal. Chocó en el interior y se detuvo. Mario bajó del coche. Le estaban disparando con botes de salsa desde todas partes. Instintivamente se colocó detrás el maletero, el lugar donde estaba más cubierto. Nerea entró corriendo y disparando salsa en todas direcciones. Su bote era de salsa all i oli, una salsa muy tradicional, pero efectiva.

—¡POLICIA! POLICIA ¡MANOS ARRIBA, ARROJAD LAS SALSAS Y ENTREGAROS!

—¡NI HABLAR!—Le respondieron, y siguieron los disparos de salsa—

Mario alcanzó a uno de ellos en el pecho y este quedó eliminado, pero él también resultó alcanzado por una salpicadura de salsa chimichurri. El ojo le picaba a rabiar.

Nerea buscó en el maletero del coche y le pasó una garrafa a Mario.

—Toma, límpiate el ojo.

—Pero... ¡Si esto es anticongelante para motores!

—Vaya, pues no hay nada más.

Nerea sacó el transmisor.

—Atención tenemos un AMC, envíen una ambulancia a la Reserva Federal.

—¿Un AMC? ¿una ambulancia?

—Sí, quiere decir "Agente Mario con Conjuntivitis".

—¡Si ya se me ha pasado!

Hubo una larga sucesión de lanzamiento de chorros de salsa. Por suerte, el maletero del Cadillac estaba lleno de botes. Nerea cogió un bote de salsa pesto de dos kilos. Lo rajó por arriba con el destornillador y lo lanzó hacia donde estaban varios de los cowboys.

La salsa pesto se desparramó por todas partes. Los cowboys intentaron huir, pero es una salsa muy aceitosa y resbalaban. Entonces Mario salió de detrás del maletero con mucha tranquilidad. Los cowboys intentaban mantener el equilibrio para poder apretar los botes.

—¡ES MARIO EL SUCIO! —Gritó uno de ellos—

—¡Hey...! Que sólo es un poco de yeso de la obra de aquí al lado!—Les contestó—

Mario les apuntaba, esta vez llevaba un bote de dos kilos mágnum de salsa tabasco diablo.

Nerea salió corriendo hacia la parte de atrás. Allí había otros dos forajidos defendiendo los furgones blindados del dinero y las joyas. En ese momento entró Daniel, quien llevaba un bote de salsa romesco muy avinagrada y a punto de disparo.

—¡Amárrales con regaliz!— le gritó a Mario—

—¡Detrás Daniel! ¡Quieren escapar en unos camiones blindados y tienen a Elena de rehén!

—¿A Elena? ¡LIBEREMOSLA!

Tras eliminar a los otros cowboys, se dirigieron a la parte de atrás. Uno de los camiones avanzaba ya hacia la puerta abierta del garaje. Allí pudieron ver como entraban a Elena amordazada en la caja trasera. Entonces, con Elena dentro, el camión salió a toda velocidad.

—¡Cielos!—gritó Daniel,

Corrió hacia el segundo camión, que por cierto era espectacular, subió, y al volante de este, salió tras el otro furgón.

Hotel Nob Hill

—Muy bien Luna ¿cuál es tu plan?— Dijo María—

—Mi plan es marcharme de aquí.

—Bueno, si crees que podemos ayudarte, tendrás que decirnos en qué.

—¡Podemos hacer un trato! Tengo a unos cowboys en la Reserva Federal. Han cargado unos camiones. Uno de ellos, el más pequeño, (dijo con una media sonrisa), está cargado con sacas de dinero, obras de arte, consolas etc. El otro, el más grande, el mío… (volvió a sonreír), está completamente cargado de diamantes…

—¿Y qué quieres hacer con tantos diamantes?

—Me los voy a llevar a la vida real.

—¿Cómo? ¡Eso es imposible!

—¡No! ¡No lo es! ¡Es perfectamente posible!

—¡Ah sí…! Ya me dirás cómo. Nada, absolutamente nada, puede ser transportado fuera del lugar donde se produce el agujero en el espacio—tiempo. De ser así, sería un caos.

—Quiero que tu hermana me suba en su osito, cuando ella marche.

—Tú no lo entiendes... ¡Eso no es posible! Puedes volver con nosotros si quieres, pero, un momento, si no has venido con nosotros ¿cómo has venido?

—Tengo el mismo poder que tu hermana, pero yo no tengo quien me preparé un osito como si fuera un avión y tampoco puedo trasladar cosas fuera del lugar del agujero espacio tiempo.

—¿Quieres decir que estás aquí de carne y hueso? ¿Qué eres completamente real?

—Sí, así es. De carne y hueso, bueno de carne y hueso no, no, soy más que eso, soy divina, soy...

—¿Pero quién te ha hecho venir? ¡No me lo digas! ¡Ha sido Malos!

—Sí, pero un momento, yo no trabajo para el mal. Nunca lo haría. Simplemente hemos llegado a un acuerdo para poder trabajar sin estorbarnos ¡Cada cual a lo suyo!

—¿Y ese plan incluye que puedan matarnos?

—¡No! ¡Jamás colaboraría en algo así! Mis cowboys recogerán todos los diamantes de la ciudad. Luego Malos los revisará. Anda buscando algunos en concreto. Yo se los daré y él me dejará volver a la vida real con vosotros. Eso me ha prometido, aunque no me fio mucho de su palabra. Así, que si me falla, tu hermana me llevará junto a vosotros y a mis diamantes de vuelta a la vida real. Por fin seré una persona. Una persona inmensamente rica. ¡No te enfades María! ya ves, solo quiero llevarme los diamantes. El jaleo con los cowboys es el suficiente para despistaros y que no encontréis los diamantes vosotros. Es una maniobra de distracción de la que yo obtengo grandes beneficios, sin colaborar a que os pase nada malo. Tengo que ir a recoger una cosa. Te invito a ver mi helicóptero. ¡Oh! Se me olvida algo, no, no, imperdonable...

Luna dio una palmada y de repente, flotando en el aire, apareció una caja forrada en terciopelo fucsia del tamaño de un microondas, que brillaba e iluminaba mientras se dirigía hacia ellas levitando y sorteando los obstáculos a un metro y medio sobre el suelo.

—Luna cogió la caja, la abrió y se la mostró a María. Mira —le dijo—

—¡HUAU! — María pensó para sus adentros "esta era la luz que veíamos desde fuera"—

—Lo ves. Este es otro de esos motivos que me llevan a intentar "burlar" a ese agujero espacio—tiempo, y por los que Malos o tu hermana, van a sacarme de aquí con mi botín.

María estaba alucinada. Luna le estaba mostrando el interior de la magnífica y extraordinaria caja voladora de maquillaje y manicura. Tenía todo lo necesario y de mejor calidad que existía. Una gama inacabable de coloretes, pintalabios, pintauñas, rímel, lápices, etc.

—¿Pue...Pue...Puedo cogerla...? preguntó María sorprendida por esa fantástica caja mágica.

—¡Claro! ¡cógela....! — exclamó Luna al tiempo que se la enviaba—

María la cogió con sumo cuidado, como si cogiese una bandeja llena de vasos de cristal.

—¡Ja! ¡Ja! ¡No tengas tanto miedo! ¡No se romperá! Parece frágil pero es muy resistente. Se mueve a voluntad de mi mente. Es un regalo. No la pedí, pero estaba en mi magnífica limousine, así que he decidido llevármela también a la vida real. Al fin y al cabo, no hay ni habrá nunca jamás otra igual, o sea, que o me la llevo o se pierde para siempre, y ¿quién mejor que yo para tenerla?

—¿Pued...Puedo... coger los colores?— preguntó María—

—¡Claro! puedes probar los que quieras. Te diré un secreto, se reponen solos, no sé cómo, pero siempre están nuevos y afilados.

Sacó algunos y se aplicó uno de ellos en los labios.

—¡Vaya! ¡Estás fantástica! Pero ahora, vamos. Por favor, empújala un poquito y vendrá hacia mí. No, no, déjala sin miedo en el aire... Tan sólo dale... un toquecito...

María cogió la caja, que había estado suspendida sin ayuda mientras cogía los colores. La cerró y soltó nuevamente, quedando sostenida de nuevo sin apoyo en el aire. La tocó levemente y la caja se desplazó sin más ayuda hacia las manos de Luna, que hizo un gesto a María. Ambas se dirigieron al pasillo y subieron un tramo de escaleras hasta la azotea de la torre del hotel. Cuando salieron María se llevó una nueva sorpresa.

Pampanito

Malos no estaba dispuesto a permitir que el equipo descubriese los diamantes y volviese con ellos a la vida real. Además, no confiaba demasiado en Luna , así, que ante la falta de acuerdo con Claris, les atacó con los rápidos A36.

Los aviones pusieron en el punto de mira al Pampanito. Clara y Alex estaban en su interior, habían estado buscando a Sü Làn, que había desaparecido mientras estaban en Alcatraz. No había ni rastro.

Un proyectil de dos metros de largo y color rojo se desprendió del ala de un A36. Cayó al agua y recorrió dos docenas de metros bajo la superficie, hasta que topó contra el casco en la popa del submarino. Se oyó un fuerte estruendo. Todo se estremeció y tanto Clara como Alex se tambalearon. Aquella bomba roja se convirtió en una masa como de plastilina que se adhirió al casco del submarino. El A36 dio la vuelta y enfiló de nuevo hacia el submarino. Otro torpedo surgió de la otra ala del avión, cayó en al agua y la surcó, impactando de nuevo en la popa del submarino. El impacto sacudió de nuevo todo el submarino. Aquella masa roja se adhirió también al casco. Lo peculiar de esta masa roja es que era enormemente pesada. El submarino comenzó a inclinarse y a levantarse por la proa debido al peso de las masas rojas sobre la popa.

Clara y Alex corrieron hacia la escotilla de salida. Demasiado tarde. Otro A36, ametralló, con esa masa roja, toda la superficie del submarino. Esta además de pesada era selladora. La escotilla del submarino había sido alcanzada y sellada. Era imposible abrirla desde el interior sin retirar antes la masa desde el exterior.

Otro de los A36 se lanzó sobre el hidroavión de Ona y Juliana. Ellas si habían conseguido ver a los cazas A36 en el radar y estaban avisadas, pero estos eran demasiado veloces para el vuelo de un hidroavión. Tras ser alcanzadas en un primer ataque, se dieron cuenta que su única salvación era volar por el centro de la ciudad y ocultarse volando entre los edificios.

El cuarto de los A36 estaba pilotado por Sü Làn. Ella había caído nuevamente en las redes de Malos, quién la tentó de nuevo, haciéndole creer que esos diamantes le proporcionarían riqueza y felicidad eternas.

El A36 de Sü Làn pasó por encima de la azotea del hotel Nob Hill. Lo que en ella vio no le gustó nada. Luna y María acababan de aparecer en ella. Esa combinación era muy extraña .Ella de por sí ya no se fiaba de Luna, es más, estaba convencida que había sido ella, quien le había sustraído los diamantes en el edificio de Chinatown. Había visto la limusina fucsia alejándose de la zona después de llegar el tornado. Se alejó un poco del hotel y comenzó a volar en círculos sobre éste para observar que ocurría y por qué estaban en la azotea.

En la salida del túnel

Joan y Pau siguieron llamando a Ana. Estaba en el primer piso. El dragón estaba entre los coches. Ana le llamó. Estaba escondido detrás de las ruedas de una furgoneta, atemorizado, fuera del zoo. Sin embargo la voz de Ana le tranquilizó. El dragón salió de su escondite y se dirigió hacia ella. En ese momento, llegaron Joan y Pau.

—Vaya ¡Has encontrado al dragón! ¡Buen trabajo! Nosotros vamos cerca del zoo ¿Si quieres, os acercamos hasta allí?

—Vale, pero, ¿me dejareis participar en la aventura?

—Acabas de encontrar al dragón. Lo has hecho tú sola. Ya formas parte de esta aventura por méritos propios.

Salieron los tres, bueno, los cuatro, pues el dragón seguía a Ana como si siempre hubiese sido su mascota. Pau se puso al volante, Joan a su lado y Ana y el dragón detrás.

—Daremos un agradable paseo hasta el zoo y luego a cumplir la misión. Ana ¿Qué tal se te da la escalada?—preguntó Pau—

Cuando Ana se disponía a contestarle un ruido ensordecedor lo invadió todo. Aquel trozo de calle, justo a la salida del túnel, era muy cerrado y el estruendo no permitía escuchar nada más. El coche apenas había recorrido unos metros desde la salida del túnel, cuando lo que vieron les dejó boquiabiertos.

—¡ES:...ES.... ¡UN AVION!...Y VIENE DIRECTO HACIA NOSOTROS!

Uno de los A36 volaba directamente hacia ellos entre los edificios de la calle Stockton. Estaba a sólo dos manzanas de ellos. A esa distancia, el piloto detectó el coche en medio de la calle, justo a la salida del túnel. Eso le cegó. Estaba, en realidad, buscando a Águila 1 (el hidro). Maniobró para colocar el coche en el punto de mira. Pero al hacer eso, descendió sin darse cuenta, qué los cables eléctricos de los autobuses municipales eléctricos de San Francisco le quedaron por arriba. Cuando el piloto se diese cuenta, con esos cables por encima, no podría ascender, solo podría entrar en el túnel. Comenzó a disparar hacia el coche. Joan, Pau y Ana, tenían que reaccionar y rápido. Aquellas ametralladoras disparaban bolas de masa roja, que si te alcanzaban, se convertían en un pesado pegamento, que te lastraba al lugar donde te enganchase. Los personajes que provenían de los sueños, bomberos, policías y demás niños, se convertían en agua al solo impacto de una de esas bolas, y volvían a sus camas. Estaba ocurriendo ya en el muelle del Pampanito y alrededores, pero si alcanzaba a alguno de quienes estaban en la vida no real paralela, es decir a los miembros del equipo, o a Elena, Ana, o a Luna, estos tendrían que librarse de esa masa, antes de poder volver a casa, cosa que no era fácil y, de no conseguirlo, quedarían adheridos a San Francisco y el inaplazable y brutal proceso de la llegada de la entrada del agujero espacio—tiempo, Les convertiría en una ceniza que se esparciría en la madrugada de San Francisco, podía significar la muerte, así de claro.

—¡PAU! ¡REACCIONA! ¡HAY QUE LARGARSE!—Gritó Joan—

Pau hizo lo único que se podía hacer. Miró hacia atrás e hizo recular el coche, metiéndose de nuevo en el túnel. Circulaba marcha atrás a toda velocidad, con la esperanza de que aquel avión no entrase en el túnel, o que de hacerlo, ellos pudiesen salir antes, pero de inmediato, algo les iba a impedir salir por el otro lado del túnel.

Unos minutos antes,

Azotea del hotel Nob Hill

María seguía teniendo sorpresa tras sorpresa. Allí delante de ella y tras mirar varias veces, descubrió la última maravilla de Luna. Un helicóptero, y no un helicóptero cualquiera, era un helicóptero apache. Hasta aquí muy sorprendente, pero lo peculiar de este aparato, es que estaba tan bien camuflado, que se confundía con el suelo de gravilla de la azotea. Era difícil verlo estando a su lado, pero desde el aire era indistinguible, por eso los hidros no habían podido verlo anteriormente y avisar de su presencia.

—¡Menudo juguete!—exclamó María—

—Ya ves, como pretty girl. Es más moderno y de más categoría que esos viejos cacharros de la segunda guerra mundial.

Luna subió, Al (Albert), el piloto, estaba ya en su puesto. María hizo un amago para subir. El otro cowboy, (Adrian), se lo prohibió.

—María, lo siento. Tú no puedes venir, compréndelo. Debes ir a convencer a tu hermana, que además de otra pasajera, deberá llevar un... peque.....no, no, dile... sólo equipaje. Un equipaje extraordinario. En ese momento, yo le daré la máquina de fotografiar sueños y mañana nos veremos todos en el colegio, como si nada...bueno, yo seré inmensamente más rica y mi clase...no me refiero a vosotros, claro, bien, digamos mi categoría, para evitar confusiones, será la envidia mundial.

—No Luna, yo voy contigo.—le replicó María—

—Impídeselo Adrian.

Adrian alzó los brazos para coger y retener a María. Ella, que lo tenía previsto y estudiado, empujó de un golpe sus brazos hacia abajo, de forma que Adrian se agachó a la fuerza. María se inclinó por encima del hombro derecho del cowboy, cogió con ambas manos el final del chaleco de la espalda y tiró del hasta pasarlo por encima de la cabeza de Adrian. Tiró aun más fuerte y le propinó una patada en el trasero. Adrian salió corriendo agachado hacia la cornisa, se golpeó con esta y se abalanzó pies arriba por encima. Sin embargo, el chaleco se enganchó a un saliente y el cowboy quedó colgado en lo alto del edificio hacia el vacio. María se olvidó del helicóptero y fue en busca de Adrian, le agarró por la camisa y le ayudo a subir a la azotea.

.—Gracias María— le dijo Adrian— Estaba muy alto.

—No abandonamos a nadie Adrian— le contestó María—

—Gracias de nuevo.

Luna hizo un gesto al piloto y el helicóptero comenzó a elevarse. Cuando estaba a dos metros del suelo, Luna se horrorizó. María estaba acuclillada en el suelo, con los brazos protegiéndose la cabeza de las piedras más pequeñas de la gravilla que salían volando como proyectiles por la fuerza del aire desplazado por las potentes hélices. En su mano derecha, semi—abierta por encima de la cabeza, Luna pudo ver que María le mostraba varios de los colores de su caja mágica de maquillaje. Luna pensó rápidamente; sí los colores se reponían, pero eso ocurría cuando el color estaba en la caja ¿Y...sí cuando no estaban en ella, no lo hacían? No podía marcharse sin ellos. La más espectacular caja de maquillaje de la historia del mundo ¿incompleta? ¡NOOOOO!

Luna habló con Al y el helicóptero volvió a posarse en la azotea. María hizo un gesto para que apagasen los motores. Luna hizo que el piloto los parase. El decorado de camuflaje imitando las piedras, se había desprendido del helicóptero al elevarse, como si fuese arena, pero al volver a posarse, apareció y cubrió el helicóptero de nuevo. Era como un camaleón.

—¡Muy lista María! ¡Ahora bajaré y me darás los colores! ¡Dejaré que te marches para que no te impacten nuevamente las piedras!

María, que estaba muy dolorida y con moratones por todo su cuerpo, le hizo un gesto para que se detuviese.

—¡Si bajáis del helicóptero, comenzaré a lanzar los colores a la calle! ¡No creo que quede mucho de ellos cuando se estrellen contra el suelo! ¡Seré yo quien suba e iré con vosotros!

—De acuerdo, sube pues, tenemos que llegar cuanto antes a..........

—A la torre Sutro, lo sé— Dijo María.

—¡Vaya! ¡Sí que eres lista, si...!

El A36 de Sü Là apareció de repente. Sü Làn había visto con claridad casi todo lo sucedido. Ella iba predispuesta a que no le gustase y no le gustó. No vio el helicóptero, hasta que las aspas comenzaron a rotar. Sin duda era un aparato mucho más potente y temible que el suyo, así que, por si a caso, debía impedir que se alejase de la azotea. Sü Làn comenzó a disparar contra el helicóptero. Adrian reaccionó de forma inesperada y se colocó delante de la ventanilla en la que se hallaba María. El avión se abalanzó nuevamente sobre ellos. Adrian desenfundó su bote de salsa y apuntó hacia el avión Comenzó a disparar salsa, pero el helicóptero le alcanzó con aquella plastilina a la primera pasada. Fue un duelo desigual y Adrian volvió a meterse en las sabanas de franela que tenía en su cama de Tarragona. A a la mañana siguiente sería felicitado por su heroica acción, como todos.

—¡Vaya!— dijo Luna— ¡Otra vez la pesadita de Sü Làn!

—¡Pero si se había vuelto buena!

—¡Ja! Fíate de ella. Sí ni siquiera su nombre es real, Sol, solo hay uno, y no es ella, te lo digo yo que lo sé muy bien. Es pura envidia, ya te digo...

María subió al helicóptero por el lado derecho, quedando Luna en el izquierdo. El aparato comenzó a elevarse nuevamente. Acababa de abandonar la azotea cuando apareció de nuevo el A36 de Sü Làn disparando y el helicóptero tuvo que realizar una rápida maniobra, que le evitó un gran número de impactos. Luna dio una orden a Al ¡ESCONDAMONOS EN EL TUNEL DE LA CALLE STOCKTON!

El espacio que necesitaba el avión para girar era mucho mayor al que necesitaba el apache, así que el helicóptero descendió rápidamente y se dirigió a la Calle Stockton con la intención de introducirse en el túnel, que en pocos segundos, iba a estar demasiado concurrido.

Entrada túnel de stockton

Cuando el corvette se introdujo marcha atrás en el túnel huyendo del A36, sus ocupantes, Ana, Pau, Joan y el dragón, aun no sabían del todo lo que se les venía encima. Y es que, justo por detrás del avión que les perseguía, apareció de repente Águila 1, el hidroavión de Juliana y Ona. La jugada estaba bien diseñada. El hidro había conseguido librase del A36 y se le había situado por detrás y por encima. Ona y Juliana, no sabían que el A36 estaba persiguiendo al corvette porque el corvette ya estaba dentro del túnel, aunque la intención del hidroavión, sí era que hacer que el A36 entrase en el túnel Entonces, justo en el momento en que el A36 entrase en el túnel, le soltarían encima toda el agua del depósito. El A36 no podría subir, porque, aunque consiguiese cortar los cables, las tendría a ellas con su hidro encima.

El corvette llegó a la mitad del túnel, marcha atrás y quemando neumáticos, pero…

—¡NO, NOOOO! ¡NO PUEDE SER!

El corvette se detuvo en medio del túnel, el ruido del motor del A36 que se dirigía al túnel y del hidro que le perseguía era ensordecedor, se taparon los oídos con las manos, de lo insoportable que resultaba. Pero es que ahora además de ese ruido, otro ruido más ensordecedor que el otro, venía desde el lado contrario al que habían entrado. No se atrevieron ni pudieron moverse a mirar.

Pau estaba prácticamente en estado de shock, tal era el estruendo, quitó la mano derecha de su oreja y la puso sobre el cambio automático, después giro el volante sin soltarlo. El coche se abalanzó marcha atrás contra la pared del lado derecho del túnel. En el túnel hay unas barandillas que separan el paso de peatones del de los coches por el interior del túnel. Tras estampar el maletero, consiguió subir las ruedas traseras sobre las barandillas que se doblaron, quedando el coche a medio metro de altura apoyado en ellas.

No pudieron mirar, no podían quitarse las manos de las orejas. En una fracción de segundo, acertaron a ver pasar por su izquierda un helicóptero con sus luces destellantes, a tal velocidad y tan cerca que sus aspas arrancaron de cuajo el parabrisas del coche y casi les corta a ellos.

—El A36 atacante estaba ahora a 5 metros de la entrada del túnel. El hidro estaba justo encima— Ona gritó—

—¡AHORAAAAAAAAAA!

Juliana iba a accionar la palanca del depósito cuando....

—¡NOOOOOOO! ¡NOOOOOOOOOOO!

El helicóptero salió del túnel inesperadamente para ellas. Para el piloto del A36 también fue una sorpresa mayúscula, consiguió, casi sin aliento, poner el avión en vertical, completamente de lado. Al. El piloto del helicóptero vio entonces los cables e hizo lo único que podía hacer, seguir recto. Las aspas del helicóptero cortaron como una sierra en dos la cabina del A36 y una gran chispa saltó de la cola de este cuando la rozaron.

Juliana accionó la palanca cuando el A36 estaba ya en el interior del túnel, pero los pocos litros de agua que le alcanzaron en el timón de cola fueron suficientes para desestabilizar el avión, y en aquel lugar tan estrecho...

Los ocupantes del corvette de Joan y Pau estaban casi inconscientes. El A36 se estrelló contra el suelo comenzó a deslizarse a gran velocidad y levantando chispas por el interior del túnel hacia donde se encontraban ellos en el coche. Tras él una inmensa ola de agua que había soltado el hidro. Por si eso no fuese ya bastante, el otro A36 (el de Sü Làn), el que perseguía al helicóptero, se introdujo por el lado contrario del túnel, les venía por detrás e iba a impactar con total certeza con el otro A36 que le venía de frente, en medio de un gran baño de agua.

El A36 pasó por su lado rozando el suelo y echando chispas. La ola que seguía al A36 alcanzó al corvette por debajo y lo levantó. Lo empujó con tal fuerza que el coche subió por la pared. Al ser todo el túnel abovedado cruzó el techo, justo cuando los dos A36 el que había entrado por un lado y el que lo había hecho por el contrario, impactaron entre ellos y la ola se les echó encima. Los A36 les pasaron milagrosamente por debajo, cuando el coche estaba cruzando el techo del túnel. El A36 de Sü Làn había embestido al otro y por su mayor velocidad lo empujaba hacia fuera del túnel. El coche cruzó completamente el túnel de lado a lado por el techo y boca abajo y tras otro fuerte impacto del maletero con el suelo, quedó nuevamente apoyado en las barandillas, esta vez justo en el lado contrario.

En el exterior el hidro casi se estrella contra la entrada del túnel. Rozó en lo alto, desprendiéndose partes del fuselaje, pero pudo seguir volando. El helicóptero de Luna aterrizó en plena calle. Ella había sido reacia, pero María le dijo que la dejase allí y marchase, que ella no iba a dejar tirados a sus compañeros.

María bajó del helicóptero, pero este no se fue. Parecía que Malos ya no estaba de su parte y eso significaba que su única salida de la vida no real paralela y de San Francisco era Nuria y el equipo de Intrepid@, a través de la llegada del agujero espacio—tiempo a la hora prevista, y no sé podía llegar tarde. Debía proteger a María, pero también poder huir en caso necesario.

Joan Pau, Ana y el dragón, salieron del túnel tambaleándose. María se emocionó al verles, se abrazaron. Sü Làn y el piloto del otro A36 se habían pulverizado en agua tras el choque de los dos aviones dentro del túnel. Juliana y Ona seguían volando, aunque con el hidro muy dañado.

Bien— dijo María— no hay tiempo que perder ¡VAMOS A COGER LA CAMARA!

Ana le dijo a María que ella iría al zoo a dejar el dragón. A María le pareció bien. Entró en el parking y salió subida en una moto con side—car, en el que iba el dragón. Llevaba unas de esas características gafas vintage de motorista, cazadora y bufanda retro. El dragón vestía de igual manera. Les hizo un saludo con la mano y se alejó del lugar rumbo… ¿al zoo?

María, Pau y Joan se colocaron como pudieron en el interior de la pequeña cabina del helicóptero. Bueno, pensó Luna, más protección., además, más blancos para los A36.

El helicóptero se situó todo lo cerca que pudo de la torre. Tras llevarse la cámara de la tienda de China Town, donde Sü Làn debía custodiarla para entregarla al mal, Luna la había soltado pasando la correa a través de una de las antenas, concretamente la del lado sur, mirando a la ciudad. Eso suponía que o bien debía cortarse la correa o bien debía subirse la correa y la máquina, los 10 metros de antena desde la plataforma donde se encontraba. Pau y Joan se colocaron sendos arneses de seguridad. Descendieron a la plataforma e izaron uno de los arneses para María, pues solo había dos. María se lo puso en el helicóptero y se ató un cable para descender hasta la plataforma donde se hallaban Joan y Pau. Uno de los A36 que quedaban apareció de repente y comenzó a disparar contra ellos. Les alcanzó a todos en unas pocas pasadas. El helicóptero resistía bien, pero Joan y Pau recibieron numerosos impactos. Joan apenas podía moverse, la masa roja le había inmovilizado los brazos y no podía quitársela de encima. María, que había recibido tan solo un impacto, reaccionó de inmediato y desde la compuerta del helicóptero le gritó a Luna...

—¡PASAME TU CAJA MAGICA DE MAQUILLAJE!

—¿QUE TE PASE QUEE? ¡NO ES MOMENTO PARA ANDAR MAQUILLANDOSE! ¿NO TE PARECE?! COGED LA MAQUINA Y LARGUEMONOS!

—¡SI, SI! ¡VOY A COGERLA! ¡PERO ANTES! ¡NECESITO TU CAJA MÄGICA DE MAQUILLAJE!

—¿MI CAJA DE MAQUILLAJEEE? ¿ESTAS LOCA? ¡NI HABLAR!

—¡PASAMELA! ¡TE LA DEVOLVERE!

Luna no sabía qué hacer, pero no tenía elección. El helicóptero no aguantaría por mucho tiempo los ataques del A36, Tenía que ayudar a María si quería que Nuria le ayudase a ella. Sacó la caja de maquillaje, le dio un suave empujoncito y la caja con sus destellos rosáceos, salió flotando hacia María, que la abrió y cogió de su interior los dos frascos de desmaquillador que contenía. La cerró y con un empujoncito se la devolvió.

María pidió que soltaran cable y se lanzó por el interior de la torre. Cayó los diez metros hasta la plataforma donde se hallaban Joan y Pau. Con el A36 atacándoles de nuevo, María aplicó el desmaquillador a aquellas masas rojas y estas comenzaron a desprenderse liberando así a los niños. María cogió la correa de la cámara y la arrastró cuando el cable de tracción comenzó a tirar de ella para subirla al helicóptero. Pero el A36 seguía allí. Con la cámara ya en el helicóptero, María decidió hacerlo imposible. Se colgó de uno de los patines del helicóptero, cruzo los pies por los muslos, con la barra del patín por el medio. Le dijo a Al que acercase el helicóptero todo lo que pudiese a las hélices del avión. El helicóptero se separó de la torre. El A36 se le abalanzó y el helicóptero hizo un looping para evitarlo, el avión le imitó con dificultad. Se puso a su cola, el helicóptero descendió bruscamente, para en un suspiro, volver a hacer otro looping. Al era un gran piloto, para ser la primera vez que pilotaba algo que se elevase más de un metro del suelo. El A36 no tenía capacidad para copiar los rápidos movimientos del helicóptero y quedó justo con las hélices a punto de chocar con su panza, cuando este salía del looping. Fue en ese momento cuando María soltó sobre la hélice del apache el arnés de seguridad que se había puesto para coger la cámara. El arnés se enredó en la hélice y el motor del A36 se detuvo, cayendo en picado de inmediato.

Joan y Pau estaban ya bajando por las escaleras interiores de la torre.

El helicóptero con María, Luna, Al, y la máquina de fotografiar sueños, puso rumbo a la Reserva Federal de los Estados Unidos, donde Luna pretendía coger su botín de diamantes.

Reserva federal

El primero y más pequeño de los furgones blindados salió por la calle de atrás a toda velocidad arrancando la verja. En su interior millones de dólares en fajos, infinidad de teléfonos móviles de última generación, tablets, consolas de juegos y un largo etc. También Elena iba en su interior. En la cabina dos de los forajidos más peligrosos de la vida no real paralela de la ciudad.

El espectacular y potente camión blindado manejado por Daniel salió tras el primero. La persecución siguió a todo lo largo de la calle. Daniel vio al fondo un tramo del San

Francisco—Oakland Bay Bridge y se dio cuenta que lo que pretendían era huir de la ciudad. En realidad ese había sido siempre el plan de los malos. Quedarse la máquina de fotografiar sueños y si podían, impedir que nuestros intrépidos llegasen a tiempo de introducirse en el agujero espacio—tiempo, impidiéndoles volver a casa y a la vida real. Secuestrar a Elena y alejarla el máximo de la ciudad era sin duda un buen plan, pues cuanto más lejos la llevarán, más difícil sería después regresarla. Sabían que ni Daniel ni María iban a marcharse dejando a alguien en el camino. Daniel sencillamente, no podía permitirlo. Se escurría el coco pensando en cómo detener el camión, pero no le salía nada. Hizo lo único que se le ocurrió. Embistió al otro camión por detrás, con la esperanza que la puerta blindada cediese y Elena pudiese escapar, saltando lo que fuera. Daniel no tenía muchas más opciones. El puente estaba ya muy cerca. De repente, los patines del helicóptero de Luna golpearon el techo del blindado de Daniel. Daniel pudo ver el espectacular aparato, pero no como María descendía sobre el techo del camión. María se estiró y se asomó boca abajo por el exterior de la ventana del conductor. Dio un respingo al verla. Bajó rápidamente la ventanilla.

—¡ES QUE TE HAS VUELTO LOCA!

—¡CREO QUE EN LOCURAS, ESTA NOCHE PODRIAMOS GANAR CUALQUIERA! ¡ACERCAME AL OTRO CAMION!

Daniel no preguntó. Sabía que lo que hiciera María estaría muy bien pensado.

María bajó del techo del camión deslizándose por el parabrisas. Pasó por el frontal de este y se colocó sobre el parachoques delantero. Amarró su arnés con una hebilla a la parrilla del radiador del camión. Le soltó la cuerda al arnés y la ató al gancho para grúa del camión, bajo el parachoques. Daniel lo entendió. Acercó el morro de su camión a la trasera del otro, hasta que casi se rozaron. María se quitó el arnés y saltó sobre el parachoques trasero del otro camión, que comenzó a zigzaguear, como intentando adivinar los planes de Daniel. María hizo grandes esfuerzos para no caer a la carretera. En cuanto consiguió mantener el equilibrio, ató el otro extremo de la cuerda a los tiradores de las dos puertas traseras de la caja del camión y se subió al techo del mismo camión. Sacó un pedazo de masa roja que había cogido de la carrocería del helicóptero y se la puso en una mano. Después se tumbó en el techo y pegó la mano a este para que ni la velocidad ni los bandazos la hiciesen caer.

Cuando Daniel entendió lo que y el porqué de lo que María estaba haciendo, clavó los frenos. El otro camión siguió su camino y las puertas del blindado fueron arrancadas de cuajo., El blindado de Daniel les pasó justo por encima, rebotando mientras de la parte trasera del camión blindado que llevaba delante, salían volando montones de billetes. Entonces pudo ver a Elena en su interior. María asomó la cabeza sin despegar su mano y le dijo a Elena que se acercase al exterior para que Daniel la recogiese. Elena lo hizo. Ya estaban en el puente. Circulaban por la carretera inferior en dirección a Oakland. Daniel volvió a acercar su camión al otro. María sacó de un bolsillo el pequeño frasco de desmaquillador que se había guardado y con la mano que tenía libre lo aplicó a la masa roja que tenía en la otra, al momento su mano se liberó. Se colgó del marco de la puerta y balanceándose se lanzó al interior. Una nube de billetes voladores las rodeaba totalmente, mientras muchos más salían despedidos del camión. María le dijo a Elena que se acercase al marco de las puertas para saltar de un camión al otro.

—Estamos perdiendo mucho tiempo, lo haremos juntas, a la vez y a la primera, ¿de acuerdo?

—De acuerdo.

El morro del camión de Daniel se puso casi pegado, si el otro camión hubiese frenado… pero no lo hizo. Elena y María saltaron a un tiempo y se agarraron al otro camión, Daniel redujo la velocidad lentamente y se detuvo. Por lo que a él respetaba, el otro camión podía ir ya dónde quisiese. No llegaría muy lejos. El sonido de las sirenas de varias patrullas de la policía se oía cada vez más cerca. Ellos acabarían con la huida del camión blindado y detendrían a sus ocupantes antes que abandonasen el puente.

María y Elena subieron al camión. Elena estaba en un estado de excitación total, debido al cúmulo de experiencias que estaba viviendo esa diurna noche.

—¿Y la máquina?— preguntó Daniel—

—En el helicóptero— respondió María—

—Se la has dejado a Luna, seguro que ya se habrá marchado con ella.

—No, no se ha marchado, recuerda que nosotros tenemos su camión y en él su inmensa colección de diamantes, donde seguro estará el que venimos a buscar, además, Malos la ha traicionado, como era de esperar. Sólo puede salir de aquí con nosotros.

El camión volvió por donde había entrado, o sea en contra dirección, aunque eso daba igual. El helicóptero estaba parado en medio de un cruce. En ese momento vieron pasar a Joan y a Pau, que a toda velocidad y con la sirena y las luces encendidas, se dirigían en un coche policial deportivo a detener al otro camión. Varios coches patrulla más le seguían. Los niños policías se lo estaban pasando en grande.

Luna bajó del helicóptero al llegar el camión blindado. María y Daniel bajaron a su vez del camión.

—Bueno, parece que hemos llegado a un punto sin retorno. Tú tienes nuestra cámara y nosotros los diamantes...Haremos una cosa...si te parece...—propuso María—

—Te escucho........—le respondió Luna—

—Daniel llevará el camión con los diamantes hasta el punto de encuentro. Yo iré contigo en el helicóptero y no me separaré de ti hasta que entremos en el agujero espacio—tiempo. Si cuando despiertes, los diamantes están contigo, te los puedes quedar.

—¿Y qué me detengan?

—Nadie tiene que saber que los tienes tú.

—¿Y la máquina?

—Será mejor que se la lleve Daniel.

—No, no, sin la máquina no hay trato, si tenéis la máquina y los diamantes, yo no pinto nada en esto, la máquina se quedará dónde está.

Luna había atado la máquina a la antena delantera del morro del helicóptero y colgaba de esta.

—Pero... ¿por qué la has puesto ahí?

—Estamos aquí de regalo ¿lo recordáis? No quiero que esa máquina pierda un detalle o luego podemos lamentarlo. Por eso la colgué en la torre Sutro, para que no dejase de verlo todo.

A María le pareció un argumento consistente y no se iba a poner a discutir por ello. Resultaría una pérdida de tiempo.

—De acuerdo.

Elena, que estaba junto a ellos sin mediar palabra, dijo de repente,

—Cuando lo explique en Tarragona no me van a creer.

Miró a su alrededor y sonrió ¡VAYA SUBIDON¡

Por su parte, Johnny el Coquet y Pau alcanzaron al camión huido. La persecución había sido espectacular. El camión daba bruscos bandazos para evitar que los coches policiales le adelantasen, de forma que estuvo a punto varias veces de salir volando del puente. Varios coches patrulla se estrellaron espectacularmente. Uno, incluso, salió volando puente abajo, sin más consecuencias que mandar a dormir plácidamente en sus casas a sus ocupantes.

Cuando por fin consiguió superarlo, Joan se puso lo suficientemente cerca para que Pau lanzase con éxito su americana de lino contra el parabrisas del camión. El conductor, por miedo a salir lanzado del puente, detuvo el vehículo, con la intención de quitar la chaqueta con la mano. Johnny y Pau fueron mucho más rápidos, se abalanzaron sobre las puertas del camión, las abrieron, agarraron a los ocupantes y los lanzaron al suelo.

—¡BRIGADA ANTICORRUPCION! ¡QUEDAIS DETENIDOS!

Los ataron con rollo de regaliz rojo.

—Léeles sus derechos Pau— dijo Johnny —mientras miraba desde el puente.

—Bien chicos, tenéis derecho a convertiros en agua cuando queráis. Tenéis derecho a comeros el regaliz cuando nos vayamos. Tenéis derecho a recordar todo cuando volváis a Tarragona y a explicarlo después, en las mismas condiciones que los demás. Tenéis derecho a decir que os habéis escapado porque sois muy listos y hábiles.

—Y a ahora largaros. Tenemos que acudir a emergencias más importantes.

Los chicos salieron corriendo y se detuvieron a comerse el regaliz un poquito más lejos.

Joan (Johnny) miraba con unos prismáticos diciendo:

— "No me gusta lo que veo"

Muy a lo lejos, podían distinguir lo que debía ser la proa del Pampanito y parecía que estaba muy levantada de la superficie del mar, como si se estuviese hundiendo por la popa.

El remolcador Guardian of the Fire de los bomberos de la estación número 35, al mando del Jefe Thomas y con Nuria, Nicolás y Paula como tripulación, habían conseguido amarrar varias cuerdas al submarino y tiraban de él, para evitar que se hundiese del todo. El A36 les atacaba también, pero si querían rescatarlo, no tenían elección.

La voz de Alex se oyó por la radio del coche patrulla de Joan y Pau.

—¡S.O.S! ¡AQUI USS PAMPANITO! ¡NOS HUNDIMOS! ¡CLARA Y YO ESTAMOS ATRAPADOS EN EL INTERIOR!

Pau y Joan saltaron al interior del coche.

—Vamos para allí Pampanito— dijo Joan por la emisora.

Se escuchó a Daniel decir lo mismo, a Mario y a Nerea, y también a María desde el helicóptero.

El camión blindado iba ya seguido por el coche de Joan y Pau. Cogieron el embarcadero Freeway para ir al Pampanito. Cuando llegaron a la altura de Market el coche de Nerea y Mario estaba cruzado en medio de la avenida con las puertas abiertas y casi cubierto de rojo. El caza A36 había dejado de atacar al submarino, que estaba ya muy tocado, y se había propuesto impedir la llegada de ayuda. Nerea y Mario habían salido del coche para no quedarse atrapados dentro y se habían escondido.

El helicóptero que también iba armado, comenzó a perseguir y a disparar contra el avión y este a su vez contra el helicóptero y el camión. El helicóptero disparaba la misma masa roja que el avión. Fue un combate aéreo en toda regla.

Cuando el combate se centró solo en el aire los demás pudieron dirigirse a ayudar a Alex y a Clara. Pero algo amenazador surgió de nuevo en el aire, Eran dos ultramodernos aviones STEALTH, invisibles e indetectables al radar (Por eso, torre de San Francisco no les había podido avisar).

El camión y el coche policial se detuvieron.

La radio de la moto de Ana emitió el mismo mensaje de auxilio procedente del Pampanito. Ana miró al fondo, no vio al submarino, pero sí el avión que lo bombardeaba. Notó algo en la cabeza, se tocó y lo cogió, era una gorra azul de los guardacostas. Cuando volvió a mirarse, llevaba un mono naranja, también de los guardacostas. Miró al dragón y este también llevaba una gorra de guardacostas. Todo ello diseño de Nuria.

Ana recordó cuando tecleó la tarjeta y también las palabras de su madre.

"¿Te preguntas muchas veces, por qué tus compañeras no te ayudan y yo te pregunto, has ofrecido tu ayuda alguna vez a alguna de tus compañeras? Es posible que no la hubiesen rechazado."

Ana miro la tarjeta, la tecleó de nuevo y dijo... ¡SI! ¡GRACIAS MAMA.!

La moto se lanzó calle abajo, hacia el Pampanito.

En el pampanito

El morro del submarino estaba levantado unos cuatro metros sobre la superficie del agua. La popa hundida. El avión lo ametrallaba. El remolcador de los bomberos (Guardian of the Fire)de la estación 35, capitaneados por Nuria y el jefe Thomas, seguían tirando de los cabos para intentar mantener el submarino a flote, pero el azote del avión hacía, que tanto el remolcador, como los cables que amarraban el submarino, fuesen más pesados de mover. Ana se lanzó al agua y se subió al submarino, intentó abrir la escotilla pero era imposible. Estaba sellada con aquella masa roja. Se acercó a la ametralladora de proa. Estaba demasiado inclinada, pero aún así, comenzó a disparar contra el avión atacante El avión le disparó repetidamente, alcanzándola en varias ocasiones. No tenía muchas posibilidades pero algo tendría que hacer, antes de quedar pegada a la ametralladora y no poder rescatar a los atrapados en el interior del submarino. No pensaba abandonar a sus compañeros de clase. La ametralladora disparaba huevos de gallina. Acertó a darle con uno al cristal de la cabina del A36, el huevo se secó y dificultó mucho la visión del piloto, que no podía quitarlo.

María desde el helicóptero se dio cuenta de la gravedad del momento y como siempre, se le ocurrió, la que podía ser una buena solución.

—Ana... ¿me escuchas?

Insistió, pero Ana no la escuchaba, no sabía dónde podía estar.

—Aquí Águila 1, Ana está sobre la cubierta del Pampanito, vamos a amerizar como podamos porque tenemos muchos daños en los bajos del hidro.

—Está bien, Águila 1. Hay que coger algo de masa roja y ponerla sellando las compuertas de los tubos de lanzamiento de torpedos. Cuando esté puesta dais un fuerte golpe para que los del interior sepan que está listo y rápidamente, antes que seque del todo, Clara y Alex accionarán los torpedos y si todo sale tal y como preveo, las compuertas tendrán tiempo de abrirse completamente y la vibración de los torpedos al forzar ligeramente las compuertas, hará que la masa roja se desprenda.

—De acuerdo María, vamos a amerizar. Si nos sale bien, intentaremos hacerlo nosotras.

María transmitió las mismas instrucciones al submarino, sobretodo el disparar los torpedos tan sólo al oír el golpe en cubierta. Quedaban dos torpedos. Se sellarían las compuertas1 para ralentizar una milésima de segundo su salida y provocar la vibración.

El hidro intentó amerizar lo más cerca posible del submarino, pero estaba muy tocado. Partes inferiores del fuselaje habían quedado en lo alto del túnel, tras casi estrellarse contra él. Al comenzar a deslizarse por la superficie del mar, el agua le entraba por todas partes. Pronto el hidro se puso del lado izquierdo y comenzó a hundirse. Mientras Juliana ponía de nuevo los motores a toda potencia y se aferraba con toda su fuerza a los mandos. A pesar de ello la velocidad descendió drásticamente y parecía que finalmente, el hidro se clavaría de pleno en el agua. Ona aprovechó para lanzarse al agua a escasos 10 metros del submarino. Juliana tuvo que hacer un fuerte viraje, que en aquellas circunstancias, fue toda una hazaña. Entonces se puso a gritar. Enderezó el hidro y consiguió, sin dejar de gritar, elevar el morro de nuevo y ganar altura. Ona nadó hasta el submarino y como pudo trepó hasta donde estaba Ana. Una vez le explicó el plan, la sujeto por las piernas y Ana se estiró hasta que fue agarrándose a diferentes elementos del submarino. Nuria y Thomas, ambos buenos nadadores, se lanzaron al agua y subieron también al submarino agarrando a Ona, que a su vez, agarraba a Ana. Con gran dificultad, comenzó a colocar la masa roja que pudo desprender del submarino y de su ropa en las compuertas de torpedos. Cuando hubo acabado, dio un fuerte golpe con el cañón de la ametralladora. Ona, Nuria, Thomas y Ana saltaron de la cubierta al muelle.

Clara y Alex estaban preparados. Dispararon los dos torpedos al unísono. El submarino se estremeció por una fracción de segundo y se oyó el estruendo del roce del metal de los torpedos contra las compuertas. La vibración se sintió de nuevo al liberarse los torpedos y salir al exterior. La masa roja comenzó a desprenderse, como la cáscara de un huevo hervido y cayó al agua junto con la proa del submarino. La escotilla quedó también liberada y al instante aparecieron Clara y Alex en el puente de mando. Saltaron al muelle y se abrazaron a sus rescatadores. Los fuegos estaban totalmente apagados y los aviones atacantes salvo uno, derribados. Una legión de bomberos, sanitarios, médicos, policías, aparecieron en el muelle, con la intención de proporcionar ayuda a los heridos. Por supuesto, colaboraron en esos maravillosos y divertidos momentos para todos esos "pequeños" héroes.

Juliana cruzó con el hidro por encima del submarino. No se dio cuenta de que los torpedos comenzaban a seguirle y estaban a punto de alcanzarla. Observó al último de los A36 que se dirigía hacia el otro puente y como el helicóptero de Luna le atacaba. Lo que le asustó mucho fueron las dos sombras negras que parecidas a dos peces manta surcaban el cielo en un amenazante silencio. El piloto del helicóptero de Luna se asustó tanto en cuanto los vio, que abandonó el combate y giró poniendo dirección de nuevo al puente, o lo más lejos posible de aquellos impresionantes y temibles artefactos. El piloto del A36 también se asustó. Se colocó tras el helicóptero, no para atacarle, sino para intentar también huir de aquellas negras fortalezas volantes. Los Stealth invisibles, que habían ignorado al insignificante hidro, se pusieron tras el helicóptero y el avión A36. La intención de estos aparatos no era derribar a ninguno de ellos. Su intención última era soltar un inmenso cargamento de proyectiles rojos de gran tamaño, que al contacto con cualquier objeto, se adherían a este y se extendían, multiplicando en diez mil veces su extensión. Pretendían dejar completamente cubierto todo el embarcadero y o por supuesto, sellar para siempre a los miembros del equipo y demás personas de la vida no real paralela que se hallasen en él y nadie sería capaz de quitar toda esa enorme cantidad de masa roja. Eso representaría sin duda, el final de cualquier posibilidad de retornar a casa.

Así, que ahora teníamos al helicóptero de Luna primero de la fila. Justo detrás en segundo lugar, un avión A36. Tras este a Águila 1 (el hidroavión de Juliana). Detrás del hidro dos torpedos del Pampanito y seguido de los torpedos, a los dos Stealth invisibles, todos en fila, uno detrás del otro, persiguiéndose en el cielo.

En tierra, Daniel y Elena, Mario y Nerea contemplaban absortos la escena. Daniel sabía que algo tenía que hacer para evitar que los torpedos les alcanzasen a todos y para evitar que la máquina de fotografiar sueños desapareciese para siempre, pero ¿el qué? Miró a su alrededor. Buscó algo que le inspirase y lo vio. Sí, ese enorme arco de flechas monumental, semi—clavado en la tierra de Rincón Park, con su cuerda y su flecha. Sí tenía que ser la solución. Sólo cabía esa posibilidad.

—Será mejor que te bajes Elena—dijo Daniel—

—¡No pienso bajar! ¡Esto es lo más divertido que me ha pasado nunca! ¡NO BAJARE!

—En ese caso, ¡No hay tiempo para discusiones! ¡AGARRATEEEEEEEE!

Daniel dio un volantazo y marcha atrás a toda velocidad, cruzó el parterre. Daniel no sabía cuál sería el resultado de su acción pero iba a averiguarlo a golpes. Ese camión blindado pesaba muchas toneladas. Si además se le añadía el gran cargamento de diamantes que contenía, no, no podía fallar. La trasera del camión impactó a toda velocidad contra la base curvada del arco, cuyo extremo estaba a unos ocho metros del suelo. Este se movió lo suficiente para que el extremo opuesto del arco que se hallaba a dos metros del suelo, tocase tierra en el lado contrario. El blindado sin salir del parterre y siempre marcha atrás, cruzó en dirección a ese lado, que estaba ahora apoyado totalmente en tierra. Daniel apuntó la rueda trasera izquierda a la punta de ese extremo del arco y el camión impacto contra él y subió. Mientras Daniel y Elena después de los choques, volaban por la cabina. Daniel giró como pudo el volante a la derecha y las ruedas delanteras subieron también por el extremo del arco y la panza del camión quedó prácticamente centrada sobre el cable. Detrás llevaba doble rueda en cada lado y el cable quedó enganchado entre las dos ruedas traseras derechas. Todo ocurrió a cámara lenta, en una fracción de segundo. El enorme peso del camión hizo que la flecha que había puesta en el arco, se clavase más en la tierra, el cable se tensó y acabó soltándose. El camión salió lanzado hacia el cielo, dando vueltas y más vueltas sobre sí mismo. Daniel y Elena, giraban y giraban como si estuviesen en el interior de una lavadora.

En el aire, justo encima y a muchos metros del camión, todos se dieron cuenta de lo que se les venía encima. Los dos bombarderos invisibles se disponían a hacer varias pasadas sobre todo el embarcadero, desde el puente de la bahía, hasta el muelle 45 donde estaba el Pampanito, sin dejar ni un solo centímetro sin cubrir de rojo.

El Helicóptero de Luna y María era perseguido por el A36, que a su vez, era perseguido por el Águila 1, quien finalmente, era perseguido por dos torpedos capaces de desplumarlos a todos en pleno vuelo. Los dos Stealth invisibles, pasaron de todos ellos y se dispusieron a atacar. Soltaron cada uno un enorme misil rojo y puntiagudo, con cuatro aletas detrás y dos delante. Tenían muchos más, pero esos dos iban dirigidos al coche policial de Joan y Pau, toda una amplia zona alrededor del coche habría quedado "enganchada" para siempre, pero los dos misiles tenían otros planes y fueron atraídos por el calor de los torpedos del Pampanito, que eran los últimos de la fila india de los que se perseguían por el aire.

Helicóptero de Luna. Avión A36. Hidro Águila 1 de Juliana. Dos torpedos del Pampanito. Dos misiles del invisible STEALTH. Uno detrás del otro, todos iban a estrellarse contra el camión.

Mientras, el camión de Daniel con él y Elena en su interior, daba más vueltas y más vueltas. Cuando estuvo a una altura considerable, entró en riesgo inminente de colisión con el primero de la carrera aérea, con el helicóptero. Era seguro que el helicóptero y los demás se estrellarían con el camión en el aire.

Al mismo tiempo, otra cosa apareció en cielo. Era más grande e infinitamente más poderoso que todo aquello. Era el osito de peluche de Nuria. Se detuvo en el cielo, encima del agua de la bahía. Nuria, Nicolás y Paula estaban sobre la panza del osito, que miraba al universo. Nuria se acercó a un costado del osito y comenzó a cantar.

Estoy aquí,

Aquí en el cielo,

Estoy aquí,

Aquí en el cielo.

Estoy aquí

Aquí en el cielo.

Estoy aquí

En el cielo.

Si alguna vez lloras por mí estaré en el cielo.

Si alguna vez lloras por mí, te ayudaré.

Y enviaré a tus lágrimas la luz de las más bellas estrellas.

Un camino hacia la eternidad, para que de tus sueños puedan volver.

Nuria extendió los brazos. Los dos aviones invisibles viraron en redondo y se dirigieron hacia el osito. Se acercaron lentamente hasta este y como dos delfines amaestrados, flotando, casi inmóviles, se acercaron hasta que los vértices de la punta de ambos aviones quedaron en paralelo a la altura de Nuria, a pocos metros de ella...

Nuria habló.

—¡Ahora, dad la vuelta y marchad! ¡Ya habéis sido bastante malos!

Los aviones, con o sin piloto, viraron en redondo con suavidad y tenebrosa elegancia, alejándose hacia el infinito. Pero sus dos misiles siguieron en el aire. Los misiles no habían ido contra el objetivo establecido, sino que siguieron la estela de los dos torpedos del Pampanito. Así pues, se unieron al grupo de artefactos que iban directos al camión blindado que volteaba por el aire junto al puente sobre la bahía.

Al mismo tiempo en el aire, el impacto del primero de la fila, el helicóptero, contra el camión blindado era inminente. María lo vio claro.

—Vamos a estrellarnos Luna, ¡TENEMOS QUE SALTAR!

—¡Salta tú! ¡Yo me quedo! ¡Lo he perdido todo! ¡Me da igual! ¡Volveré al lugar de donde salí!

—¡NOOOOO!, ¡NO LO PERMITIREEEE, NO SABEMOS LO QUE PUEDE PASAR, PUEDES MORIR DE VERDAD!

—¡Salta María! ¡No me pasará nada!

No había ni un segundo que perder. María improvisó una táctica.

—¡DEJAME PASAR! ¡ME LANZARE POR EL LADO DEL MAR! ¡TENDRÉ MÁS POSIBILIDADES!

—De acuerdo—dijo Luna— sin pensarlo, ni caer en la treta de María. .

María pasó por encima de Luna. Le dio una patada a la puerta, al tiempo que soltaba el cinturón de Luna. La agarró por debajo de las axilas y se abalanzó al exterior arrastrándola en su caída. Abrió el paracaídas justo en el momento en que el helicóptero estaba a diez metros del camión, que seguía subiendo y girando. Las puertas del camión se abrieron de repente y una nube inmensa de diamantes de todos los tamaños, salieron en todas direcciones, como si de una larguísima cabellera se tratase. La máquina de fotografiar sueños que se hallaba colgada de la antena delantera del helicóptero, disparó su flash repetidas veces, al tiempo que el helicóptero se introducía en la caja del camión. El resplandor de los flashes en los diamantes provocó una inmensa luz blanca, que a su vez se transformó en miles y miles de pequeños arco iris que inundaron completamente el cielo. Todo lo que alcanzaba la vista estaba cubierto de preciosos arco iris. Sobre la bahía, sobre la ciudad, sobre el océano, sobre los puentes, todo eran miles y miles de preciosos arco iris, con todos sus hermosos colores. El A36, el hidroavión, los dos torpedos y finalmente los dos misiles rojos, entraron uno tras otro dentro de la caja del camión y las puertas se cerraron tras el siguiente tirabuzón.

—No te parece maravilloso— preguntó María a Luna— mientras caían cogidas del paracaídas de María y rodeadas por todas partes de esos arco iris. Aparecían unos y desaparecían otros. El cielo estaba siempre cubierto de ellos. El vestido de Luna fue tomando diferentes tonalidades, hasta que se quedó con tonos rojizos, dorados, azules... Era el vestido del atardecer, y seguía cambiando sus colores, para al igual que el día, acabar......no, no, el vestido cambiaba sus colores, pero no para oscurecer. Antes ya era negro ¿recordáis? Esta vez los colores se acercaban cada vez más al azul y luego al blanco.

—Si, es el espectáculo más hermoso que he visto jamás, y los de la tierra, los he visto todos—le contestó Luna—

Juliana se había lanzado en paracaídas, justo antes que su hidro, Águila 1, entrase a la fuerza en la caja del camión. Fue a parar al agua junto al puente, El Guardian of the Fire de los bomberos de la 35, la rescataron del agua. Sobre la cubierta estaba ya el rescatado Al (Albert) piloto del helicóptero, observando el bello espectáculo con una manta sobre los hombros. Juliana se puso también una manta sobre los hombros.

—Es un espectáculo maravilloso ¿verdad?— le dijo Juliana a Al— poniéndose a su lado.

—Si lo es, toda esta noche lo es.

—Lo hemos tenido complicado ¿eh? Eres una gran piloto— le dijo Al a Juliana—

—Tú tampoco lo has hecho nada mal, pero pensé que te habías vuelto malo de nuevo. —Le contestó ella—

—Tampoco he sido tan malo. Al final ya has visto que me he decidido por vosotros, por los buenos.

—¡Qué listo! Te apuntas al equipo ganador.........

—¡Je! ¡Je! ¡Je!

Los dos rieron mientras contemplaban el bello panorama de arco iris en San Francisco.

En el camión blindado

Daniel colgaba de la puerta del camión, algo que era ya casi una costumbre y seguía dando vueltas. Intentó calcular bien cuando soltarse, ya que él no tenía paracaídas, pero la inercia le impidió seguir cogido y se soltó. Lo mismo le pasó a Elena que salió despedida por la puerta derecha.

Ambos tuvieron, no obstante, mucha suerte, pues María era además de muy intrepid@, muy prevenida. En el momento de soltarse, Luna y María que caían desde algo más arriba, pasaron junto al camión. María le lanzó a Elena, una vez aseguró a Luna, el paracaídas de emergencia que llevaba y que pensaba ponerle a Luna. Elena lo alcanzó aunque con la fuerza del aire en la caída, se lo acabó poniendo cogido a los pies, así, que cayó casi de cabeza. Tuvo mucha suerte, al igual que Daniel, de que los bomberos del Parque nº 35 estuviesen ya preparados en tierra con las lonas colocadas para que no se estrellasen contra el suelo. Había tres lonas extendidas. En la primera cayó Daniel, que caía a más velocidad, pues no llevaba paracaídas. En la segunda y algo más lentamente cayó Elena, de cabeza. Los equipos de rescate les ayudaron a incorporarse y, en el caso de Elena, a liberarse del paracaídas. ¿Pero, y la tercera lona? ¿Para qué era la tercera lona? ¿Que esperaban los bomberos? Luna y María habían sido impulsadas por el aire hacia el centro de la ciudad...

En ese momento se escuchó una fortísima explosión procedente del interior del camión blindado que seguía cayendo. El coctel del helicóptero, el A36, un hidroavión, los dos torpedos, y los dos misiles, acabó por supuesto, siendo explosivo. El camión volvió a elevarse y girar sobre sí mismo por la fuerza del estallido. Las puertas traseras se abrieron de nuevo, justo en momento en el que el fascinante espectáculo de arco iris se acabó y apareció el maravilloso anochecer de San Francisco. El día se acababa. Los arco iris llegados en la claridad del día y del resplandor de los miles de diamantes, dieron paso a un sobrevenido anochecer. Quedaba aun suficiente luz, la bastante para ver cómo de la caja del camión, surgía esta vez, una impresionante cascada de monedas doradas que se extendieron por todas las altitudes y comenzaron a precipitar sobre la mayor parte de la ciudad.

Todo el mundo quedo nuevamente boquiabierto, tan sorprendidos, que nadie pensó en guarecerse de aquella intensa lluvia de monedas de oro. Los bomberos que estaban en la 35, no lo habrían hecho en ningún caso, bajaron la mirada, aun a cambio de perderse el deslumbrante espectáculo y con la mayor profesionalidad digna de los bomberos de San Francisco y de Tarragona, se expusieron a ser alcanzados por fragmentos del camión o de todo lo demás, aguantaron estoicamente y agarraron con más fuerza la tercera lona. Y sí, de forma misteriosa y mientras los cientos de miles de monedas precipitaban, también sobre ellos, la máquina de fotografiar sueños, cayó sobre la tercera lona con total suavidad.

Daniel la cogió rápidamente, mientras daba las gracias a los bomberos.

—¡JAMAS OLVIDARE LO VALIENTES QUE HABEIS SIDO ESTA NOCHE! —Gritó Daniel a los bomberos de la 35. Estos le respondieron con vítores de ¡HEROE! ¡HEROE!

Los bomberos de la 35, los de los otros parques de la ciudad, de la bahía, los sanitarios, médicos, doctoras, policías, todos esos niños y niñas del mundo entero, habían salvado esa noche la ciudad de San Francisco y poco después de despertar, sabrían de qué.

Las monedas caían y caían, en un persistente, pero increíblemente agradable tintineo. A medida que se acercaban a tierra, lo hacían cada vez más lentamente, como si fuesen copos de nieve. Les caían a todos sobre los hombros, sobre la cabeza, sobre todo el cuerpo y ningún daño les hacían. Muchos las tocaban antes de caer o simplemente las cogían y las miraban. Qué gran y maravillosa sorpresa se llevaron.

—Lleva la cara de mi padre y detrás, el año de su nacimiento. Y esta la de mi madre y detrás, también el año de su nacimiento, 1969. —Dijo Daniel—.

—Yo tengo la de mi hermano y su año de nacimiento, 2004. —Dijo Mario—

Rebuscó en el suelo entre los cientos de monedas y encontró la de su padre y la de su madre, pero también las de sus abuelos, las de sus abuelas, las de sus primas, las de sus mejores amigos y todas las de los demás miembros del equipo y la de Nuria. No encontró ninguna suya. Esas las encontraron los demás miembros del equipo, cada uno, una de cada uno de los demás.

Todos encontraron las monedas de sus familiares, de sus amigos, de sus seres queridos, de los que estaban y de los que se habían tenido que marchar. Todos juntaron docenas de monedas. Muchas de familiares o personas que no habían conocido, pero que sin embargo, habían sido fundamentales en su vida. Había monedas de personas del siglo XIX, de todos los años del siglo XX y de los que llevaban del XXI. Los miles de niños y niñas que se hallaban esa noche en San Francisco, miraban entre sorprendidos y eufóricos esa monedas, que en sí mismas, representaban la historia de cada uno, lo más querido que tenían cada cual, lo que les hacia vivir en la vida real, más allá de cualquier sueño, por magnífico que fuese. Elena tenía también sus monedas. Tenía a sus hijos, tenía a su mamá y también a su papá. Mientras las lágrimas le resbalaban por la mejilla, cogió muchas de sus alumnos y alumnas, de todos los años y cursos. Podría haber estado semanas buscando y los hubiera encontrado a todos. Todos estaban allí...

—Sabéis —dijo en alto— Todo el embarcadero quedó en silencio— La mayoría de los niños, estaban sentados con miles de monedas a su alrededor—

—Una vez, no hace muchos años, yo tenía un mal día, no fue el único, ni el último, pero si marcó la diferencia entre aquel y los que vinieron después. Mi padre al verme triste, sacó una foto que tenía guardada entre sus cosas importantes y me dijo, "¡Toma! ¡Ahora es tuya! ¡Es tu responsabilidad!

Es esta foto, (la sacó del bolsillo y la enseñó a todos, aunque la mayoría no la distinguían) que por supuesto conservo todavía y por siempre. La que está sentada en la fuente del colegio soy yo. Tenía doce años y reía con todas mis ganas.

"Cuando te sientas mal, acabada, sin alternativas, piensa en esa niña", me dijo, "Mira como sonríe. Confía en ti. Sabe, como se yo, que nunca vas a fallarle" Todos dependemos de otros y todos esperamos que los demás nos deseen la felicidad, solo sabiendo eso podemos vivir".

Emocionada, con la voz entrecortada, siguió hablando....

—Desde entonces, al volver a mirar la foto veo en ella a mi padre, a mi madre, a mis hijos, a mi familia y final.....mente me veo a mi, y me digo, no, no puedo fallaros...—siguió entrecortada...Creo que eso mismo es lo que representan estas monedas. Tienen el valor de lo que estas personas representan en nuestras vidas.

—Y yo creo que ya no tenemos los diamantes— se dijo Daniel a sí mismo— satisfecho de todas formas.

María y Luna aterrizaron suavemente en el parterre lateral del Palacio de las Finas Artes de San Francisco. Después de deshacerse del paracaídas, se sentaron junto al lago. El sonido de las sirenas que se acercaban, les indicaba que los equipos de rescate se dirigían hacia allí. En seguida un grupo de bomberos, personal médico y policías entraron corriendo hacia ellas, con el ánimo de curarles cuantas heridas ficticias se hubiesen hecho, les dieron las gracias y se dejaron restregar cuatro algodones. Los niños estaban encantados de cuidar a las que por siempre serían dos de sus grandes admiradas. Acabado el rescate, marcharon y las dejaron solas.

Luna no llevaba ya el traje negro que brillaba, ahora llevaba uno blanco, que también desprendía destellos, pero esta vez dorados, como los destellos del sol.

—¡Vaya! —dijo María— mientras miraba las monedas. ¡Es sorprendente! Está mi hermana Nuria, mi padre, mi madre, mi tío Clemente y mi tía Vanessa, mis otros tíos, mis yayos y yayas, los miembros del equipo, ¡ESTAN TODOS! pero y tú, ¿Dónde están tus monedas?

—Yo no tengo monedas. Yo no tengo vida, intenté decírtelo en el helicóptero, pero no había tiempo.

—¿Qué quieres decir?

—Que no soy una persona María... **¡No soy humana!**

—¿Qué...qué...qué....? Entonces ¿Qué eres? ¿O quién eres?

—Soy la Luna.

—Ya, ya lo sé, eres Luna...

—No solo soy Luna....soy la Luna..., la que debería estar allí arriba...

—Me tomas el pelo....

María miró al cielo y no, no había Luna en el cielo. Entonces miró el vestido de Luna.

—Has cambiado el vestido. Tu vestido es ahora totalmente blanco, con destellos dorados, llevas el que diseño anoche Nuria.

—Sí. Soy un planeta, algo torpe para dibujar...y tu hermana lo sabe. Este vestido representa el día. Lo llevo en la noche. Los destellos dorados son sus rayos solares Antes llevaba el vestido negro. Llevaba puesta la noche y los destellos eran blancos, como los de las estrellas, Aunque este aquí contigo, en la vida no real paralela, sigo siendo la Luna y tengo que respetar las reglas del universo.

—Vamos Luna, de verdad ¿me estás diciendo...que eres la Luna, el satélite de la tierra?

—Sí, y no soy el satélite de la tierra. ¡Soy su hija! ¡Ya deberías saberlo!

—¿!¡?

—Sí, sí. Un espermatozoide con forma de meteorito impacto en mi madre y salí yo, no hace falta tener la carrera de astronomía para saber eso, vamos…digo yo…

María comenzó a reírse…sin poder parar.

—¿De qué te ríes? —le espetó Luna—

—Y entonces— dijo riéndose aún— ¿Quién es tu padre?

—Mi padre es el Sol, como lo es de todos vosotros ¿o piensas que podríais haber nacido si él no hubiese estado?

—Vale, vale, pero ¿Qué haces aquí?

—Quiero ser como vosotros, una persona.

—Una persona de la más altísima sociedad, viendo tus gustos.

—¿Acaso no es así como una persona se hace valer en la tierra? Porque te aseguro que a categoría y glamour, nadie puede ganarme.

—Bueno, se puede ser de la más alta sociedad y un desgraciado al mismo tiempo.

—¿Quieres decir que vosotros no sois ricos…? No me parecéis unos desgraciados…

—¡JaJaJa..! Un momento…huele a chocolate—dijo María— Se acercó a la orilla del lago y sí, el lago estaba ahora lleno de chocolate. Del chorro de agua que había en el lago brotaba ahora chocolate.

María se giró y vio dos copas, las cogió y las llenó, le ofreció a Luna, pero la rechazó.

—No. Este chocolate…no….

Al momento, una furgoneta de mensajería se detuvo a las puertas de los jardines, Una niña con gorra y uniforme de la compañía de reparto se acercó a ellas…

—¿La señorita Luna?— preguntó.

—Soy yo— contestó Luna—.

—Este paquete es para usted.

—¡Gracias!— dijo Luna sorprendida mientras lo cogía—.

María miraba expectante mientras Luna lo abría. Era una caja de bombones de chocolate blanco. Luna leyó la caja y gritó ¡ESTOS SI! ¡ESTOS SI!

—Destellos de luna, ¡QUE PASADA!

Al abrirlos vio que eran bombones blancos con todas las formas de la Luna y un sabor exquisito. Había también una botella de plástico que contenía chocolate blanco líquido, lo vertió en la copa y brindaron a la luz de las maravillosas luces del parque.

La niña le hizo firmar un recibo y una vez lo tuvo firmado, se dio la vuelta para marchar a la furgoneta de reparto. Luna se quedó inmóvil por un momento y antes que la niña saliese del recinto, la llamó.

—¡Estelle! ¡Estelle!

Estelle dio la vuelta y acudió solícita a la llamada de Luna.

—¿Ocurre algo con su entrega señorita Luna?

—No, no, no pasa nada, es perfecto, pero no me llames señorita. Toma, quiero que te quedes con esto.

De un bolsillo invisible, Luna sacó un bellísimo diamante de color rosa, que brillaba con unos bellísimos destellos y se lo entregó a Estelle.

Estelle se puso entusiasmada de alegría, comenzó a dar saltos y a besar a Luna y a María sin parar de gritar:

—¡ES COMO EL QUE ME GUSTA! ¡ES COMO EL QUE ME GUSTAAA! ¡GRACIAS! ¡GRACIAS!

La niña se alejó dando saltos de felicidad.

—¡Vaya!— Dijo María— Ya has dejado de ser mala... del todo, ¡Y de qué manera!

—Ese es el diamante más valioso del mundo. Le llaman "Pétalos de fuego" por su color rosáceo y sus formas. Vale unos veinticinco millones de dólares. Es de una señora de San Francisco que lo mira una vez al día para decirle que es suyo....Me lo iba a quedar, pero mañana volverá a estar en la caja fuerte de esa señora.

—Pero... entonces... ¿No se lo has regalado?

—¡Ja! Eso es lo mejor. Mañana es su cumpleaños. Ruth, su hermana pequeña, le regalará uno muy parecido, que le costará todos sus ahorros ¡Dos dólares! Pero te aseguro que cuando Estelle coja todo el amor que ese diamante de dos dólares llevará, sé olvidará del "Pétalos de fuego." Ni sabrá su precio, ni le importará, pero el amor de su hermana sí.

—¿Y tú cómo sabes eso?

—Me lo ha susurrado mi mamá ¡gracias mamá! También me ha dicho que quienes me quieren mucho, me regalarán algún día uno como ése y que será de la misma tienda. ¡Estoy ansiosa por que llegue ese día! ¡Hay quien me quiere! ¡No lo sabía!

—¡Caramba! ¡Eres la mejor mala que existe...!

El vestido de Luna era de un color blanco perfecto. Los preciosos reflejos dorados del sol que salían de él, iluminaban cálidamente la maravillosa imagen de ambas junto al lago.

En ese momento, un grupo de muchachos aparecieron en el recinto.

—Hola chicas ¿Sabéis dónde es el concierto? No tenemos ninguna dirección. La hemos perdido— añadió uno de ellos—. Tenemos que tocar y...no sabemos muy bien donde es. Nos hemos extraviado.

—¡Hey! Vosotros sois los "NO DIMENSION", ¡Vaya...!— Dijo María.

—Es en el Marina Green, seguir el Marina Boulevard, no tiene pérdida...

—Pero, un momento...vosotras sois María y Luna, ¡caramba! es un placer conoceros...por cierto, que vosotras también actuáis...

—¿Vamos a actuar?— preguntó Luna—

—Por supuesto— dijo María— No quieres ser una persona como las demás, pues todas las personas cantan, mejor o peor en un escenario, en un karaoke o en la ducha, pero cantan.

—Nos vemos allí chicas. Os esperamos...—dijeron los NO DIMENSION, al unísono.

María y Luna, expectantes ante la posibilidad de cantar, salieron del precioso recinto del Palacio de las Finas Artes de San Francisco. Al llegar a la calle, María le tapó los ojos.

—Tengo una sorpresa para ti...—dijo María— ¡Tachan...!

Una espectacular y larguísima limusina de color violeta, con los nombres de Intrepid@ y de María pintados por toda la carrocería, les esperaba para llevarlas al concierto. El chofer les abrió la puerta y al entrar María se dirigió a Luna.

—Mi madre me dijo una vez que no dejase jamás de soñar, porque con los sueños puedes llegar a ser muy feliz, pero, que con ellos, solo consigues ser feliz cuando no te olvidas que son tan sólo un sueño. Gracias Mamá.

—¡Caramba, esta limusina es mucho mejor que la mía!

—Conseguir es muy fácil, retener es mucho más difícil. Subamos.

El interior de la limusina no defraudaría a nadie. Cualquier decorador la firmaría como suyo sin cobrar por ello.

La limusina se puso en marcha y avanzó solemne por el Marina Boulevard. En su interior resonaba la mejor música. Pero llegó un momento, en que a medida que se acercaban al Marina Green les resultaba más difícil avanzar, y es que la multitud de niños y niñas bomberos, policías, sanitarios que se dirigían también al concierto del Marina Green llenaban las calles y las calles adyacentes que estaban repletas de coches de policía, camiones de bomberos, ambulancias, y todo tipo de vehículos de rescate, aparcados ya, una vez evitada la gran catástrofe.

Abrieron el techo acristalado de la limusina y se asomaron al exterior. La multitud comenzó a aclamarles y a aplaudirles. Era muy difícil que llegasen a tiempo para comenzar la canción desde el escenario.

El escenario se hallaba montado junto al pequeño trozo de calle que lleva al edificio del club náutico de la Marina, en el extremo del gran rectángulo de césped verde que es el Marina Green, una superficie plana junto al mar de 300.000 metros cuadrados. Toda de verde césped como un inmenso campo de fútbol. El lugar se utiliza para hacer deporte al aire libre y montar carpas para exposiciones y conciertos, entre otras cosas. Esta noche de la vida no real paralela iba a haber uno espectacular. La curiosidad es que debajo de esa alfombra verde, se hallan la mayor parte de los escombros que se recogieron tras el terremoto de San Francisco en 1906.

Desde lo alto del escenario y vestido con un elegante blazer azul, pantalones blancos y una pajarita llena de dibujos de pequeños dragones, micrófono en mano, estaba el director del colegio Atlas, Eduard Conde. Se dirigió a la multitud de niños y niñas que abarrotaban el Marina Green y todas las calles adyacentes. Un gran aplauso resonó en toda la ciudad.

—No, no, no, no me aplaudáis, lo agradezco, pero no lo hagáis.— Se hizo el silencio—. El aplauso más fuerte lo merecéis todos vosotros, por el maravilloso y ejemplar trabajo que habéis llevado a cabo para salvar esta ciudad. Codo a codo, mano a mano, de igual a igual, os habéis ayudado en un fin común y habéis conseguido la victoria. Espero que a partir de mañana, cuando despertéis, llevéis ese espíritu donde vayáis. Porque creedme, al igual que ha pasado hoy, todos dependemos de todos y si nos ayudamos nadie se quedará en su vida sólo ante ningún fuego...

La estruendosa ovación se fundió en otra, y es que Ana acababa de llegar en su moto sidecar con el dragón. Le hicieron un pasillo mientras le coreaban. ¡Ana salvó a nuestro dragón! ¡Te llevaremos siempre en el corazón! La multitud coreaba y coreaba repetidamente, hasta que el director volvió a dirigirse al público.

—Bien, parece que los chicos de "NO DIMENSION" no encuentran el camino, se han quedado sin dirección, o han cambiado de planeta. Mientras llegan, puedo explicaros unos chistes.......

La multitud le abucheó, con cariño, claro, y el cogió una guitarra eléctrica, para durante más de cinco minutos, marcarse un sólo de guitarra eléctrica sobre el escenario, con algunos toques tan alargados, que de haberse producido el más mínimo desafino habrían estallado todos los cristales de toda la ciudad. La multitud se puso en pie y el grito conjunto de admiración fue casi tan supremo como el último compás del solo de guitarra.

La multitud se rindió en un estruendoso aplauso mientras coreaban...

—¡QUE LO REPITA! ¡QUE LO REPITA!

—¡Vale...Vale! Me encantaría repetir, es la primera vez que toco una guitarra eléctrica. Pero mientras esos chicos encuentran una dirección, la correcta si es posible, les toca cantar a ¡MARIA, LUNA Y DANIEL!

Tan sólo apareció Daniel en el escenario. Mario a la batería. Alex, Ona, Nerea a las guitarras, Juliana y Clara a los teclados. Pau con otra guitarra acústica. Un equipo fantástico. Contaban incluso, con un grupo de la escuela de música de San Francisco y otros de la de Tarragona, para tocar unos compases de violín que sonaban en la canción, Pero ¿Y María y Luna?

María y Luna estaban asomadas al techo de la limusina. Aunque la gente hacía esfuerzos por apartarse, era tal la multitud, que la limusina apenas avanzaba algunos pocos centímetros. Pero a María se le ocurrió una cosa. Se metió en el interior de la limusina y volvió a salir con dos micrófonos inalámbricos. Le entregó uno a Luna y le dijo ¡Vamos! ¡Bajemos de la limusina! Bajaron de la limusina, justo cuando los primeros compases de la canción comenzaron a resonar. Luna miró a María y sin palabras, María la comprendió y le dijo —simplemente canta, saldrá solo— y Luna, María con Daniel que estaba lejos en el escenario del Marina Green comenzaron a cantar juntos. La multitud iba dejando la calle libre a su paso y las chicas tuvieron todo el ancho de la calle para bailar. Enseguida, muchos se unieron y se pusieron detrás y como un magnífico equipo de bailarines, ataviados aun con los trajes de los equipos infantiles de emergencia a los que pertenecían, bailaron al ritmo de la música justo detrás de ellas, con las luces de la limusina que seguían el ritmo de la música avanzando, bailando y cantando hacia el Marina Green. Nunca habían estudiado ni la letra ni el baile, pero ¡Era maravilloso!

El sonido de la música se extendió. Las luces de colores de los vehículos de emergencia comenzaron a sincronizarse con el ritmo de la música y mientras Luna, María y el coro de bailarines avanzaban, se conformaba una magnífica vista. El espectáculo desde el aire era inigualable. Todas aquellas luces al ritmo de la música, por todas partes. Los niños bailaban por todas las calles y la noche de San Francisco se transformó en una gran fiesta, Daniel cantaba y bailaba desde el escenario en perfecta conexión con María y Luna, que avanzaban con su grupo de bailarines, mientras todos los demás hacían palmas al ritmo de los compases de la canción. Un gran foco iluminaba toda la trayectoria de Luna, María y el grupo de baile.

El público, totalmente infantil a excepción de Elena y Conde, se entregó al espectáculo. El lugar estaba bellísimo, los focos de luces y los laser iluminaban el cielo

Es difícil recordar una ovación semejante a la que hubo cuando María y Luna subieron al escenario y acabó la interpretación de su versión de la canción "Make that change", que tan brillantemente había sido interpretada por nuestros héroes.

Daniel y María comprobaron sus relojes, o ambos relojes funcionaban mal, o les quedaban dos horas más de las que habían calculado. Los relojes Intrepid@, por supuesto, funcionaban perfectamente, pero el inesperado cambio del día a la noche, propiciado por la manera como se habían desarrollado los acontecimientos, había hecho que el tiempo, también en la vida no real paralela, se ajustase de forma que ahora disponían de dos horas más para volver a sus camas. Los relojes se habían ajustado a ese cambio, por eso eran únicos e inimitables

Se miraron y se fundieron en un abrazo. ¡Gracias por estar en mi equipo! —le dijo Daniel María—. ¡Gracias por estar tú en el mío!— le contestó María— Ambos rieron, satisfechos del magnífico trabajo realizado ese día....y esa noche.

—Tal vez no hayamos conseguido ninguno de los diamantes, pero lo vivido esta noche vale mucho más. Hemos impedido que Malos los encuentre, —dijo María.

Por fin consiguieron llegar los chicos del grupo NO DIMENSION, escoltados, guiados, por dos coches patrulla. En realidad estos chicos no se habían equivocado de dirección porque fuesen despistados, en realidad, disponían tan solo de una dirección... la del Candlestick Stadium, donde 36 horas después y en la vida real, se dispondrían a realizar un concierto en la ciudad de San Francisco. Esa, fue la causa del...extravío. El grupo interpretó cuatro canciones de su último álbum y otra que todavía no se había escrito, "A Golden Bridge between San Francisco and Tarragona", que ellos mismos rebautizaron de inmediato como "A bridge for you and me". Resulta difícil cansarse de bailar y cantar cuando se está dormido, pero los asistentes al macro concierto, lo estaban consiguiendo. Ni un sólo niño de San Francisco ni del área de la bahía, ni los venidos del resto del mundo, se perdió esa fiesta.

—Bien— dijo— La fiesta llega a su final. Este es un momento difícil. Las despedidas son siempre difíciles, pero nuestro corazón jamás podrá despedirse de esta maravillosa ciudad a la que tal vez algún día podamos volver. Sólo puedo daros las gracias......

Ante la sorpresa de todos, comenzaron a encenderse unos pequeños sticks de luz que aparecían por todas partes. Sobre el mar, sobre los edificios, sobre el poco suelo que quedaba libre, en el cielo, hasta más allá de donde la vista abarcaba. Miles y miles de palitos luminosos de todos los colores inundaban todos los lugares hasta más allá de cualquier horizonte. Todos sabían de quienes se trataba, muchos lloraban ante el significado de tan bello espectáculo.

Al mismo tiempo todos los presentes sacaron cada uno, un stick de luz blanca, que se encendía al iniciar la canción. El Marina Green y sus alrededores se lleno de pequeñas lucecitas blancas. Era un homenaje de los que estaban, a los que no estaban, sobre todo a todos esos niños y niñas que no habían podido estar esa fantástica noche junto a todos ellos.

Los niños se iban levantando, se abrazaban y se despedían. Había niños y niñas llegados de todas las partes del mundo. Bomberos de la India, de Barcelona, de Madrid, de Sudafrica, de Japón, de Coquimbo (Chile), de Atenas. Unas naciones con otras, se felicitaban y sonreían, sin saber aún, que su extraordinario esfuerzo iba a ser recompensado en un cerrar y amanecer de ojos. Lo mejor de todo, la lección, es que ninguno de ellos esperaba nada. Les quedaba la recompensa de la amistad. Muchos niños, que en su colegio no se llevaban bien, habían combatido en equipo, codo con codo, contra la peor catástrofe y juntos, solo juntos, habían sido capaces de derrotarla. Ninguno, al atardecer del día siguiente, olvidaría semejante hazaña.

El cielo se iluminó de repente. Se llenó de multitud de fuegos artificiales. Todos miraron sorprendidos y admirados. El cielo se llenó de colores. Y de ese matiz tan especial que es el ver como los cohetes no eran lanzados desde tierra, sino que las estelas caían del cielo.

La luz de los fuegos artificiales, dio lugar a otro pequeño matiz. En la bahía, frente al Marina Green, frente al concierto, se iluminaban la Isla del Ángel y a su lado la Isla de Alcatraz. Qué curioso... ¿El bien y el mal tan próximos? ¿Sería un presagio del final?

Los niños comenzaron a hacer el tren al ritmo de la música. Había tanta gente que formaron diez trenes mientras cantaban y bailaban. Se dirigieron al edificio del San Francisco Yacht Club y allí, a medida que iban pasando, se desvanecían en una nube de agua. Poco a poco todos fueron saliendo. Volvían a sus hogares. Muchos de ellos a las camas de los hospitales donde estaban ingresados. Ningún niño, fuese cualquiera su condición o circunstancia, había faltado esa noche.

Al poco tiempo, solo quedaron María, Daniel, los demás miembros del equipo, Nuria, y sus compañeros de osito junto a Luna.

Luna se acercó a ellos.

—Gracias por sacarme del helicóptero María.

—Bueno, lo he hecho para que me dieras bombones "destellos de luna".......

—¡JaJaJa!—Rieron todos.

—No ¡gracias! ¡De verdad! ¡Gracias a todos! Ha sido una noche inolvidable.

—¿Aunque no te lleves nada...? Le preguntó Daniel.

—Sí, me llevo mucho más de lo que esperaba. Me llevo vuestra amistad, que es mucho más de lo que he conseguido en los últimos cuarenta millones de años.

—Sí, bueno, te pusieron una bandera........añadió María.

—¡Ja!¡Ja!¡Ja!— Rió Luna y también los demás

—Adiós...

A Luna, que no era una persona, se le enrojecieron los ojos al abrazarse a sus nuevos amigos.

—Volveremos a vernos—dijo María.

—No lo sé— le contestó Luna.

—No te lo estoy preguntando...

—Nuria ¿puedo ir en mi limusina por última vez....?

—Claro...—le contestó Nuria.

Y Nuria la acompañó a la limusina fucsia con matrícula Beauty Moon, que la llevaría al otro lado del Golden Gate y a su vida real en el universo...

Daniel y María se pusieron en el centro del Marina Green, con la Isla del Ángel y La de Alcatraz al fondo. Los demás miembros del equipo se les unieron. Hicieron una piña, mientras Geneviève con su pelo largo y rubio y llevando un vestido lleno de estrellas de colores diseñado por Juliana, apareció en el escenario. Alzaron sus brazos juntos hacia lo alto y en ese momento la luna apareció de nuevo en el cielo. La niña levantó su brazo y su dedo comenzó a girar y girar. Intrepid@ y su equipo desaparecieron del lugar, que quedó inmaculado, como si nada hubiese ocurrido. Sin embargo, Nuria, Thomas, Nicolás y Paula nuestros pequeños amigos, todavía permanecieron un rato más en la dormida San Francisco.

Los cuatro subieron al taxi de Tarragona licencia H512, que siempre estaba disponible y Nuria le dijo al taxista,

¡Al Banco de Norteamérica! ¡5555 de California Street!

Parte Undécima

San Francisco 00:01 horas

El detective Pieters de la policía de San Francisco, no recordaba estar de servicio. Eso lo tenía muy claro y siguiendo esa lógica, tampoco podía ser que tuviese turno de guardia nocturna. Sin embargo, el número de teléfono del que procedía la llamada que había hecho sonar su móvil sobre sus plácidos sueños, resultó ser del agente Harrelson, a quién parecía que si le había tocado trabajar esa noche. Cogió el teléfono porque en realidad acababa de abrir los ojos. Había dormido de maravilla. No recordaba haber descansado así de bien en años. Ahora le habían acabado de despertar y ya le dolía de nuevo y de forma increíble la rodilla derecha. Estaba seguro que esa noche, ya no volvería a encontrar una posición cómoda. Por si eso fuera poco, las dos costillas que tenía fracturadas, tampoco le ayudarían mucho a encontrar de nuevo una postura con la que poder conciliar otra vez el sueño. A lo largo de su carrera como detective, era el de mayor antigüedad del cuerpo, había pasado por todas las situaciones de riesgo posibles y se había lastimado tanto o más en muchas ocasiones. Pero aquel accidente, a tan sólo una semana de jubilarse, era una forma de despedirse que le quitaba todavía más el sueño, que esas lesiones a las que ya estaba tan acostumbrado. Una y otra vez, se le pasaba por la cabeza la sucesión de imágenes, El corría detrás de ese muchacho al que habían sorprendido robando en viviendas. Bajaban por la escalera de incendios exterior de un bloque de pisos de Geary Street. Cuando en el último tramo de la escalera aquel delincuente de poca monta, se lanzó directamente a la calle, el se entretuvo bajando el tramo final de la escalera contraincendios, con tan mala fortuna, que quiso hacerlo subido a ella. Ese tramo estaba encallado, así que sólo bajo él, a peso, la escalera siguió enganchada. Este comentario no era suyo. Era el que hacían todos los compañeros y eso, moralmente, le tenía muy preocupado. Después de cuarenta años de servicio, no quería ser recordado por esa última intervención. Por supuesto, volvió a recordar cuál fue su primer caso, como agente de policía de uniforme...pero...el teléfono sonó de nuevo con mayor insistencia. Miro la hora y contestó...

—¿Qué ocurre? ¿Se han convertido en calabazas todos los detectives de servicio?

—¿Detective Pieters? ¿John Pieters?

— No, te equivocas. Soy el Disc-jockey de la discoteca BigGround ¡No te fastidia!

—Detective Pieters, soy el agente Harrelson, de la 17....

—¿Vas a decirme de una vez algo de interés hijo...?—le interrumpió Pieters—

—Mi patrulla está en el Golden Gate. Nos han avisado los vigilantes del puente. En un momento en que se ha disipado la niebla han descubierto un vehículo abandonado casi al final del puente...

—¿Y por qué me llamas a mi hijo? ¡Llama al gobernador! ¿O crees que el único que intenta dormir soy yo?

—Señor, creo que debería usted venir por aquí...

—De acuerdo iré ¡pero a las siete de la mañana! Buenas noches Harrelson. Que tengas un buen servicio muchacho. —Y colgó— aunque...un vehículo abandonado...en el puente, no, no quería pensarlo.

Al minuto, el teléfono sonó de nuevo y Pieters lo cogió de mala gana, sin mirar el número.

—Pieters, soy el jefe Baxter.

—Caramba jefe ¿A usted también le ha despertado ese agente novato?

—¡Sí Pieters, me ha despertado, para que le saque de la cama a Ud.!

—O sea, que tengo que ir....

—John, te queda una semana para jubilarte. Ve, créeme, no vas a tener que lanzarte por ningún sitio.

—Ja...Ja... Me visto y voy...

—¡Ah! John, no me la pegues, sé que no estabas durmiendo.

—¡Ah! Sí ¿y cómo sabes eso Andrew?

—¡Porque todavía estás intentando abrir la escalera ¡JA! ¡JA! ¡JA!

—No tiene gracia....

—La misma que tiene el que me despierten a estas horas por tu culpa...

—Te advierto, que cuando me jubile, solo entregaré mi placa.

—Vamos John, ve, me lo agradecerás.

—¡Ja! Voy para allá...

Pieters subió a su viejo Mercury negro de 1978. Fue su primer coche policial cono detective y tanto le gustó, que cuando el departamento de policía iba a darlo de baja, lo compró, reparó y desde entonces, lo conservaba en perfecto estado. El estaba destrozado, pero por suerte, su coche estaba prácticamente como recién estrenado.

Condujo por una ciudad que parecía profundamente dormida. Lo parecía de verdad. Para él era la primera vez que casi podía tocar el sueño de su ciudad. Sacó incluso el brazo por la ventana y caramba, creyó estar tocando de verdad "el sueño de la ciudad..."

Cuando pasó el peaje del Golden Gate, los vigilantes estaban aturdidos. Pasaba algún que otro vehículo pero se podían contar con los dedos de una mano. Cuando llegó casi al final exacto del puente, todavía entre la niebla, había tres coches patrulla. El tráfico, prácticamente nulo, había sido cortado en la dirección de salida de la ciudad, porque estaban trabajando los artificieros en el coche. Los agentes habían colocado balizas de luz roja alrededor de un coche blanco de aspecto impecable. El coche tenía unas franjas de color amarillo y rojo en las puertas delanteras que las cruzaban de arriba abajo, un escudo en el centro de la puerta y debajo un número, H512. No había matrícula ni referencia a ciudad alguna. Era un modelo de ese mismo año. En los laterales traseros llevaba inscrita una frase que nadie era capaz de traducir. Hasta aquí todo más o menos normal. Podría tratarse de decoración, sobre gustos... pero claro, el vehículo llevaba en el techo un pequeño rótulo, donde podía leerse, "TAXI", junto a un piloto de luz. Vale, TAXI, pero ¿de dónde? El coche no estaba cerrado y las llaves seguían puestas en el contacto. Los artificieros trabajaban en el interior del vehículo.

—¡Harrelson...! ¿Qué ocurre aquí?—Preguntó Pieters.

—Los artificieros dicen que no hay explosivos en el vehículo, pero en el asiento del acompañante hay dos sobres. Son sobres normales, como los de correo, están comprobando que no sean peligrosos y los volverán a dejar tal como estaban.

—¿Han comprobado la documentación?

—No, aún no, esperamos a que acaben los artificieros.

—¡Vamos Harrelson...!

—Entiendo señor que Ud. ya habría revisado y retirado el vehículo, pero es el procedimiento, tratándose además, de unas circunstancias tan extrañas.

Con insistencia le acudía a Pieters el recuerdo de aquella noche, hacía ahora más de cuarenta años. Acababa de comenzar a patrullar las calles con su uniforme azul. No, no podía ser, debía tratarse de algo diferente, simplemente, no podía ser ¡Otra vez un taxi! No había querido acudir y ahora que lo había hecho, intuía que ese simple coche iba a darle mucho trabajo. Al igual que Harrelson, hizo fotos de todo el coche con la cámara de su teléfono. El recuerdo volvía y volvía una y otra vez, se frotaba los ojos, para intentar no recordarlo, pero no podía evitarlo, era todo tan...tan parecido...

Los artificieros se apartaron del coche y levantando el dedo, dieron el Ok a Pieters.

Pieters se acercó al vehículo colocándose unos guantes de látex. Miró el interior desde la ventanilla del conductor y vio dos sobres sobre el asiento delantero derecho. Fue hacia el otro costado del coche, sin dejar de mirarlo de arriba abajo y de izquierda a derecha. Abrió la puerta. Los dos sobres estaban uno encima de otro. En el que estaba encima, se leía "John Pieters". No los tocó. Abrió la guantera. No había documentación. Según él cuenta kilómetros, había recorrido tan solo 18. Esta vez cogió el primero de los sobres, el que llevaba su nombre, en la esperanza que le aportara algo de lo que en principio parecía un rompecabezas. Tenía una dirección anotada en el encabezamiento y el texto decía:

San Francisco General Hospital
1001 Potrero Avenue, San Francisco
94110 California, 02-09-1979

Hola John.

Han pasado muchos años. Creo que los suficientes. Tú, ya no estarás hecho un chaval como entonces, pero seguro, seguro, estarás bastante mejor que yo. Tú sabes John, que yo no tenía familia. No la tuve hasta que conocí a Michael. La primera vez que ese muchacho comenzó a tararear aquella canción, fue como si el tranvía flotase sobre los raíles, como si apenas los tocase. Sin embargo, era una melodía para un ángel que anunciaba que se iba al cielo, para siempre. Su muerte ha sido el golpe más duro que podía recibir y ya soy demasiado mayor.

La ciudad siempre me ha tratado muy bien...—siguió leyendo Pieters, mientras le volvían a la cabeza una interminable sucesión de recuerdos. Yo quiero terminar haciendo algo por mi ciudad. Cuando abras el otro sobre comprenderás por qué no lo he hecho antes. Aquellas circunstancias no eran las adecuadas, ni seguro lo han sido durante estos más de treinta años y aunque me duele tener que esperar tanto tiempo, sé que es lo correcto y también, que tú, eres el más indicado para que se cumpla mí deseo.

Gracias John, aunque no me creas, estoy viendo tu bien conservado Mercury ¡Viejo cascarrabias!

Marvin

Pieters no podía creer lo que estaba leyendo. Llevaba cuarenta años de servicio y por segunda vez algo de su trabajo, venido del pasado, le superaba. Volvió a leerla, como si necesitara darle veracidad. Sabía que no la necesitaba. Estaba muy claro que aquella hoja amarillenta del hospital en la que Marvin había escrito, contenía una especie de testamento póstumo, escrito el mismo día de su muerte, y que él, era su único albacea. La persona que haría que lo escrito se cumpliese.

El agente Harrelson y los demás policías le miraban con curiosidad y expectación. Pieters no dijo nada. Su semblante era muy serio. Todos pensaron que algo fuera de lo normal estaba sucediendo. Pieters dobló el sobre y se lo metió en el bolsillo de la americana. Harrelson y los demás policías lo vieron, pero se abstuvieron de decir nada. La cara de Pieters no invitaba a decirle ¡Eso es una prueba señor!

Pieters cogió el otro sobre y leyó en él: "Elisabeth Anders"

Elisabeth Anders. No le sorprendió, pero le llevó a más de esos viejos recuerdos. Sí, a aquel su primer caso, como detective de homicidios. Aquella preciosa niña que en 1979 tenía tan solo cinco añitos. La muerte de su hermano Michael, repetida y brutalmente maltratado hasta la muerte por su padrastro. Una madre alcohólica. Aquel desgraciado seguía en la cárcel, Pieters le detuvo cuando huía de la ciudad en coche. La madre se llevó a la pequeña y tras varios años le retiraron la custodia. Pieters hizo lo posible por la niña y con el apoyo de sus hijos, le compró a la niña muchas cosas qué le llevaban al centro de acogida, aprovechando para estar con ella. Un buen día cuando la niña debía tener los doce años, la madre recuperó la custodia. Se la llevó fuera de la ciudad. Pieters no se enteró, no quisieron decírselo. Se lo había tomado demasiado personalmente, y eso, a juicio de los demás, que no del suyo, no era bueno para un policía. Pasaron largos años hasta ese día, cuando Pieters se reencontró y esta vez no solo en el recuerdo, con su primer caso como detective.

ELISABETH ANDERS
2890, 91 Street
Daly City, CA 94015

Pieters no abrió el sobre. Lo dobló y lo puso en el otro bolsillo de su americana.

—¡Llevaros el coche al depósito!— gritó a los agentes en general ¡Después iré por allí!

Los agentes se quedaron mirando impasibles, sin querer ni atreverse a decir nada.

Pieters subió al Mercury y se fue a casa. Se sentó en su sofá. Miró su reloj. Eran las tres de la madrugada. Demasiado tarde para algo, demasiado pronto para todo. No volvió a mirar las cartas. Las tenía grabadas en la mente y no necesitaba volver a mirarlas. Sabía que eran auténticas, no tenía la más mínima duda. Sacó su móvil de la funda y utilizó varias de las aplicaciones. Marcó el número de teléfono que le apareció en pantalla. El teléfono sonó sólo dos veces y un operador le contestó, aunque no en inglés...

—Guardia Urbana de Tarragona. Policía, dígame...

—¿Hola, habla Ud. inglés?

—Sí señor, creo que podremos entendernos. Soy el agente Quim Masdeu. ¿En qué puedo ayudarle?

—Yo soy el detective Pieters, del departamento de policía de San Francisco....escuche...Mesdieiuuu...voy a hacerle una pregunta...pero, no se lo tome Ud. como una broma... Por favor....

—No se preocupe señor, en ningún caso pensaría que llama Ud. desde San Francisco, a las tres de la madrugada, para gastarme una broma.

—Bien...Masdaieuu...oiga ¿Han perdido ustedes un taxi?

—¿Un taxi?

Masdeu guardó la compostura a pesar de lo curiosa de la pregunta.

—Pues...déjeme mirar. No tengo constancia de ello, ni al entrar en el turno me han comunicado algo similar, ni en pantalla tengo ninguna referencia parecida, pero... espere...

Sin colgar a Pieters, Masdeu, se puso por radioteléfono en contacto con la centralita de taxis, habló con ellos.

—Detective Pieters. Me indican de la compañía de taxis que no les falta ninguno.

—Bien Misdieiau......voy a enviarle unas fotos desde mi móvil.

Pieters envió las fotos del taxi de Tarragona en el Golden Gate, mientras daba detalles a Masdeu. Masdeu las examinó con absoluta sorpresa.

—Sí, es uno de nuestros taxis, pero...pero...creo que el número de licencia no corresponde a ninguno de los nuestros... es extraño, pero es una numeración muy alta y además, nunca han llevado una letra delante del número, diría, que esa licencia, no ha sido expedida todavía.

—Oiga Meisdieieau........si no le parece a usted mal, le voy a enviar todos los datos y fotografías que tengo del vehículo. Échenle un vistazo y si encuentran algo digno de mención...sobretodo, el significado de la frase que aparece en los costados traseros ¿Puede Ud. traducírmela?

—Por supuesto, la frase según leo, es: "**Vagis on vagis, arribar et costará molt poc",** lo que en su idioma significa, "Vayas donde vayas, te costará muy poco llegar", parece indicar que te costará poco tiempo y poco dinero, pero los taxis de aquí, no llevan ese slogan.

—Pues no sé cuál ha sido la tarifa, ni cuánto ha tardado en llegar aquí...pero aquí está. Oiga Maiesdieieau... ¿Le importaría hacer alguna averiguación y mantenerme al corriente de cualquier novedad...?

—No lo dude señor. Le mantendré informado y le llamaré al número de móvil que aparece en pantalla. Es un suceso muy extraño...

—Buenos días y gracias Maesdaiu.

—Es Masdeu señor.

—Sí, perdón Mas...daaaa...ii...au...

Pieters colgó el teléfono. La brisa entraba por la ventana, Seguía notando el sueño de la ciudad, lo palpaba, estaba seguro que si cogía un cuchillo, podría incluso cortarlo. Ese descubrimiento en el puente... ese inesperado y sorprendente reencuentro con el pasado. Pieters intuía que esos sucesos iban a marcar los próximos acontecimientos en la ciudad y no se equivocaba. Eran casi las cuatro de la madrugada en San Francisco.

Recordó a su gran amigo Wing Tau y sus palabras de aquel día de enero de 1972.

Wing Tau le dijo:

"Ella tampoco va a olvidarte ¡ya lo verás!

¡Tiene que ser lo mismo! —se dijo Pieters— ¡Tiene que ser lo mismo! ¡Voy a volver a verla! ¡Estoy seguro! ¡Estoy totalmente seguro, de que pronto volveré a verla!

Parte Duodecima

Tarragona 06:50 A.M horas del mismo día

Elena abrió los ojos al mismo tiempo que comenzaba a sonar el despertador. Diríase que con sus parpados lo había puesto ella en marcha. Miró a su alrededor y se descubrió en su habitación. Extrañada, pensó ¿por qué no debería ser así? Al levantarse se notó, como más ágil, como más...ligera. Salió al pasillo. Oyó ruido en el baño. Su hijo mayor llevaba ya rato despierto. Le esperaba la universidad. Entró en la cocina para prepararse el desayuno. Su hijo había desayunado ya y le había dejado el café preparado, como siempre. Mientras calentaba la leche, fue a coger el bote de mermelada que su hijo le había dejado también preparado. Entonces la vio. Era esa foto en blanco y negro. La foto en la que ella, a sus doce años, estaba sentada en la fuente del colegio. ¿Cómo había llegado allí? Estaba muy sorprendida, hasta que su hijo mayor entró en la cocina y le dijo.

—Me voy mamá y le dio un beso en la mejilla. Vio a su madre sonriendo y mirando la foto mientras él la besaba y le dijo.

—Es una foto preciosa mamá...La he encontrado al levantarme, en el suelo del pasillo.

Elena no sabía que pensar. No recordaba....con una inercia sobrevenida, puso en marcha la radio. En ese momento sonaba "Heaven must be sending an angel", una canción que le cogía justo en el límite de sus años más jóvenes, pero que de inmediato le trajo muchos recuerdos. Sin pensárselo dos veces y mientras se servía el café con leche, comenzó a cantarla. Al poco, cuando ya llevaba media taza, comenzó a bailar. Se sentía tan bien... que no se dio cuenta que la canción había comenzado de nuevo. De lado a lado de la cocina, sin un ritmo determinado, se acercó al aparato de radio y subió el volumen, mientras seguía cantando. En un momento dado, se dio cuenta de la temprana hora que era. Bajó de golpe el volumen, pensando en los vecinos y cuál fue su sorpresa, que al hacerlo, pudo escuchar que el sonido de la misma canción, salía desde otras ventanas del patio de luces y que además de ella, había otras personas que la estaban cantando y posiblemente también bailando. Así que, volvió a subir el volumen y siguió cantando y bailando, hasta que la canción terminó por segunda vez.

Después de preparar las cosas de su hijo pequeño y de que éste desayunara, ambos se pusieron en marcha hacia el colegio. Mientras iban por la calle, Elena notaba como si flotara. Hacía mucho tiempo que no se encontraba tan...tan...deseosa de llegar al colegio. Su hijo se dio cuenta de ello y le dijo...

—Mamá te veo muy contenta, y me gusta..........

—Gracias hijo...sí...sí....estoy contenta...no sé....

Se detuvieron, mamá Elena dio un fuerte abrazo a su hijo y un enorme beso.

—¡Te quiero mucho hijo!

—¡Yo también te quiero a ti mamá!

—Pues eso es lo único que importa para poder hacer todo lo demás.

Siguieron caminando...

Al llegar al colegio, el revuelo estaba, a segundos de comenzar.

María y Daniel llegaron casi al mismo tiempo. Eran las 8:40. María llego con el director quien por supuesto, les dio permiso para entrar antes y repartir el Intrepid@, con el compromiso de hacer llegar al director y de inmediato, uno de los ejemplares. Subieron al aula de plástica. Sí, allí estaban, cientos y cientos de ejemplares del Intrepid@, esperando a ser repartidos. Estaban anonadados. Cogieron uno cada uno. Resultaba increíble, si no lo hubieran vivido esa misma noche. Todo estaba en él. Veinte páginas de comic, la ciudad de San Francisco, los incendios, Coit Tower, el dragón de San Jordi, los niños, el helicóptero de Luna, los aviones...todo....todo, pero ninguna referencia a Geneviève, igual que el anterior. Rostros y más rostros. Muchos de alumnos del colegio. El ya imprescindible Al, Albert. El concierto en el Marina Green, los No Dimension, ¡ELENA! Ellos esperaban algo así, pero todo y con ello, estaban alucinados. Sabían que les iban a pedir muchas explicaciones sobre cómo habían conseguido realizar tan grande tarea, pero ya lo habían hablado. Habían decidido no dar respuesta a ninguna pregunta. La gente comenzaba a amontonarse en el pasillo. Todos querían el último ejemplar del Intrepid@, recién salido de la... ¿Imprenta? ¿Rotativa? ¿Ordenador?

Mario fue el primero en abrirse paso ¡Qué curioso! lo hizo gritando, ¡POLICIA! ¡POLICIA! ¡DEJEN PASO!

—¡Hola jefes!... ¡Hoy es un gran día! ¡El ratoncito Pérez me ha traído...! ¡LAS GAFAS DE SOL NEYBAN! Por el último diente de leche que me quedaba por caer. Le ha costado cuatro años más que al anterior y en los últimos ya no me trajo nada.

Mario cogió el Intrepid@. Pasó las hojas y lo encontró. Definitivamente las gafas le quedaban mejor a él. Le pidieron que bajase uno a dirección y Mario salió a trompicones, intentando que no se lo arrebatase la muchedumbre que esperaba ansiosa la entrega de la revista.

Pronto el Intrepid@ se distribuyó por todo el colegio. Causó furor, como en la vez anterior. Muchos se reconocieron en esos dibujos. Unos de bomberos, otros de policías, otros de médicos. En el momento de leer, recordaban la secuencia. Lo recordaban como un sueño real. Podían palparlo, vivirlo, como si hubieran estado allí. Podían verse codo con codo con la persona que más manía les daba, al cual siempre despreciaban. Con aquel que consideraban un empollón. Luchando todos juntos contra la catástrofe. Después de eso era inevitable. Los niños se buscaban. Se encontraban en los pasillos y se abrazaban. Gracias se decían entre ellos, hemos estado formidables. Era el inicio de muchas amistades, que hasta ese día hubiesen parecido imposibles...

Eduard Conde salió de su casa hecho un pincel. Ni tan siquiera los vecinos con los que se encontraba, eran capaces de reconocerle a primera vista. Le miraban dos veces de arriba abajo y sólo así después le decían. Buenos días Sr. Conde, está usted....muy...diferente...esta mañana......Eduard estaba pletórico. Sólo había dormido tan bien en dos ocasiones en los últimos meses y ésta, era la segunda. El traje le quedaba como un guante, pensaba incluso, que había perdido unos cuantos kilos ¡Aquella misma noche! La corbata no era nueva, pero si estaba planchada y limpia. Caminó a paso ligero. Sus pasos le llevaban velozmente. Se alegraba de llegar a los semáforos y encontrarlos en verde para los peatones. Al divisar el edificio del colegio estiró el cuello. Tenía el presentimiento que si forzaba la vista, vería algo cambiado en la fachada. De ser así, sería señal evidente que una nueva entrega del Intrepid@ estaba esperándole. No tuvo que esforzarse en exceso. En seguida se dio cuenta, la bandera del colegio ondeaba libre y renovada. Sus colores resplandecían y prácticamente la totalidad de los jirones que la habían rasgado los últimos años habían desaparecido. Daba orgullo el verla ondear de aquella manera. Se plantó delante de la fachada y junto a él, María, la Intrepid@.

—Puede que al final, éste edificio no esté tan mal como pensábamos—Dijo María.

—Puede... que antes del final, tenga que entregaros un premio— le contestó el director.

—Ya sé, no quiere usted bajarse de los escenarios— le contestó María riendo.

Eduard Conde cogió por el hombro a María y entraron juntos en el colegio. Al llegar a su despacho comenzó con sus tareas cotidianas. Tenía muy claro que había cosas que no podía dejar de hacer. Repitió esto último en su mente. Le resultaba extraño escucharse decir eso. El, que hacía poco había pensado seriamente dejar el colegio, en abandonar. Repite Eduard, lo primero es lo primero. Las tareas del director del colegio son prioritarias. Esto…es un colegio. Recordó haber perdido por completo el interés en el colegio y en las tareas de director. Estaba asombrado. Repite Eduard, repite muchacho. Lo repitió, también lo de muchacho. Acababa de darse cuenta de que era el director del colegio y que ese colegio debía funcionar. Hacía dos meses se hubiera mostrado incapaz de pensarlo. La cosa mejoraba por segundos. Realizó las tareas más importantes en un suspiro. A primera hora tenía clase, pero tenía pocas posibilidades de hacerse. Los pasillos estaban llenos de alumnos que deberían estar sentados en sus correspondientes aulas, pero para ser solo las nueve, había muchos y que esos muchos estuviesen dentro del colegio y no en las aceras hasta las 9:30, era también un gran logro. Por ese motivo, no se mostró autoritario. Repite Eduard...son las nueve. Hay más alumnos dentro que fuera del centro. Eso es un gran logro De quien—pensó, mientras repetía pensando, no seas demasiado autoritario... autoritario... autoridad... director... colegio... director del colegio...Qué bien suena todo...pensó y repensó para sí. Mario llegó con un ejemplar del Intrepid@.

El director lo agarró casi al vuelo. Estaba dispuesto a leerlo totalmente, pero ahora la prioridad era saber en qué página salía él.

Sí, se encontró. Encima del escenario e impecable. Ensimismado, levantó el Intrepid@ y aclarándose la garganta, poniendo voz de Clark Gable, comenzó a leer en alto una de las viñetas. ¡No...No, no me aplaudáis...! La lectura se cortó cuando sonó el teléfono. Era la alcaldesa.

Parte Decimotercera

San Francisco 07:50 A.M. (En Tarragona las 22:50 del día anterior)

Conducía Pieters, con la mirada concentrada en el tráfico y la mente en el recuerdo de Elisabeth Anders. Intentaba recordar como Elisabeth se había alejado de su vida y como los años le habían alejado de Elisabeth Anders. No tenía ni había explicación. Elisabeth tendría ahora cerca de 40 años. ¿Se acordaría del? ¿Estaría en esa dirección?, La respuesta era sí. No sabía cómo ese taxi de una ciudad europea había aparecido abandonado en el Golden Gate, ni como esos sobres estaban en su interior. Tenía clarísimo que Elisabeth estaría en esa dirección esperando, tal vez sin saberlo, a que él llegase.

La casa de Elisabeth era una casa modesta de una sola planta. Aparcó en la acera, frente a la entrada del garaje, en el entradero había un pequeño coche Pacer de 1984. Llamó al timbre. Una mujer rubia abrió la puerta. Era Elisabeth, tal y como él había pensado, El cabello estaba algo alborotado, pero no cabía duda de que aún era muy atractiva.

—¡DETECTIVE PIETERS! ¡JOHN! que...que... pero...

Elisabeth estaba emocionada y tartamudeaba. Comenzó a llorar. Era un llanto de alegría y de sentimiento de culpabilidad al mismo tiempo…

—Elisabeth…Elisabeth...Tranquila, estoy aquí…tranquila…y tú también…lo que ha pasado estos años…Elisabeth…no…

No pudo seguir. Sobraban las palabras. Se oyó una voz en el interior.

—¿Qué ocurre mamá? ¿Quién es?, ¿estás bien?

—Pasa John, pasa…por favor…

John entró en la casa. Era una casa modesta. Entonces la vio. Una muchacha de unos trece años, era la viva imagen de su madre. Al momento se dio cuenta que la niña era ciega...

—Es el detective Pieters, Marina….

—¿El detective Pieters? ¡caramba! Mamá me ha hablado mucho de usted. Le tiene mucho cariño…

—Marina hija —dijo su madre— prepara tu mochila. Pronto tendremos que marchar al colegio.

Elisabeth le explicó a Pieters los tremendos problemas que había tenido en los últimos años, entre ellos, que Marina padecía una enfermedad degenerativa que la dejó ciega a los cinco años.

—….Hace unos años encontré trabajo en un restaurante. Había reunido algo de dinero, unos seis mil dólares, para la operación de Marina. La operación, los cuidados y el hospital cuestan unos veintitrés mil. Ese mal hombre con el que me junte me los robó todos. Ahora sólo tengo quinientos ahorrados y no creo que pueda ahorrar muchos más. Marina va a un colegio cercano a mi trabajo. Es un colegio normal, donde la tratan muy bien y estoy muy contenta, pero no es un colegio especial y me resulta muy caro. Tengo que dejarla a comer y eso... porque ella se apaña muy bien. No puedo recogerla, La traen en autobús. Se portan muy bien, muy bien, pero aun así...comenzó a llorar....

—Elisabeth...Elisabeth......Tengo algo para ti. No sé lo que es pero debes abrirlo...

Pieters le dio el sobre. Al palparlo, se notaba que había una llave en el interior.

Elisabeth cogió el sobre y lo abrió. De él cayó una llave con una nota atada.

BANK OF NORTEAMERICA
5555 California Street
94104 SAN FRANCISCO, CA.
Security Box number 512.

—Es...es...—dijo Elisabeth.

—La llave de una caja de seguridad en el banco de Norteamérica, añadió Pieters. Creo que tenemos que ir al centro.

—Pero...pero...yo...Tengo que ir a trabajar....y llevar a Marina...al...

—No hay ningún problema. Yo os llevaré. Vamos a hacer todo eso Elisabeth, esta vez sin miedo. El miedo se ha acabado para vosotras Elisabeth.

Mientras Elisabeth y su hija Marina se acababan de arreglar para salir, Pieters llamó a la comisaría. Lo primero que le dijeron es que el alcalde quería hablar con él. Que le habían estado llamando en multitud de ocasiones y algo que él ya sabía también, que no había contestado ninguna de esas llamadas. El teléfono había estado sonando pero esos momentos no se los iba a robar nadie. Todo podía esperar, todo, menos su reencuentro con Elisabeth Anders.

—¡Escúchame Rose! Quiero que mandes un coche patrulla al Mission State College del distrito noveno ahora mismo, Tienen que vigilar que la niña de la foto que te voy a enviar ahora mismo por teléfono, no sufra el más mínimo contratiempo. No quiero que se despeine, ni que se le acerque nadie que no tenga una sonrisa sincera en la cara. A las doce horas, que un agente de paisano entre en el colegio y compruebe que se encuentra bien y que nada la perturba y después, que vigilen la salida del colegio, hasta que yo o su madre la recojamos.

—De acuerdo John, pero, no sé si el jefe…y además…el alcalde...

—Diles al jefe y al alcalde, que si quieren hablar conmigo, que primero hagan lo que te he pedido.

—De acuerdo John, así lo haré…

—Gracias Rose.

Pieters no creía que fuese a pasarle nada a la niña, pero tratándose de una caja de seguridad…

Cuando Elisabeth y Marina estuvieron preparadas se dirigieron al Mercury de Pieters.

—Pero…pero…yo tendré…que volver…

—Yo os traeré de vuelta a casa. No estoy de servicio. Estoy de baja médica.

Elisabeth no dejó de mirar a Pieters en todo el trayecto. Aquel hombre de mal carácter y enorme corazón. Tantos años después, era como una luz de esperanza. Como la luz de esperanza que visitó a su madre…y que esta dejó perder. Su madre, al final, cuando parecía que todo comenzaba a arreglarse, murió y vuelta a empezar. Pero ahora, en aquel preciso instante, Pieters era como un camino en el cielo. Era una luz que no pensaba dejar escapar por segunda vez.

El coche se detuvo frente a un restaurante de Westwood Park. El restaurante en el que trabajaba Elisabeth. Solo Pieters bajó del coche. Entró y estuvo escasos minutos en su interior. Subió de nuevo...

—Tienes el día libre Elisabeth....

—¿Cómo…? ¿Cómo lo has hecho…? ¿Qué le has dicho?...

—Bueno, le he convencido de que hoy deberías tener el día libre.

En realidad Pieters le había dado trescientos dólares al dueño del local. En otras circunstancias no lo habría hecho. Lo habría arreglado "a su manera", pero no quería que nada enturbiase ese día. Sí, era cierto que le había dicho que Elisabeth era muy buena persona y que la quería mucho y que siendo así, le disgustaría mucho averiguar un día, que ya no trabajaba allí.

Cuando llegaron al colegio había mucho revuelo. Los alumnos que estaban en las cercanías de la entrada esperaban en realidad ver llegar a Marina y a Elisabeth en su pequeño coche y no el enorme Mercury de Pieters. Eso dio tiempo para que Pieters saliese y pudiese abrir la puerta a Marina, hasta que todos se percataron de que era ella y se arremolinaron junto al coche.

¡Marina! ¡Marina!—gritaban— ¡Sales en una revista Marina! ¡Eres una heroína! ¡Hemos salvado la ciudad! ¡Somos unos héroes!

Ni Pieters ni Elisabeth se explicaban eso. Hasta que un niño le dio a Elisabeth uno de los ejemplares del Intrepid@, en inglés, que llevaba en la mano.

Pieters cogió otra revista de las manos de un niño, al que prometió devolvérselo en seguida.

—Elisabeth y Pieters se pusieron a leer totalmente pasmados por lo que estaban viendo.

Elisabeth lloró de emoción al llegar a las viñetas donde su hija Marina, con bata y fonendoscopio (aparato para escuchar el corazón) de médica, examinaba a un niño bombero en la camilla de una ambulancia, mientras otros hacían cola sentados. Marina revisaba sonriente los ojos de ese niño de su edad con un oftalmoscopio (aparato para mirar los ojos). El niño también sonreía, todos lo hacían. Tras ellos podían verse los edificios envueltos en pavorosos fuegos. En esos dibujos Marina volvía a tener lo que para ella era, "el don de la visión". Los dibujos en éste, como en otros muchos casos, eran premonitorios. Elisabeth comenzó a leer a Marina desde la primera viñeta en la que aparecía. Marina sonreía mientras escuchaba. Sí, lo estaba viendo, con total claridad. Marina se sentía feliz, inmensamente feliz y aun se sintió más, cuando se le acercó un niño corriendo y le dijo.

—¡Marina! ¡Marina! Gracias por curarme el ojo. ¡Nunca más volveré a meterme contigo!

Era el niño de la camilla. En la vida real se burlaba de Marina a diario, pero ya nunca más.

El revuelo en el Mission State College era impresionante. El Intrepid@, por razones fáciles de comprender, había llegado también allí y no sólo allí. Los demás colegios de San Francisco y de la bahía, iban en las próximas horas, a recibirlo también. En esos momentos, muchos se reconocían en los dibujos y comenzaban así a vivir la experiencia de una aventura inigualable. En pocos tiempo todos sin excepción y al igual que había pasado en Tarragona, se sentían los salvadores de la ciudad. Se abrazaban y se felicitaban por el magnífico trabajo realizado.

Pieters pasaba las páginas asombrado, una vez más y ya eran muchas ese día. Su instinto policial le aseguró que todavía no se había asombrado lo suficiente y así fue. En la siguiente página apareció, si, apareció, ¿que..?, pues que podía ser, sino el taxi de Tarragona, el mismo taxi, el mismo número. Pero eso no era todo. No, no lo era, hasta que vio el rostro de esa pequeña niña. La última vez que lo había visto fue en 1972. No estaba soñando, aunque lo pensaba. Pieters no estaba soñando. En una cosa tenía razón. Los siguientes acontecimientos en la ciudad iban a estar relacionados con ese taxi, con esa revista, con esa niña, con 1972. Recordó otra cosa, que el alcalde esperaba su llamada.

Parte Decimocuarta

Tarragona 10:20 horas A.M.
Mismo día

En San Francisco era la una de la madrugada Pieters estaba en ese momento en el Golden Gate, junto al taxi.

Los alumnos del Atlas estaban exultantes. Pasada la primera hora, el director pidió a todo el mundo que entrasen en las aulas y se retomasen en serio las clases. El director había recuperado la autoridad perdida y se sentía muy bien. Todo el mundo hizo caso. Conde leyó todo el Intrepid@, Era espectacular. ¡Qué estilo! Ese sólo de guitarra era sencillamente ¡ESPECTACULAR! Por supuesto, a Conde no se le escapaba que el trabajo necesario para confeccionar, imprimir y componer ese Intrepid@ era superior al que dos alumnos de primaria eran capaces de hacer, al menos, con un reloj de veinticuatro horas. Conde sabía que algo tenía que hacer, o todo eso iba a desbocarse. Era una situación compleja. La fachada estaba ya muy rehabilitada. Su traje le quedaba impecable, al igual que él se sentía con ánimos renovados y las notas, así como el comportamiento general de los alumnos habían mejorado y eso en unos pocos días. Estaba convencido que eso tenía que ver con la aparición de la nueva revista Intrepid@ Sin embargo algo le preocupaba, si, se preocupaba por sus alumnos, por su colegio, hasta eso era capaz de hacer de nuevo. ¿Cómo no perder todo eso y averiguar al mismo tiempo por qué estaba todo eso ocurriendo? Presentía que no era posible y mientras pensase así, dejaría que todo siguiese igual.

A la hora del patio, María y Daniel se reunieron con los demás miembros del equipo, estaban contentos. Había sido una noche estupenda y más, viendo como los demás alumnos se divertían. Por primera vez en muchos años no había riñas. No había niños aislados. Había corrillos aquí y allá, reviviendo la aventura. En uno de ellos estaban Nuria y Nicolás, rodeados de los demás niños de ambos grupos de su curso. Reían a carcajada limpia, mientras revivían su aventura a bordo del remolcador contra incendios, el Guardián of the Fire, en la bahía de San Francisco, ciudad la cual, la mayoría de ellos, no podrían ni situar en el mapa.

Prácticamente todos los alumnos del colegio se les acercaron en un momento u otro para felicitarles, darles las gracias y animarles a seguir "salvando el mundo".

María y Daniel eran los más felicitados. Estaban orgullosos. Sentían que su trabajo, sus temores, tenían una recompensa. Por fin había llegado el momento en el que percibían que el mundo comenzaba a cambiar y que tal vez, gracias a ellos y a su magnífico equipo, los niños del futuro serían mejores que muchos adultos.

Lo más curioso es que ese sentimiento se les había ido inculcando desde la aparición del primer Intrepid@. No es que quisieran dejar de ser niños ni de comportarse como ellos, es que veían que podían serlo sin dejar de lado a nadie. Buscando una oportunidad para todos. Cuando reflexionaban así, sí, era para pensar que se habían tragado un diccionario.

A mediodía el comedor era un hervidero de conversaciones sobre las aventuras de Intrepid@. Aun a esas horas había quien se descubría en alguna de las viñetas A pesar del enorme revuelo, salvo la primera hora de clase, el resto se había desarrollado con mayor normalidad que cualquier otro día. El orden y la atención prestados por los alumnos en clase, había sorprendido totalmente al profesorado. Los trabajos y deberes se habían entregado sin excepción y por parte de todos los alumnos. Y lo más llamativo, todos los profesores coincidían en que por primera vez, cada vez que preguntaban algo, la clase se poblaba de manos levantadas pidiendo contestar. ¿Dónde estaba el problema? o mejor dicho ¿dónde habían quedado los problemas?

Los problemas se acumulaban en la centralita. Se acumulaban las llamadas provenientes de distintos y dispares ciudades del mundo. Los servidores del colegio estaban colapsados de mensajes. Pudieron leerse mensajes de petición de envio de más archivos conteniendo la revista Intrepid@ llegados desde todos los rincones del mundo. Llegaban felicitaciones, saludos, abrazos y todo tipo de elogios para todos...Pero, ¿Dónde estaba Luna? Ya os habíais olvidado de ella....Ya, lo que pasa es que con tanto jaleo. A mí me casi me ha pasado lo mismo, a pesar de ser el narrador. Os explicaré lo que pasó.

Justo al llegar al colegio, María siguió la fachada, observó los cambios, si, estaba mejor, sobretodo la bandera, ondeaba.......orgullosa. Abandonó la fachada con su vista y miró por todo el cielo, La Luna estaba allí, donde debía estar, mirándola, de día se veía algo menos. Supo en seguida que Luna no estaría en clase. Luna no había conseguido su sueño, al menos, de momento. Pensó en ese consejo de su madre, al decirle que se debe soñar todo lo que se pueda, sin dejar de tener claro que estás soñando...Durante un rato Luna lo había tenido todo, incluso la capacidad de soñar, pero le había faltado la realidad, lo más importante a tener presente, cuando pretendes soñar. María no se sentía triste, simplemente, María no abandonaba la posibilidad de alcanzar tal vez, el sueño de Luna. María no abandonaba jamás a nadie a quién quería, fuese una persona o un planeta.

A las tres de la tarde los niños volvieron a clase, con una puntualidad impensable tan solo unas semanas antes. En la calle los padres hablaban en grupos y se escuchaban comentarios de alegría por todo lo que estaba sucediendo. Lógicamente los padres de María, Daniel y los demás miembros del equipo, eran los más gratamente sorprendidos y felices por el aporte que sus hijos estaban haciendo al colegio y a sus compañeros. ¿Y Ana? Ana pudo dedicarle poco tiempo a su hermano, entre las clases y lo abrumada que estaba por el apoyo y los elogios de sus compañeros. Tan solo pudo abrazarle en el patio, la única vez que pudo llegar hasta él. Llorosa al comprobar que en las viñetas, su hermano era el conductor del taxi que llevaba a Nuria de aquí para allá en San Francisco. Sergi había podido cumplir su sueño, ser taxista, conducir un taxi, Lo había hecho en el Intrepid@, pero después de leerlo, para él había sido totalmente real. En el patio, por primera vez había estado con los demás, en un corrillo, disfrutando y compartiendo las aventuras de Intrepid@. Era la primera vez que Ana pasaba horas sin tener la imperiosa necesidad de cuidar de su hermano y no les había ido nada mal a ninguno de los dos.

Cuando Elena entró en el colegio con su hijo, faltaban segundos para que el revuelo comenzase. Eran las 8:55, y el primer ejemplar del Intrepid@, volaba ya camino del despacho del director. Los alumnos ya habían entrado, minutos antes de la hora que deberían abierto oficialmente las puertas como cada día, a las 8:55. Elena no pudo acertar a ver de dónde le vino el primer abrazo, y cuando se acabó el primero, vino el segundo, y luego otro, y así más, hasta que con un trocito de lo que le decía uno, y otro de cada uno de los demás pudo hacerse una idea de lo que estaba pasando. Fue entonces, cuando dijo, "pero... ¡Dejadme uno!" Se lo dieron, y allí, entre el tumulto de alumnos y profesores, se vio en las garras del dragón. Se puso a reír estrepitosamente. ¡No te saltes páginas! ¡No te saltes ninguna! ¡Ve al principio!—le gritaban— Elena fue al principio. Se vio en aquel auditorio. Entonces el rictus de su cara se tornó serio. Apretó los labios mientras leía para sí. Todos estaban expectantes, su propio hijo estaba entre nervioso y contento. Cuando acabó de leer su propio discurso, apretó aún más los labios. Las lágrimas comenzaron a brotar de sus ojos y una dulce sonrisa le iluminó la cara. Al tiempo que los demás, aliviados, sonreían y saltaban también de alegría. Elena se sentía tan identificada con esas palabras, que era como….bueno, como si ella misma las hubiera dicho…Si, estaba convencida que las había pronunciado…vamos, no había duda...no…no podía haberla... le sonaban...eran suyas…eran sus palabras…

—¿Dónde están esos chicos?—Dijo finalmente tras un hartón de llantos y abrazos. Se refería a María y Daniel. Cuando los localizó y consiguió llegar hasta ellos, tarea difícil, se abrazó a ellos y les dijo….

—Gracias por compartir un pedacito de esta revista...de vuestra vida...conmigo.

—Gracias a ti, le dijo María. Por un momento—dijo medio en broma y sonriendo—pensamos que no ibas a atreverte.

—¿Cómo sabíais lo de la foto?— preguntó Elena.

—La llevabas en el bolsillo del pijama. La mostraste a todos en San Francisco ¿No lo recuerdas?

A Elena no le salían las palabras. Intentó decir algo más, pero el tumulto la arrastró mientras se contestaba así misma que lo que había leído era real. Qué esa noche, sin que ella lo supiese hasta llegar al colegio, había vivido una aventura trepidante y que negarlo era como negar todo lo bueno que eso le estaba dando, así que, ¿para qué insistir? Tenía muchos problemas, seguían allí, acechándola, pero se sentía feliz. Era feliz, más de lo que lo había sido en mucho tiempo y parecía que mucha más gente también lo era y lo compartían... ¡A la porra con las preocupaciones! al menos, durante esos maravillosos momentos. Se perdió la primera hora como todo el colegio, pero llegó a clase con ánimos renovados. Los alumnos no habían dejado de felicitarla y de animarla por donde pasaba, pero al comenzar la segunda hora, todos se mostraron respetuosos y atentos. La clase transcurrió con más alegría de lo habitual. Se notaba mejor ambiente y así lo corroboraron también los demás profesores.

A las seis de la tarde de Tarragona, eran las diez de la mañana en San Francisco. En el Mission State College del distrito 9 de San Francisco estaba en plena ebullición, un revuelo que iba a recorrer la ciudad completamente.

Parte Decimoquinta

San Francisco 09:20 A.M las 18:00 P.M. en Tarragona

Elisabeth dejó a Marina con los demás compañeros y a cargo de la profesora que se encargaba de ella y que había salido a buscarla preocupada al ver el revuelo que se había montado en la acera. La niña entró sonriente y llevada casi en volandas y en volandas, había descubierto que esa noche, además de ser oculista, había sido la jefa de los servicios sanitarios infantiles de emergencia de San Francisco. Su trayecto hasta y en el colegio estuvo repleto de felicitaciones y de elogios. Era inmensamente feliz.

En el colegio Mission State, al igual que ocurriría en el Atlas, el revuelo iba a impedir que la primera hora de clase se llevase a cabo con normalidad.

Pieters aparcó delante del impresionante rascacielos del Bank of North América. Eran las 10:10 A.M.

Entraron y un empleado les acompañó hasta la cámara acorazada donde se hallaban las cajas de seguridad. Elisabeth nerviosa, con la mano temblorosa, puso la llave en la cerradura, giró la llave y la cerradura se abrió. El empleado extrajo el cajón y lo dejo sobre una mesa al efecto. El interior de la bandeja estaba cubierto por un trozo de tela azul aterciopelado, que impedía ver el contenido. Sobre ella un sobre con un nombre.

Elisabeth

Elisabeth abrió el sobre y esto fue lo que leyó.

Querida Elisabeth.

Estoy inmensamente feliz de que hayas abierto este sobre. Eso significa que tanto tú como el detective Pieters estáis bien.

Han pasado muchos años Elisabeth, perdóname, te lo suplico. Todos estos años, el contenido de esta caja ha estado aquí, esperándote, pero Elisabeth, te esperaba sólo a ti, y a su albacea, el detective Pieters, de otra manera y en otro momento, no hubiera servido de nada.

Tienes que prometerme una cosa Elisabeth. Sé que la cumplirás. Tienes que mantener el contacto con el detective Pieters. Llámale de vez en cuando. Explícale como estás. Cuéntale las cosas del día a día. Eso será una buena señal y si hay alguna mala, él sabrá interpretarla y actuar en consecuencia.

Te deseo y te pronostico un magnífico futuro Elisabeth. Sé feliz.

Marvin 02—09—1979

Entre lágrimas Elisabeth retiró la tela aterciopelada. Dio un brinco y un suspiro de sorpresa. Muchos fajos de billetes de cien dólares llenaban la caja. Eran muchos. También había un sobre para Pieters. Cuando lo abrió, vio que contenía 300 dólares. Pieters sonrió. ¿Qué más podía esperar de aquel mágico día?

La caja contenía en total 36 mil dólares, en billetes de cien dólares, los suficientes para operar a Marina y arreglar algunos males que había tenido que sufrir. Marvin, soltero y sin hijos, había invertido su escaso sueldo en acciones y había tenido suerte. Elisabeth fue otra, desde ese mismo instante, su vida cambió completamente.

A las doce de la mañana, cuatro colegios de San Francisco habían recibido ya vía Internet, el ejemplar del Intrepid@. A la quince horas de San Francisco, seis de la mañana del mismo día en Tarragona, todos los colegios de San Francisco, así como los del área de la bahía, habían recibido y distribuido el ejemplar del Intrepid@. Pero no solo eso. Las manos menudas pero expertas, que habían manejado ese envío masivo, lo habían hecho de forma que se fuese recibiendo paulatinamente en todos los colegios del mundo, a diferentes horas, de forma que el sistema no se colapsase del todo y que a Tarragona le diese tiempo a despertar. Lo siguiente que esa pequeña mano había hecho era distribuir a cada colegio su ejemplar, de forma que los dibujos fuesen diferentes, es decir, que se reflejasen en ellos los alumnos de ese centro en concreto. Todos debían ser héroes y eso incluía la recepción del Intrepid@, en hospitales, centros de acogida y lugares de educación especializada.

Los integrantes del grupo NO DIMENSION, despertaron en su habitación de la torre del hotel Nob Hill en el que estaban alojados. Esa noche tenían concierto, bueno, en realidad, tenían dos, aunque ellos, todavía no lo sabían y tampoco sabían, que ya habían realizado uno en el Marina Green, pero se iban a enterar en seguida.

Su manager entró corriendo y diciendo.

—La ciudad de San Francisco os agradece el concierto que habéis dado esta noche.

Los cinco chicos le miraron con cara de tener delante a alguien que se había vuelto medio loco.

—¿De qué hablas Samuel?

—¡Comprobadlo vosotros mismos! La ciudad lo está haciendo también ¡Ha sido un éxito sin precedentes!

Samuel comenzó a repartir ejemplares del Intrepid@ que había impreso de su portátil, más concretamente de un correo que le había llegado desde Tarragona.

Los chicos estaban absortos en las páginas. De vez en cuando se les escuchaba decir.

—¡QUE PASADA! ¡ES PRECIOSO! ¡NO ME LO PUEDO CREER! ¡ES GENIAL...!

Pero hubo otra cosa que les sorprendió todavía más. La habitación en la que se encontraban era la que según esa revista había servido de alojamiento a Luna y en la que aparecían ella y María, con su caja mágica de maquillaje. Los cuatro se abalanzaron a las escaleras y subieron a la azotea. No, el helicóptero no estaba allí, pero si lo estaban las huellas de los patines en la gravilla.

¡NO PUEDE SER! Se atrevió a decir uno de ellos. Entonces los cinco se abalanzaron para mirar hacia abajo, a la calle. Buscaban el túnel de Stockton, no lo vieron, pero averiguaron la trayectoria hasta el, imaginaron la del helicóptero y sus perseguidores. De lo que no se dieron cuenta, es que al hacer eso, habían borrado con sus pasos las huellas del helicóptero. Al darse cuenta, uno de ellos dijo;

—¿Quién nos va a creer ahora?

—¿Creer? Yo creo que ha pasado, ¿Y vosotros?

—Sí, Sí, claro— respondieron todos.

—Pues entonces, no necesitamos que nos crea nadie más.

Bueno, en eso se equivocaban, la ciudad entera creía y se entregaba a una realidad que a medida que en la ciudad se repartía y leía el Intrepid@ era ya tan imparable como innegable.

Los cinco miraron por toda la habitación. Comprobaron que era tal cual la describía la revista. Uno de ellos cogió un trozo de papel y lo rompió delante de los demás.

—Pero ¿qué has hecho? Sólo teníamos una dirección y ahora la has roto ¿cómo llegaremos al lugar del concierto?

—Yo quiero volver a actuar en el Marina Green y no en el CandleSitck.

—Y yo también,

—Y yo.

—Yo también.

—¿Pero os habéis vuelto locos?— les reprochó Samuel. Hay cincuenta mil entradas vendidas para el concierto de esta noche en el CandleSitck Stadium ¡no podemos decir que no actuaremos allí!

—Pues —añadió uno de ellos, habrá que arreglarlo de alguna manera, porque... Y les enseñó su móvil IHope. En él podía verse claramente como en las redes sociales se pedía abiertamente que el concierto de los NO DIMENSION, se realizase en el Marina Green. Samuel se llevó las manos a la cabeza y uno de los componentes del grupo le dijo.

—No te apures Samuel. También queremos un concierto en Tarragona y cuanto antes.

Despacho Del Alcalde De San Francisco

A las tres de la tarde de San Francisco, el Alcalde de la ciudad, Clemens Loeps, quería hablar con Tarragona, pero eran las seis de la mañana allí, y a pesar de tan temprana hora, el teléfono comunicaba permanentemente. Medio mundo intentaba ya hablar con el colegio Atlas. Habían intentado comunicarse vía Internet, pero un mensaje les advertía que el servidor del colegio estaba colapsado. En ese momento entró en el despacho del alcalde de San Francisco, la llamada del manager de los NO DIMENSION.

—¿Cómo? ¡Oiga me da igual lo que quieran esos chicos! ¡El concierto está previsto en el estadio, y así se hará! ¿cómo? ¿Las redes sociales? ¿El qué? Bien, lo miro.

El alcalde echó un vistazo a las opiniones y comentarios que se vertían en las redes de internet. Al ver el aluvión de demandas para un concierto en el Marina Green pensó, pues van a tener razón esos chicos… ¡a ver que se me ocurre!

Mientras intentaba buscar una solución a ese contratiempo, se propuso averiguar por otra vía ¿qué diantre estaba pasando? Como todo lo que ocurría, acababa relacionado con la aparición de esa revista. Tenía la pieza del taxi de Tarragona en el Golden Gate y la revista que narraba la salvación de San Francisco esa misma noche. Él la había leído. Allí aparecía ese taxi. Aparecía también su hijo Ryan, quien creía que todo aquello había sucedido de verdad, pero es que él mismo estaba empezando a creerlo.

Y para postre John Pieters seguía sin contestar sus llamadas. Volvió a marcar, esta vez con su móvil, porque la centralita estaba colapsada. El teléfono sonó repetidamente, cuando iba a colgar, desesperado de nuevo, Pieters que ya había devuelto a Elisabeth al trabajo tras hacerle depositar el dinero en una cuenta corriente y hacerle prometer que no diría nada a nadie, contestó la insistente llamada del alcalde.

—¡Alcalde! ¿Qué se le ofrece?

—¡John…! ¡John! ¿Qué puedes explicarme de ese taxi?

—Que es maravilloso alcalde ¿No le parece…?

—John ¿Te parece gracioso?

—Bueno...alcalde....a los niños de la ciudad... les parece maravilloso... y usted... es el alcalde de esta ciudad... ¿No?

El alcalde guardó silencio por unos momentos. Pieters siguió hablando, mientras el alcalde se daba cuenta que podía enfocar el problema...¡qué caramba! ¡Pieters tenía razón! ¡Eso no merecía llamarse problema! era, era... tan solo....¡Un asunto!

—Mire alcalde—siguió Pieters— Sí le preocupa el coche, que es lo único que puede preocuparle, si no es solo eso, es que está usted. majareta, Harrelson me ha llamado y me ha dado los datos del concesionario y acabo de hablar con el gerente, no van a presentar denuncia alguna. Se han llevado el coche sin forzar nada, tiene las mismas millas que tenía antes de desaparecer, los accesorios utilizados para convertirlo en taxi han podido ser retirados sin causar daños en el vehículo, y lo que es mejor, el dueño del concesionario me ha dicho, en secreto, que van a volver a montarlos y que esta noche van a dejar la puerta abierta a ver si se llevan otro, porque llevan toda la mañana con el concesionario lleno de gente admirando el taxi y ya han vendido cuatro coches, dos de ese modelo.

—¡No me digas...!—dijo por fin el alcalde.

Y otra cosa aún mejor, dijo Pieters Justo ayer el dueño del concesionario había comunicado a sus nueve trabajadores que tendría que cerrar la próxima semana por falta de ventas y ¡ya no va a hacerlo!

—¡No me digas...!—.repitió el alcalde.

Gracias John, gracias, no sabes cuánto me has ayudado.

—Siempre a su servicio alcalde.......

—¡Bregg...!—gruñó el alcalde al recordar cómo Pieters le había estado evitando.

El alcalde iba a replicarle, al acordarse de las veces que esa mañana Pieters no le había cogido el teléfono, pero no lo hizo, además Pieters había colgado ya. El alcalde colgó el teléfono y sonrió, si sonrió. Pieters le había dado la clave, la ciudad no tenía ningún problema, al contrario, parecía que tenía mucha suerte.

Pieters sonreía mientras conducía su Mercury. Resulta que esa niña a la que vio por primera y última vez en 1972, había vuelto a la ciudad. Pieters se sentía feliz. Sabía que iba a volver a verla de nuevo y estaba convencido que escondía una historia maravillosa.

En el despacho del Alcalde una nueva llamada sonó desde la centralita.

—¿Alcalde?... Bueno el alcalde soy yo... ¿Quién es, Tracy?

—Es el Doctor Pullman, Jefe del Observatorio de Monte Palomar, en San Diego.

—Sé dónde está el monte Palomar, pásamelo.

—Sr. Alcalde...mi hijo...tiene una revista de esas...del Intrepid@, en el colegio, aquí en San Diego... ¿sabe?..

—Pullman...Pullman... ¿No ha llamado usted para decirme eso? ¿Verdad?

—No señor, no...bien...Como usted sabrá, aquí realizamos el seguimiento, de entre otras muchas cosas, los asteroides que puedan suponer un riesgo de colisión con la tierra...y...ayer...había uno, el 2012 DA 14, que esta próxima noche debía pasar muy cerca de la tierra. No suponía ningún riesgo a priori, pero...anoche detectamos cambios en su trayectoria, tras pasar cerca de la Luna....

—¿Y?

—Bueno, esta noche, sin que sepamos muy bien cómo explicarlo, ha variado dos veces su trayectoria. Una para entrar en colisión con la tierra, y otra para alejarse definitivamente de cualquier posibilidad de colisión… y… los dos cambios han sucedido en muy poco espacio de tiempo, exactamente ha habido 160 segundos entre un cambio y otro, según las lecturas del ordenador.

—Vaya… y... yo, como alcalde de San Francisco, ¿qué… qué… que tengo que hacer al respecto? ¿Se me ha olvidado acaso otorgarle las llaves de la ciudad al asteroide?

—No, No señor, Sólo quería comunicarle, que de no haber ocurrido la segunda variación, el asteroide se hubiera estrellado esta misma noche contra la ventana de su despacho.

—¡NO!

—Sí, hubiese impactado en el área de la bahía con absoluta certeza.

—¿Quién más sabe esto Pullman?

—Tan sólo en el Observatorio de la Sagra, en Andalucía.

—¿Y ellos qué dicen?

—Que esas cosas pasan. Que ojos que no ven, corazón que no siente. Que después de ver el Intrepid@, nosotros somos los protagonistas, así que seamos nosotros los que lo comuniquemos como queramos y que luego lo harán ellos siguiendo nuestra pauta, eso sí, sin mentir.

—Gracias Pullman, ha sido usted de mucha utilidad.

El alcalde se quedó pensativo. Si, la ciudad tenía mucha suerte ese día.

Pensando en ello estaba, cuando sonó de nuevo el teléfono, el móvil.

—Clemens....soy Judith.

Judith Llorach era la Jefa de los Servicios de Emergencia de San Francisco, de los reales. Comenzó a hablar a toda velocidad...

—Clemens, he estado revisando todos los partes de emergencia producidos esta noche en la ciudad, de policía, bomberos y ambulancias, entrada en hospitales, comisarías, etc...y..hay...hay...160 segundos en los que no ha habido ni una sola emergencia, ni una sola salida, ni una sola atención médica ambulatoria, 160 segundos en los que no hay nada registrado. Es como si el tiempo se hubiera detenido Clemens. Durante 160 segundos el tiempo se ha parado ¡se ha parado Clemens! la ciudad parece haberse detenido por completo. He comprobado de momento, docenas de cámaras de tráfico, de vigilancia, nada, en esos 160 segundos no hay nada...

El alcalde escuchaba atento, pero como si ya nada pudiera extrañarle, todo iba encajando, para no darle ninguna explicación razonable a lo sucedido esa noche. Bueno, seguro había una explicación y fuese la que fuese, tendría que ser maravillosa.

—Judith...Judith....

—Sí Clemens......

—¿Cuántas personas saben esto?

—Nadie más...yo he recopilado toda la información.

—¿En qué servicio han estado tus hijas esta noche?

—Han estado en la estación de bomberos nº 14 de la calle 26, han hecho un gran trabajo. He visto a tu hijo en un coche patrulla...

—Sí...sí de la comisaría de Mission Street. También estaba muy contento. He hablado con él. Me ha llamado desde el colegio. Están todos tan contentos ¿verdad?..errrr…y por eso… mismo… oye…Judit….

—Dime Clemens…

—¿Podrías olvidar los primeros ciento sesenta segundos de nuestra conversación?

Hubo dos segundos de silencio y tras ellos se oyó a Judith decir.

—Lo siento señora, disculpe, pensé que estaba llamando a otro número, Me he equivocado al marcar. ¡Siento haberla molestado!

Y Judith colgó el teléfono.

—Gracias Judit — dijo el alcalde terminando la llamada.

No quería coger más llamadas. Tenía cientos esperando. Desde hacía unas horas, la ciudad de San Francisco estaba entregada al fenómeno Intrepid@. Necesitaba pensar que fenómeno tan impresionante era aquel que había conseguido que la ciudad girase en torno suyo, sin producir desgracia ni trastorno alguno. Por lo que él sabía, a pesar de los problemas por saturación de internet y los de los teléfonos, salvo eso, todo lo demás había funcionado a las mil maravillas. Los directores de los colegios no sólo estaban entusiasmados, sino que ya ese mismo día habían notado que los alumnos prestaban más atención y estaban más dispuestos a participar. Apuntaban también a que había descendido el número de problemas en los colegios. Lo que estaba ocurriendo desbordaba la capacidad imaginativa de cualquiera, pero él, de repente, era el alcalde de una ciudad que se había situado como centro de atención mundial, por algo que no podía explicar. Sin embargo, era el alcalde, tenía que dar explicaciones, no porque supiera cuales, sino porque la gente, los medios de comunicación, el mundo en general, las esperaban. Se acordó de su amigo John Pieters y pensó, he de explicar que somos una ciudad afortunada ¡Hagámoslo!

En Tarragona, como no podía ser de otra manera, el colegio se hallaba desbordado. Sí que las clases se habían impartido con normalidad, pero no había otro asunto que tratar que el Intrepid@. Si a eso se le añadía que durante la mañana, el resto de colegios de la ciudad y paulatinamente, de todo el país, recibieron, en un momento u otro, su particular Intrepid@, podremos hacernos una idea de cuál era el punto de atención mundial. Sí, el colegio Atlas de Tarragona. Los informativos del mundo entero se hacían eco del imparable avance, de la que ya consideraban "La brisa Intrepid@" o, "Intrepid@Breeze". No había un solo reportero o periodista que no quisiese hablar con María, Daniel, Nuria, Luna o cualquiera de los demás miembros del equipo. Por suerte, la ley de protección de menores ponía las cosas en su sitio. A la mañana siguiente, la calle del colegio y los alrededores, estaban atestados de vehículos de cadenas de televisión y de otros medios informativos. Sin embargo ninguno de ellos tuvo el más mínimo problema para moverse con normalidad, pues la alcaldesa de Tarragona amenazó con expulsar de la ciudad a cualquiera que molestase a alguno de los niños o a sus familias. Pero el comportamiento de todos aquellos medios de información fue ejemplar. No hubo problemas, porque un comportamiento diferente hubiese chocado contra el deseo no solo de unos pocos niños, sino de absolutamente todos, que en ese momento eran ya seguidores incondicionales del Intrepid@. Los medios tuvieron que librar una batalla de control y mesura y la libraron con acierto.

El nombre de la ciudad de Tarragona fue repetido hasta más allá del infinito, en todos los rincones del mundo, radio, televisión y prensa escrita. Ante la evolución de ese gigantesco fenómeno, la alcaldesa de Tarragona, María José Vela acudió al colegio. Eran las seis de la tarde.

Cuando María José Vela entró en el colegio, acababan las actividades extraescolares de los niños. A ninguno le extrañó ver a la alcaldesa en el colegio, es más, lo que les parecía extraño, dado el nivel de popularidad que había adquirido el colegio y la ciudad en las últimas nueve horas, era que no entrase el mismísimo secretario general de las naciones unidas. La Srta. Vela y el director Conde se encerraron en el despacho de dirección.

—¡Eduard! ¡No sé cómo lo habéis conseguido! ¡Ningún otro equipo de marketing habría sido capaz de lanzar una campaña promotora de la ciudad con tanto éxito! He hablado con alcaldes y directores de colegio de casi todo el planeta. ¿Sabes qué Eduard? ¡Todos quieren visitar esta ciudad! Es como si eres el director de un hotel y en pocos minutos te reservan todas las habitaciones durante años. Pero escucha Eduard, de todas ellas, la única que no he podido contestar adecuadamente, ha sido la del alcalde de San Francisco, Clemens Loeps. A pesar de qué hablo bien el inglés, le he dicho que hablase contigo, que yo no era capaz de darle detalles. Ocurre Eduard, que a él, es al único que sí... habría... que darle...detalles, pues en su ciudad el revuelo es comparable al nuestro.

—Está bien, lo haré, aunque, no se...bueno....dame su número de teléfono.

Eduard marcó el número que se mostraba en el móvil de la alcaldesa y puso el altavoz.

El alcalde de San Francisco, Clemens Loeps, cogió el teléfono al vuelo. Esa llamada sí quería contestarla.

—Clemens Loeps, alcalde de San Francisco, dígame....

—Señor alcalde…soy Eduard Conde…director del colegio Atlas, de Tarragona.

—Es para mí un honor hablar con usted señor Conde…Hace unas horas he tenido el placer de hablar con su alcaldesa y he podido mostrarle mi agradecimiento y el de toda la ciudad por el…bien que la distribución de su revista Intrepid@, está causando en nuestra ciudad.

—Gracias señor alcalde. Para mí también es un honor, pero quiero que sepa que el mérito no es mío, es de María y Daniel, son ellos los que han ideado, creado y distribuido esa revista, eso sí, con la ayuda y participación de todo el colegio.

—Sí, lo sé. Hay algunas cuestiones de tipo técnico…difíciles de asimilar. Su alcaldesa en nuestra conversación de hace unas horas, no ha sabido…

—Bueno… yo…—Conde temía esa pregunta y dudaba.

—No, no se preocupe. Puede que esta mañana tuviese dudas. Puede que esta mañana, tuviese muchas ganas de tener más datos, pero hay otros detalles más importantes que puedo ver ahora en las caras de los niños, en su alegría, que se ve en los informativos, en un aire nuevo y más sano que se respira en esta ciudad, y no se me escapa que es debido a esos fabulosos niños de su ciudad… ¿Sabe Conde? teniendo esos detalles, no necesito otros, los doy por buenos, sean los que sean.

—Gracias señor, yo pienso lo mismo, estamos totalmente de acuerdo.

—Mire Conde, la magia que han irradiado al mundo es de una magnitud nunca alcanzada por ningún otro evento. En los próximos minutos voy a dirigirme a los ciudadanos. Me gustaría que estuvieran atentos allí en Tarragona, porque quisiera que en el futuro nuestras dos ciudades estuviesen unidas, como avaladoras de que esos principios que su revista divulga se mantengan siempre vivos

—Se lo agradezco señor. así será. Le paso el teléfono a la alcaldesa.

—¿Sr. Alcalde? Quiero manifestarle mi agradecimiento por sus palabras y decirle que compartimos todas ellas.

—Yo también le pido que esté atento, si le es posible, a las palabras que voy a dirigir a los tarraconenses a las nueve horas locales. Y por supuesto asegurarle, que nuestra ciudad, hará todo lo posible por incrementar las relaciones entre nuestras dos ciudades y que juntas luchemos por un mundo mejor.

—Gracias, estaremos en contacto. Hasta pronto.

—Un abrazo.

El alcalde Clemens Loeps se dirigió a la sala en la que estaban preparadas las cámaras de televisión. Iba a pronunciar en directo un discurso a la ciudad. Un discurso sobre los últimos acontecimientos en la ciudad. Un discurso sobre la aparición de Intrepid@ y también sobre la desaparición de 2012DA14.

Este fue su discurso:

"Sé que muchas caras jóvenes están ahora delante del televisor. Probablemente, más de las que nunca hayan estado interesadas por el discurso de cualquier político. Yo tengo la satisfacción de dirigirme a todas y cada una de ellas, incluso, a todas y cada una de las que por uno u otro motivo, no están delante del televisor o escuchando la radio. La pasada noche, un acontecimiento sin igual en la historia ocurrió en nuestra ciudad. Y ese acontecimiento se repitió en muchas otras ciudades del mundo. El inmenso abrazo de solidaridad de miles de niños y niñas del mundo entero acudió a San Francisco y la salvó de una catástrofe de dimensiones inimaginables. Es posible que muchos piensen que lo que aparece en esa revista no ocurrió en realidad. Yo le reto a que pregunte a esos niños y niñas que aparecen en alguna de sus viñetas y me diga si a alguno no le ha parecido real. Los políticos estamos obligados a ceñirnos a la verdad y lo ocurrido lo es tanto, que ni la misma realidad es capaz de desmentirlo. Por lo tanto, quiero mostrar mi agradecimiento a todos los que esta noche, con valor, entrega y coraje, como policías, bomberos, equipos médicos, han luchado para salvar nuestra ciudad de un riesgo cierto. Pedirles que nunca abandonen ese espíritu que les ha llevado a trabajar codo con codo y corazón con corazón, que lo lleven allá donde vayan, porque el mundo, hoy, se siente orgulloso de ese ejemplo que nuestros pequeños ciudadanos han sabido dar. Quiero también informar, que he tenido el orgullo de hablar con la alcaldesa de la ciudad de Tarragona, así como con el director del IntrepidAtlas, perdón, del colegio Atlas, a quien en vuestro nombre, les he hecho partícipes del agradecimiento de todos los ciudadanos de nuestra ciudad. Mi voluntad, y en ello trabajaremos conjuntamente, es que los lazos entre las dos ciudades se incrementen y como inicio de ello, quiero, en este momento, decirles, que esta ciudad va a hacer todo lo posible, para que esos héroes, María, Daniel, Nuria Ana, Luna, y los valientes pilotos de Águila 1 y Águila 2, nos visiten y podamos en persona, mostrarles el agradecimiento que merecen. Estaremos en contacto permanente con sus padres y con las autoridades de Tarragona para que esto pueda llevarse a cabo ¡Gracias Tarragona!"

En otro contexto, quiero aprovechar para informar que según los observatorios de La Sagra en España y de Monte Palomar en San Diego, la misma noche en que los héroes libraban esa batalla en la ciudad, el asteroide 2102DA14, que orbitaba en aproximación a la tierra, trazó una trayectoria de impacto inminente contra nuestro planeta, la cual, y también durante esa misma noche volvió a variar, alejando finalmente, cualquier posibilidad de impacto contra ella. Cualquier paralelismo o coincidencia que pueda sugerirse al respecto de que ambos hechos estén relacionados o no, yo, como alcalde, dejo al libre criterio de cada cual su apreciación, yo, como Clemens Loeps, ciudadano de San Francisco, digo ¡Gracias a todos! ¡Buen trabajo!

El alcalde de San Francisco se retiró de delante de las cámaras dando un suspiro. Estaba contento, no sabía si su mensaje había llegado bien, pero lo había intentado, sin mentir a nadie. Pronto, los noticiarios en directo, entrevistaron a niños, niñas y también a adultos. Todos estaban encantados y se sentían acreedores de las felicitaciones del alcalde. El criterio mayoritario podría resumirse en que "Si la realidad nos trae cosas buenas, no vamos a ponerle pegas".

Lo que también tuvo repercusión fue el "lapsus del alcalde", al llamar IntrepidAtlas, al colegio Atlas. Desde ese momento, fue internacionalmente conocido como el IntrepidAtlas, sin colegio ni nada delante. Se denominó por siempre así. Lo normal era preguntar ¿a qué colegio vas? y la respuesta más normal entre los alumnos del Atlas era "Al IntrepidAtlas".

En Tarragona, María José Vela, conmovida por las palabras del alcalde de San Francisco, se preparó para dirigirse a sus ciudadanos y al mundo entero, pues estaba en directo para más de doscientas cadenas de televisión. Para sorpresa de todo el mundo, María José inició su discurso de una forma inusual, creativa y sorprendente...

"Esta es la foto de una niña de doce años sentada en la fuente del colegio Atlas. La foto tiene muchos años. Sin embargo, en este último día, hemos podido ver esa imagen en el mundo entero. Esta ciudad es y ha sido siempre una ciudad abierta, y por eso hoy, es la casa de unos héroes legendarios. Me gustaría que todos tuvieseis en vuestra casa, una foto como ésta, sonriendo. Estoy convencida que a partir de hoy seréis muchos más los que la tendréis. Quiero pediros en nombre de esos héroes, María, Daniel y su equipo, que sigáis sonriendo. Que repartáis sonrisas a todos aquellos que por cualquier motivo les cueste hacerlo. La revista Interpid@ ha dado al mundo entero una herramienta única en la lucha contra la discriminación, contra la desigualdad, contra la marginación, contra el acoso a otros. Un grupo de niños han mostrado a todos que una idea puede mover montañas. Todos hemos escuchado alguna vez esta frase, pero pocas veces como ahora, podemos comprobar tan claramente que es real.

La ciudad de Tarragona, cuna de este impresionante movimiento, está dispuesta a mantener vivo ese espíritu y a trabajar para fomentarlo, codo a codo, como ellos han hecho con otras ciudades. Por petición expresa del alcalde de San Francisco, quiero expresaros su agradecimiento, a todos los equipos llegados allí desde Tarragona, Reus, Salou y otras poblaciones de esta comarca, en la noche en que la que juntos, niños y niñas del mundo entero, comandados por un grupo de niños ciudadanos de Tarragona, salvaron la ciudad de San Francisco.

Sólo una cosa más, si alguien me pregunta ¿dónde queda la realidad? Le contestaré que busque una foto suya de cuando era niño, la respuesta está en ella ¿O es que alguien es incapaz de soñar?, También quiero confesar, que creo firmemente en los Reyes Magos, en Papá Noel y en el Ratoncito Pérez."

Al día siguiente, las cercanías del IntrepidAtlas estaban llenas de vehículos de cadenas de televisión y de otros medios de comunicación. La verdad es que en ningún caso molestaron a los niños. Se limitaron a grabar imágenes, emitir comentarios y a entrevistar a niños y niñas que acudían felices al colegio de moda en el mundo. Todos sin excepción, reconocían que habían participado en el Intrepid@ y que habían ayudado. En cierta forma, eso contestaba a la pregunta de cómo dos niños habían sido capaces de realizar semejante tarea. En seguida aparecieron declaraciones del director y de profesores que afirmaban haber "participado activamente en el proyecto Intrepid@", es decir, que si sumabas a quienes decían "haber ayudado" a los que decían "haber participado", podría incluso sobrar gente, pero esa forma de respuesta como "secretamente pactada" dejaba pocas dudas, sobre la capacidad de realización de semejante tarea.

María miró la fachada y como el día anterior, siguió con su mirada la pared hasta el cielo y encontró a la Luna. Saludo a los cientos de personas que tras las vallas de seguridad instaladas por la policía le saludaban, aclamaban y pedían autógrafos. Firmó algunos, pero sus padres le habían dicho. "Lo importante es el colegio, tu siempre has sido puntual, no te entretengas por nada ni por nadie, tu futuro sigue estando en ese colegio. Eso no va a cambiar." Así que entró en el colegio como cualquier otro día. Daniel hizo lo propio, se sentía como una estrella de Hollywood, pero ahora, no le apetecía abandonar la senda de puntualidad que se había establecido aquel mágico día de enero. Los demás miembros del equipo siguieron el mismo camino.

Elena no había dejado de sonreír desde el día anterior y eso que acababa de ver el saldo negativo de su cuenta corriente. Al entrar le avisaron que tenía una llamada.

Es de los Estados Unidos, le dijeron. Eso hace unas semanas habría sido tomado como una broma pero ese día no resultaba para nada sorprendente. Desde que se había recobrado la normalidad en las redes telefónicas y de Internet, las llamadas desde cualquier lugar del mundo eran ya habituales. Elena contestó a esa, pensando que sería algún medio de comunicación al que le pediría amablemente que llamase en otro momento, pues iba a iniciar la clase.

—Dígame,

—Buenos días, soy Frank Wells, presidente de Softwells Corporation.

—Vaya... ¡usted es...!

—Sí, soy la persona con la que Ud. habla en el Intrepid@.

—Es...es...es... una alegría...hablar con usted...

—Bien, para mí es una suerte, puesto que ayer lo intenté durante todo el día y a pesar de ser el propietario de una de las empresas tecnológicas más importantes, no lo conseguí.

—Pues....lo siento...es que...esto, ha estado...muy colapsado.

—No pasa nada, es más, ha sido mejor así.

—¿Mejor?

—Sí, le explico. Sus palabras me impactaron, como a todos los que estaban allí, quiero decir, salían en el Intrepid@, bueno, que la oyeron, que la leyeron, perdón, no sé muy bien...

—Le comprendo, a mí me pasa lo mismo ¿sabe? Me he facilitado las cosas. He decidido creer totalmente que estuve allí ¡No me avergüenzo de ello! Hay tanta claridad, ahora mismo estoy escuchando su voz y....la conozco, la escuché esa noche, no son tan sólo dibujos.

—Tiene razón, a mí, perdón, ¿puedo tutearte?, al fin y al cabo, yo estoy caminando entre los cuarenta y tú, debes haber pasado ligeramente los treinta.

—¡Ja! ¡Ja! !Ja! no, estoy bailando en los cuarenta y no bailo mal.

—Como te decía, tu voz me es tan familiar…bien, sólo por eso, vale la pena hablar contigo, pero hay más.

—¿Más?

—En la empresa llevamos mucho tiempo intentando desarrollar un programa que se guíe por los sentimientos de las personas, pero estos son tan numerosos y variados, que…Sin embargo, tus palabras esa noche, esa noche soleada, han sido como una luz para nuestro equipo de trabajo. Hemos podido comprender que todos los sentimientos, independientemente de su naturaleza, están gobernados por el estado de ánimo. La explicación estaba allí, al alcance de nuestras manos. Tú forma de exponerla, tan real, tan sincera, tan biográfica, nos ha abierto la puerta que tanto tiempo queríamos y no podíamos abrir. Es para mí un honor poder anunciarte, que gracias a tu discurso en nuestro auditorio de San José, hemos hallado la clave para la elaboración de un programa informático capaz de transmitir sensaciones y percepciones a través de imágenes.

—¿De veras…?— dijo Elena mientras intentaba hacerse a la idea.

—Sí, es muy sencillo, o al menos, gracias a tus palabras, ahora sabemos que lo es. Imagina que tienes la imagen de un bonito valle en la pantalla de tu PC, tablet o en la de tu iHope. Gracias a este programa tú podrás enviar esa foto y conseguir que la persona que la reciba, la vea exactamente como es, en toda su majestuosidad. Si esa persona está atravesando un mal momento, tú podrás infundirle ánimos y hacerle ver esa imagen real, al margen de cómo ella se sienta, es decir, le transferirás tu visión de esa foto.

—Pero…pero ¿y si soy yo, la que estoy baja de moral…?

—Entonces no podrás hacerlo, el sistema detectará a través del ratón, o simplemente al tacto del dedo tu estado de ánimo, según la temperatura, la vibración y los latidos y al mismo tiempo, si tú tienes activada la opción, distribuirá un mensaje de petición, digamos de apoyo, para que tú seas receptora de ese tipo de imágenes provenientes de otras personas.

—Pero, pero...eso…eso ¡ES MARAVILLOSO!

—Lo es, pero hay más.

—¿Si…?

—Creemos que el programa estará listo para su distribución y venta en los próximos tres meses, o sea, antes del verano, para que la gente pueda después transmitir sus fotos de verano, de vacaciones, de viajes, de fiestas, de lo que sea. Vamos a hacer una gran campaña de promoción y lanzamiento y…dado que tú, con tu discurso, nos has desbloqueado la clave para su creación, pensamos que es justo que seas tú la imagen publicitaria de esa campaña y del programa en sí.

—No. No sé…que decir…me pilla…

—No tienes que decir nada ahora. Voy a viajar a Tarragona la próxima semana y entonces podremos hablar del tema. Además, creo que estas soltera, como yo, y me gustaría, si no te importa, comprobar eso de lo bien que bailas los cuarenta.

—Será un placer…me refiero a hablar…bueno…a lo otro…también….

—Perfecto, cuento con ello, ya lo hablaremos en Tarragona, ¡Ah....! ¡Otra cosa! Te dije en aquella ocasión, que tendría en cuenta tus palabras y así lo haré. Quiero que sepas que vamos a dedicar el diez por ciento de los beneficios a planes de desarrollo en países necesitados, creación de escuelas, hospitales, vacunación, etc.

—Estoy...abrumada...

—Reponte Elena, te quedan algunas sorpresas más por conocer. Y perdona, se me olvidaba decirte el nombre del programa, se llamará LNA, son las siglas de "Life is not away". Este programa pretende acercar la hermosura de la vida a aquellos que piensen que les es ajena, que sienten que la vida les deja de lado.

—Me parece...no tengo palabras...

Eso fue sólo el principio. La irrupción de Softwells, no se limitó a la creación de ese programa. Frank Wells había captado la capacidad de ese nuevo movimiento mundial y estaba dispuesto a que llegase a todos los rincones de la tierra. Durante los meses siguientes, Softwells abrió una gran tienda oficina en Tarragona, la segunda más importante después de la de San Francisco. Suministró gratuitamente el nuevo y ultramoderno sistema informático al colegio Atlas y dotó a todos los colegios de la ciudad, de pizarras digitales interactivas, para todos los cursos. Con la licencia de los padres de María y Daniel, así como con la del colegio, se creó un programa informático, denominado Intrepid@, que conectaba todos los colegios del mundo adheridos. En ellos, siempre con el control de adultos, los alumnos intercambiaban opiniones, solicitaban apoyo para solucionar problemas y preocupaciones e incluso, se ayudaban mundo a través, en la preparación de exámenes y deberes. Fue una herramienta con la cual, ningún niño del mundo podía sentirle solo y aislado. Quien solicitaba ayuda la obtenía desde cualquier lugar del mundo. La herramienta fue muy útil también en el aprendizaje de idiomas y muchos niños, casi sin pretenderlo, pudieron pronto iniciarse en el aprendizaje de otros idiomas. La Callea emprendida por Intrepid@, no tenía límites. El colegio fue plenamente restaurado. Los ingresos del mismo habían crecido en la medida que la marca Intrepid@ y Atlas, eran permanentemente solicitadas en el mundo entero. Intrepid@ se convirtió pronto en cromos, álbumes, tazas, platos, mochilas, ropa, zapatillas, juegos para consolas, además de otros cientos de productos, además de por supuesto pijamas. A la hora de conceder los permisos y licencias, María y Daniel tuvieron muy clara una cosa, que era fundamental que para la confección de esos objetos, se tuvieran en cuenta los bocetos que los niños enviaran a las casas fabricantes. De esta forma decían, todos los niños participarían de una forma u otra, al igual que los habían hecho en aquellas fantásticas noches de aventura.

En semana santa todo el equipo comandado por María y Daniel, así como Ana y familias, fueron invitados a viajar a San Francisco con motivo de varios actos de celebración. Ya en el aeropuerto de San Francisco les recibió una gran multitud. Por descontado, María, Daniel y Nuria, se alojaron en la esplendorosa habitación del hotel de Nov. Hill, en la que se había alojado Luna. Mientras, sus familias, lo hacían en las habitaciones del piso inferior. En los días siguientes, estuvieron en todos los lugares que aparecían en el Intrepid@, subieron en tranvía, les recibieron con honores en el Pampanito, pero el acto más emotivo fue la inauguración de un monumento junto al Marina Green. En ese acto, conocieron a Marina Anders, felizmente recuperada de su operación. Marina podía ver y llorar. Lloró de emoción al abrazar a esos chicos de Tarragona, especialmente cuando abrazó a Nuria. Sintió, sin saber muy bien porqué, que aquella niña lo era todo para ella, que aquella niña le había devuelto la posibilidad de algo que siempre había deseado, verse sonriendo en un espejo. Lloró y lloró de emoción, mientras le daba las gracias una y otra vez. El monumento en bronce, representaba a un grupo de niños, entre los que estaban María, Daniel, Nuria y Marina, con los uniformes de los equipos de emergencia y mirando hacia delante, hacia el futuro. En la leyenda, al pie del monumento, se leía.

"San Francisco a los héroes de la soleada noche del día 15 de febrero"

El alcalde les explicó en ese maravilloso lugar, como se había resuelto el problema del concierto de los NO DIMENSION, se veía obligado a repetirlo una y otra vez, pero estaba encantado de hacerlo, bien;

A pocas horas para el concierto, se anunció que el ayuntamiento instalaría una pantalla gigante en el Marina Green, para que todos aquellos que quisieran ver el concierto desde allí pudieran hacerlo. De igual forma se informó, que por motivos "de desplazamientos", solo actuarían tres miembros del grupo en el CandleStick Stadium. Aquellos que quisiesen la devolución del importe de su entrada, a pesar de que fuesen a asistir, podrían solicitar la devolución y se les reintegraría totalmente. El importe de las entradas de las que no se pidiese la devolución, se donaría al Hospital Infantil de San Francisco. El concierto se inició como estaba previsto a las veintidós horas, en ambos lugares simultáneamente. La sorpresa de todos vino cuando en uno de los escenarios, aparecieron dos de los componentes del grupo. La música comenzó a sonar y ellos a cantar pero ¡Cantaban los cinco! Al momento apareció detrás de los dos componentes una pantalla gigante, donde sobrepuestos y con imagen y sonido en directo, aparecían los tres miembros del grupo que estaban en el otro escenario, de forma que lo que podía ver el público era a los cinco juntos en cada uno de los dos escenarios.

La vida de muchos niños estaba cambiando y con ello el mundo entero. A pesar de todos los viajes, actos de celebración, homenajes, entrevistas, etc., los niños acabaron el curso con magníficas notas. El Atlas recuperó su orgullo y su alto nivel educativo, mientras su nombre se transformaba ya en IntrepidAtlas. Lo mismo ocurrió en otros muchos colegios. Los colegios del mundo entero preparaban numerosos intercambios, aunque las más solicitadas fueron Tarragona, San Francisco y Vancouver, por ese orden.

La ciudad de Tarragona comenzaba ya a trabajar en el gran proyecto Intrepid@. Una ruta turística mostraba los lugares donde se había desarrollado la entrega del Intrepid@ del 25 de enero. Tuvo tanto éxito que los turistas pedían más, así que, el ayuntamiento, preparó tres Cadillac de los años treinta y un taxi amarillo, que salían varios días por semana a las calles, y podía ocurrir a cualquier hora. En los Cadillac había varios actores que se hacían fotos con los turistas y les daban bolas de queso. Los turistas buscaban por toda la ciudad. En el taxi amarillo actores haciendo el papel de Nicolás, María y Daniel, pero el premio que perseguían todos los turistas era encontrar el jeep blanco de la ONU porque siempre estaba escondido y era muy difícil de encontrar, pero cuando los niños lo encontraban, les daban golosinas azules, o unos sabrosos carquiñolis de Tarragona, además de otros regalos. El Fortín de San Jordi iba a convertirse en el centro museo Intrepid@, donde podría encontrarse toda la información sobre este fenómeno, sus personajes, los lugares y sería también el lugar donde se recopilarían los datos e informaciones provenientes del mundo entero. La bandera del colegio Atlas ondearía en el fortín junto a la de la ciudad. El puerto cuadruplicó en semanas el número de solicitudes para el atraque de cruceros y es que todo el mundo quería ver aquel puente. El aeropuerto incrementó notablemente sus viajeros y no era extraño ver a Vanessa, que pronto mejoró sus conocimientos de idiomas, sentada con un gran número de niños alrededor, que le preguntaban, por ejemplo, si se le había dormido algún avión en los brazos.

Tal vez lo más importante fue la creación de la fundación Intrepid@, en la que María y Daniel, como presidentes junto a sus padres, pusieron el mayor empeño. Las cuentas corrientes de ambos sumaban ya cifras escalofriantes, aunque ellos no lo valoraban, pero sabían lo que querían y podían hacer, y lo hicieron. Multitud de proyectos de ayuda en el mundo entero. Eso les llenó más que cualquier otra cosa

Parte Decimosexta

Vancouver (Marzo)

Christine era profesora en el colegio Brooks, el primero que recibió en febrero una copia exclusiva del Intrepìd@. Al mismo tiempo que en el Mission State College de San Francisco. En el mes de marzo Vancouver estaba a quince grados bajo cero. Las escuelas funcionaban, pero al límite de cierre por frío y nieve. Llegaban las vacaciones primaverales que este año serían del 18 de marzo al 1 de abril. Christine se disponía a coger la línea milennium del metro para volver a casa en Lake City Way. Esa noche se fue muy tarde a casa. Las vacaciones llegaban y había que dejar todo listo. Eran las diez de la noche cuando salió del colegio. Camino por un parque cercano para ir a la estación, en un banco había una niña sentada A Christine, acostumbrada a tratar con niños, le extraño que una niña de esa edad estuviese allí a esas horas y le preguntó.

—Hola ¿qué haces aquí tan sola? ¡Hace mucho frio!

—Te estaba esperando.

—¿A mí? Bueno, la verdad, no hay nadie más por aquí a esta hora. ¿Cómo te llamas? ¿Y qué edad tienes? ¿Para qué me esperas? ¿Te has quedado sola? ¿Necesitas ayuda?

—Me llamo Nuria, tengo ocho años y no, no necesito ayuda.

—Nuria, no parece un nombre de aquí ¿quieres que llame a alguien?

—No, no soy de aquí. Soy de una ciudad de Europa. Y ya encontré a quién buscaba, gracias.

—Pero ¿dónde vives? ¿Dónde está tu familia? ¿Cómo has llegado hasta aquí? Vamos, no podemos estar mucho tiempo aquí paradas, hace mucho frío, llamaré a la policía.

—¿Tú conoces a algún ángel Christine?

—¿A… algún…ángel…?

—Yo conozco a uno, es una niña de mi edad.

—Buen...no... sí…

Christine cerró el móvil y se puso a pensar, a pensar en su hermana Geneviève.

—Sí…sí… conozco a uno…sí...se puede…..decir…así. ¿Pero, qué pregunta es esa? Debemos estar casi a veinte bajo cero ¿Cómo sabes?..¿De dónde vienes?… ¿Y quién eres…?

—He venido a decirte que ese ángel que conozco y que tú también conoces quiere decirte, que si algún día lloras por ella, que la busques en el cielo.

Nuria comenzó a alejarse. Christine estaba paralizada por la confusión.

—Adiós Christine Troubert.

—Un momento. ¿Cómo sabes mi apellido?..¿Cómo sabes lo de…?

—Me voy a Tarragona. Te gustará. También le gustó a él, muy buena persona, como lo fue nuestro ángel... ¡Hasta pronto Christine!

—¡No te vayas! ¡espera!..¡no puedes!… ¡Déjame que te acompañe!

—No Christine gracias ¿Ves ese taxi de allí? Va a llevarme de vuelta a casa. Y Nuria subió en el taxi de Tarragona, luego en el osito violeta y en seguida estuvo en Tarragona. Como siempre que volvía de uno de estos viajes, entró en casa con su osito bajo el brazo y se puso el pijama. Su madre ya la había escuchado y le preguntó.

—¿Qué te pasa cariño? ¿No puedes dormir?

—No puedo mamá. No he tenido una pesadilla.

—Que no la has tenido, entonces, ¿Por qué no duermes?

—Solo quería beber un poco de agua. ¿Sabes? Hace mucho frío allí fuera…

—¿?...Pues vuélvete a meter en la cama o lo cojeras tú.

—Si mamá.

Cuando Christine llegó a casa se metió en seguida en la cama. Buscaba la complicidad de la almohada para pensar en todo aquello. Esa niña, el ángel, el taxi, Tarragona, todo era tan familiar. Tenía la certeza que a esa niña, a esa ciudad e incluso a un taxi como aquél, los había visto juntos en alguna parte, pero ¿En cuál? Christine se durmió pensando en ese ángel. Durmió fenomenalmente y cuando despertó, lo primero que le vino a la cabeza fue ese ángel suyo. Desayunó y salió hacia el colegio recordándola, Sonreía, tenía la sensación de que la aparición de aquella niña era una buena señal, no podía ser de otra forma, pues ella se encontraba mejor que nunca. Cuando llegó al colegio preparó algunas cosas urgentes y al hacerlo, removió los papeles. Allí apareció, lo supo en cuanto lo vio. Era uno de los ejemplares del Intrepid@, que habían impreso el dieciséis de febrero. Lo cogió ¡Allí estaba esa niña! ¡Allí estaba también ese taxi! la revista estaba editada en Tarragona. Al igual que en otros muchos lugares, el Intrepid@ causó furor en Vancouver y ella misma podía confirmar, que la diferencia en el comportamiento y rendimiento de los alumnos, se había visto claramente beneficiado desde la aparición de aquella revista. Lo revisó completamente. La ciudad de Tarragona, le sonaba de antes incluso de verla en la revista, pero, ¿por qué? Se puso a buscar. No paró hasta que lo encontró. Era una copia impresa por ordenador del nº 01 del Intrepid@ Lo ojeó. Allí estaba esa fortaleza. La había visto en alguna otra parte, era como una especie de castillo. Hubo...tal vez...una parte de la historia de su familia.....sí...sí, era eso. Eran recuerdos de familia, aunque muy antiguos. Llamó a su hermana menor para ir a visitarla al acabar las clases. Ella no conoció a Geneviève, pero guardaba algunas cosas de sus antepasados y tal vez podría ayudarle. Christine no dejo de sonreír en toda la mañana, y a medida que pasaban las horas, más certeza tuvo que volvería a ver esa niña y a través de ella, tal vez...también...a su ángel.

Su hermana Charlene la estaba esperando junto sus sobrinas. Lo primero que hicieron ellas, fue enseñarle el ejemplar del Intrepid@ donde aparecían. Una como bombero del cuerpo de bomberos de Vancouver y la otra como médica del mismo cuerpo. La verdad es que aparecían en varios dibujos y a pesar de estar siempre sonriendo, el panorama de incendios que se les presentaba detrás era para llorar, de no haberse tratado de un comic. Christine no le explicó nada a su hermana sobre la niña que se había encontrado el día anterior en el parque, al menos, no hasta comprobar lo que sospechaba.

—Estos documentos son del S. XIX. Papá me los dio al ser la primera en tener descendencia, quería asegurarse de que nos trascendiesen. Era el único de la familia que quería preservarlos. Él decía que era muy importante, porque algún día se aclararían las duras circunstancias por las que atravesó un antepasado nuestro.

—¿Sí?.. ¿Quién?

—Se trató de Louis Troubert. Vivió en el siglo XIX. Una persona muy culta. Era capitán en el ejército cuando estaba a las órdenes de un temerario emperador que se propuso la conquista del mundo entero. Louis era un gran estratega y magnífico organizador. Llegó a tener un puesto muy importante en la alcaldía de Paris. En realidad, él era matemático. Debido a su conocimiento sobre la organización y funcionamiento de las ciudades y su capacidad para llevar las cuentas de estas, el emperador decidió que fuese él quien se encargase de reorganizar las ciudades conquistadas. Al parecer después de organizar algunas en el sur del continente, le enviaron a una pequeña ciudad de la costa mediterránea catalana. El jamás había disparado un tiro, y a pesar de la animadversión inicial de los ciudadanos, siempre conseguía ser apreciado por ellos. En esta ciudad, que parece ser se llama Tarragona, Louis se encargó entre otros cometidos, de la organización escolar. Según dice la leyenda, estando en ello consiguió disuadir de seguir con sus robos a un grupo de niños que se dedicaba a sustraer alimentos y materiales a las tropas. Llegó a un trato con ellos y a cambio les proporcionó un lugar donde dormir y cobijarse. Pero el gobernador averiguó que estos niños seguían robando a pesar del trato y ordenó que los matasen, se lo encomendó a Louis y a varios oficiales. Siempre según dice la leyenda, las tropas invasoras a las que pertenecía, se prepararon a marchar pues iban a ser expulsadas de la ciudad y debían abandonarla en horas... Louis fue a ver a los niños con intención de perdonarles, pero estos le chillaron y le insultaron, amenazándole con acudir al gobernador y denunciar que siempre les había ayudado en los robos si no les entregaba parte de la comida y las joyas que los soldados "dejarían abandonados", en la atropellada huida.

Louis, sabedor que aquellos niños conocían muy bien la ciudad y sus túneles, les creyó capaces de encontrar al gobernador en su huida y contarle esa falsa historia. Los encerró en un fortín lleno de explosivos y...

—¿Y qué?

—Los mató a todos, una docena.

—¡No! No puede ser...por...por eso nunca se ha hablado de ello. Siempre fue un tema tabú, ahora comprendo... pero... como...

—Es una leyenda Christine... tan sólo una leyenda... nadie tiene ninguna prueba de que eso ocurriese así... Es más, hay quien dice que él pretendía salvarles.

—Pero...pero... que fue de él...que dijo... que explicó...

—Nada, desapareció, no explicó nada Christine... ¿Acaso murió allí mismo...?

—A su ciudad natal llegaron años después relatos de que un paisano le disparó intentando sin conseguirlo, evitar que Louis cometiese la matanza, pero como todo lo demás, solo fueron conjeturas....No se sabe cuándo, nunca más se supo de él. Los demás soldados supusieron en principio, que fue muerto en los combates, pero nadie volvió a saber más de él. La tesis de una posible huida dio veracidad, también, a las opiniones que le condenaban.

—¿Alguien le vio? ¿Fue alguien testigo de lo sucedido?

—Las crónicas de entonces dicen que algunos niños consiguieron huir y que pasados algunos años, estos relataron que fue Louis quién se encargó de la ejecución.

—No me lo puedo creer...

—La guerra es muy mala Christine. Es lo peor que hay. Confunde las mentes...

—¿Insinúas que esa leyenda es cierta?

—No, pero ya en el S.XX, la familia intentó localizar a Louis y verificar la leyenda. En 1963 visitaron incluso, esa ciudad. De esa visita es esta foto. Les trataron bien, pero los habitantes de Tarragona también creían, aunque con alguna excepción, que Louis fue culpable. Nunca se pudo demostrar que no lo fuera. Los tarraconenses les ayudaron, comprobaron los sepelios de aquellas fechas, los archivos de restos hallados, pero ni rastro de Louis... Así que la familia regresó, aunque algo más compungida.

Christine comprobó aquella foto de 1963. Aquel edificio era una Fortificación, pero, había algo más. Christine arrancó el trozo de la página del Intrepid@ donde aparecía el dibujo del edificio, la sobrepuso sobre la fotografía y... coincidían plenamente. Tenían exactamente la misma escala. La ventana de la esquina que aparecía en ambas se sobreponía con total exactitud. Era como si quien hubiese realizado el dibujo, hubiese tomado como modelo justamente esa fotografía. Ambas se quedaron estupefactas.

—Esa leyenda está equivocada Charlene, Louis no mató a nadie.

—¿Cómo lo sabes?

—No lo sé, pero voy a averiguarlo.

—Eso ocurrió hace doscientos años Christine ¿No sería mejor olvidarlo? Nosotros ya no tenemos nada que ver.

—No Charlene. Tengo vacaciones y me voy a Tarragona.

—A Tarragona, ¿A qué?

—A averiguar la verdad.

—Pero ¿Por qué? Louis murió hace doscientos años.

—Por el Charlene. Por él. Está muy vivo. Toda nuestra familia desciende de él.

Parte Decimoséptima

El diecinueve de marzo Christine cogió el vuelo directo Vancouver—Reus de las 15:30, llegaría a Tarragona aproximadamente a las seis de la mañana del mismo día.

Al llegar al aeropuerto, tras un pequeño retraso de media hora, puesto que el aeropuerto de Reus estaba muy solicitado, le llamó la atención el ver a cuatro niños, escuchando atentos en una pequeña sala acristalada, las explicaciones que les daba una de las empleadas del aeropuerto, mientras los padres esperaban. La cara le resultó enseguida familiar. Claro, era la Vanessa del Intrepìd@. Eran poco más de las siete de la mañana y ya había niños escuchando la historia de Intrepid@. Acababa de llegar a Tarragona y pronto se dio cuenta de la importancia de ese fenómeno en aquella ciudad. Bueno, pensó, tal vez yo tenga suerte y pueda conocer a los protagonistas, incluso, conseguir el autógrafo que le habían pedido sus sobrinas, además de camisetas, tazas, bufandas y todo lo que tuviese que ver con Intrepid@. Subió al taxi y por supuesto, llevaba aquella leyenda en los costados. "Vagis on vagis, arribar et costará molt poc". No sabía que significaba, pero era Intrepid@ total. Al entrar en la ciudad el taxista le preguntó: ¿Quiere usted llegar al hotel por la ruta Intrepid@, o por el camino más corto? Aunque en su caso, son más o menos iguales"— contestó ella.

—Pero ¿hay una ruta Intrepid@?

—¡Claro! Hubo que hacerla. El mundo entero la pedía. Aunque estamos todavía acabando de organizarla. Todo ha sido muy reciente.

—De acuerdo iremos por ella.

El taxi entró por el puente del río Francolí y descendió a la ya famosísima Avenida de Vidal y Barraquer. Christine se pegó a la ventanilla. Si, era tal cual la habían dibujado. Imaginó el concierto y lo vivió, la pantalla gigante……entendió a aquel gran número de personas que se encontraban visitando cada uno de aquellos lugares. Después pasó por el puerto y vio ese puente levadizo, los cañones, la grúa, los Fortinnes, todo, era como si lo hubiese vivido. Cuando llegó al hotel estaba fascinada por cómo le había llenado esa experiencia. Se registró, se duchó y descansó un poquito después de colocar su ropa en los armarios. Había desayunado en el avión, así que se cambió y a pesar del Jet Lag, se dirigió hacia su primer destino en la investigación. El colegio Atlas.

Eran casi las diez de la mañana cuando el taxi la dejó en la puerta del colegio. No pudo dejar de sorprenderse, por el gran número de personas que se fotografiaban en la fachada del colegio, grupos enteros. Todavía quedaban vehículos de medios de información pero en realidad, llegaban unos y se iban otros. El colegio le pareció bastante modesto, (aunque iba a dejar de serlo, al menos en medios, en muy poco tiempo).Cuando llamó al timbre le pareció que pretendía acceder a la Casa Blanca, pues le hicieron un completísimo test antes de abrirle la puerta. Eso sí, la persona que le atendió al entrar, le trató de forma exquisita, además de en un perfecto inglés, aunque, le volvió a preguntar a quién venía a visitar. Le rogó que esperase sentada en una silla, mientras llamaba a la persona con quién quería hablar. Christine sabía que las personas de ambientes mediterráneas eran muy alegres y abiertas y le pareció que era muy cierto, pues aquel lugar, con tanta luz, le puso todavía de mejor humor. Solo veía gente sonriendo de aquí para allá, en un colegio, que también en lo que respectaba a su interior, era espartano, pero muy acogedor.

Un hombre de unos entre los cuarenta y los cincuenta años de edad y muy elegante, bajó de forma atlética las escaleras. El pelo engominado, americana y pantalones a juego y con una bonita y desenfadada corbata azul con topos blancos.

—¿Sra....Srta....Troubert?

—Sí, y usted debe de ser...

—Soy Eduard Conde, director de este colegio. Es un placer que nos haya venido a visitar.

¡Caramba! además habla inglés, se dijo ella.

—En que puedo ayudarla Srta. Troubert.

—Christine...

—¿En qué puedo ayudarla Christine?

Christine le explicó por encima lo que había averiguado.

—Sí, algo hay de esa leyenda—le contestó Conde—Pero si quiere que le diga la verdad, pienso que la gente ya la tiene un poco olvidada. Aunque no sé muy bien por qué me lo pregunta a mi Srta. Troubert. Ni yo, ni en este colegio, disponemos de información sobre ello. Aunque, me parece que será difícil encontrar algo en algún otro lugar, los saqueos, la guerra...

—Por favor, tutéame...

—De acuerdo....Bien, por lo que me han explicado, todo sucedió un 13 de agosto de 1813. La ciudad estaba destruida totalmente, hubo muchos muertos y muchos niños desparecidos ¡a montones! Jamás buscaron a esos niños. Es cierto al parecer, que los niños fueron encerrados en el fortín, pero nunca se encontraron sus cuerpos, ni se supo más, aunque es cierto también, que para cuando alguien se preocupó de ellos, lo más probable es que los restos hubiesen sido retirados y diseminados o lanzados al cercano mar por la cantidad de gente sin techo que estuvo viviendo en los Fortines debido a la destrucción de sus casas y de la ciudad entera. Si te sirve de consuelo te diré, que hubo quién dijo que los niños habían finalmente huido e incluso que se los habían llevado los invasores en su marcha, pero como te digo, nada del cierto se sabe. Los testimonios fueron de niños una vez se hicieron mayores, pero no recordaban mucho y nadie les tomó realmente en serio. Puede que también influidos por el sentimiento de culpabilidad de no haberles buscado. No sé, es posible que en algún caso alguien creyese, que era mejor echar la culpa a quien no pudiera defenderse y limpiar de esta forma, en algo, la propia responsabilidad, no sé...además, en este colegio no tenemos relación con esos hechos, no es aquí donde se recopila ese tipo de informaciones. Creo que deberías buscar en otro lugar...en los archivos históricos, tal vez......Oye Christine, yo tengo clase ahora, pero me encantaría que volviésemos a vernos... ¿cuantos días vas a estar aquí? Igual podemos buscar en las bibliotecas, museos, no sé, si quieres, te acompañaré, te será más fácil si voy contigo

—Quiero quedarme una semana. En mi ciudad han comenzado las vacaciones de primavera y mi vuelo sale de regreso en siete días. Debo reincorporarme a mi trabajo el día uno de abril.

—¿Qué te parece?...si no tienes otro compromiso...te recojo esta noche...te enseñaré la ciudad, te vas a enamorar...de la ciudad...me refiero...

—Me encantaría enamorarme......de la ciudad...me refiero.....Vale, creo que esta ciudad tiene muchas cosas por conocer.

—Acabamos las clases a las cinco de la tarde. Tengo una reunión y una entrevista para una televisión japonesa, pero si quieres, puedes venir por aquí esta tarde a la hora que quieras, verás cómo funciona este colegio, verás cómo tiene....un...alma nueva, diferente.

—Sí, ya lo he notado, se respira... ilusión.

—¡ESO, ESO! Exactamente eso, es lo que hemos recuperado.

—¿Podré conocer a Intrepid@ y a su equipo? Mis sobrinas no me perdonarán si vuelvo sin hacerme una foto con ellos, o con su autógrafo.

—Por supuesto. Ellos hacen clase normal. En eso hemos sido todos muy estrictos, Son...tremendamente famosos, pero no han cambiado en nada, son tan buenos niños como lo eran antes. Mucha gente en todo el mundo piensa que son mejores, no, son los mismos, unos... personajes... maravillosos y... muy buenos estudiantes. Así es como debe seguir siendo.

—Apreciado Eduard, deben estar muy contentos desde que te tienen como director.

—Bueno...sí....eso supongo...

—Estaré encantada de venir y de cenar en tu compañía, aunque los horarios me van a matar...hasta entonces iré al hotel a dormir un rato.

—¡FANTASTICO! ¡Hasta luego!

Christine se fue caminando hacia su hotel. Aquella ciudad tenía algo que la hechizaba. Por una parte se sentía como si todo el mundo la mirase, como si todo el mundo supiese que ella era descendiente de Louis Troubert. Pero por otra se dio cuenta, que sólo en aquella ciudad las miradas le explicaban que no le guardaban rencor, que la ciudad le ayudaría a encontrar la verdad, fuese cual fuese. Para ella se había convertido en una absoluta prioridad, aunque no estaba segura si lo debía a ella misma, a su antepasado, o a su querido ángel. Aquella vista de las murallas, con la puerta del Roser (la Rosita), separando lo antiguo de lo moderno, le hizo creer que en aquella ciudad discurría una corriente de aire limpio entre el pasado y el presente y que esa corriente le haría regresar feliz a Vancouver.

Desde la habitación de su hotel podía ver la playa del Miracle, los Fortinnes, el paseo marítimo, parte del puerto. Eran como postales. Postales que en ese mismo momento recorrían el mundo en todas direcciones. Le resultaba increíble, pero estaba allí, en la capital del mundo, ella, que hacía cuarenta y ocho horas, tan sólo pensaba en las películas románticas que iba a ver esas vacaciones en Vancouver.

Durmió hasta pasadas las cuatro de la tarde. Llamó a un taxi, se sentía a gusto en aquellos vehículos. Era parte de la ¿aventura? ¿O de la historia? Cuando llegó al colegio el ambiente fuera había variado poco. Muchos turistas cámara en mano y aquel vestíbulo con su gran puerta de madera, donde había un cartel en multitud de idiomas, en el que podía leerse;

—"Por favor, dejen a los alumnos entrar y salir. Por favor dejen libre este vestíbulo."

Christine llamó al timbre. La portera iba a preguntarle quién era y que quería, pero la reconoció al verla con la cámara exterior. El Sr. Conde había dado órdenes de que la dejasen moverse libremente por el colegio. Christine entró y así se lo comunicaron. Ella, en principio, no se atrevía pero le insistieron que no tuviera ningún reparo. "Somos un colegio muy famoso, probablemente, el más famoso del mundo, pero eso, es lo que piensan los de fuera. Aquí dentro, todos seguimos pensando que somos el mismo colegio de antes, tirando al de hace diez años. "—le explicó la portera.

Christine se mostró un poco perpleja por aquella afirmación, por ello, la portera le explicó el desánimo que desde hacía tiempo vivió el colegio, hasta la aparición de Interpid@. Christine no daba crédito. Hacia pocas horas que había llegado y todo absolutamente todo le estaba resultando tan fascinante, tan sorprendente.

Cuando acabaron las clases, los alumnos aparecieron por todas partes. Lo cierto es que en el rato que había permanecido allí, no había escuchado una mosca, ahora, todos estaban allí. Un grupo de la televisión japonesa, entró en el recibidor del colegio. Debían ser, sin duda, los que esperaba Eduard. El mismo director bajó por las escaleras, saludo a uno de los japoneses y como no era la hora, les pidió que esperasen unos minutos. Entonces cogió suavemente a Christine por el brazo y la llevó a una sala. Era una sala muy funcional y acogedora. Al momento de entrar se abrió la puerta y entró una niña de unos doce años, pelo negro y rizado.

—Hola...—dijo la niña.

Christine no podía creerlo, era la mismísima María, la Intrepid@. El director le había pedido que bajara, que le fuera a presentar a alguien, pero con las prisas, no le dijo a quién. María no paraba de sonreír. Toda ella era una sonrisa...

—Hola....no me lo puedo creer...María...la Intrepid@. Cuando se lo diga a mis sobrinas, no me van a creer...

Se dieron dos besos.

—María —dijo Conde.....En ese momento se abrió la puerta y entró Daniel... María, Daniel, ella es Christine Troubert. De Vancou...no pudo acabar.

—¡CHRISTINE TROUBERT! —Gritaron ambos y al unísono, mientras corrían para abrazar a Christine.

—¡Vaya! pensé.... que los famosos erais vosotros —dijo Christine sorprendida.

—Bueno...es que......Vancouver.....fue el segundo lugar al que mandamos el Intrepid@ y...ha sido por eso...la emoción...pero...pero...no se va a marchar en seguida verdad...—dijo María en inglés.

.— No, no...

María salió corriendo por la puerta, mientras decía ¡Pediré a los japoneses que esperen diez minutos más!

Christine y Eduard Conde, se quedaron estupefactos. Al poco, María entró con Mario, Alex, Nerea, y Juliana, los que todavía no habían marchado, y ante la nueva sorpresa de los dos adultos María les dijo.

—¡ES CHRISTINE TROUBERT!

Todos se abrazaron a Christine ante el asombro y la perplejidad de esta. La verdad es que a cada momento que pasaba le sucedía a cual cosa más asombrosa. Estuvieron unos minutos hablando, no muchos, pues los padres les esperaban fuera. Era algo que se repetía a diario, pero les habían dicho que no podía ser la constante. Christine preguntó insistentemente por Nuria, a quien quería volver a ver fervientemente, pero no pudo ser, Nuria haría ya un rato que habría salido por otra puerta y estaba en el coche de sus padres esperando a María, sus padres no querían que se viera envuelta en la nube de fans.

Cuando salieron de allí, Nerea le dijo a María y a todos los demás......

—¡QUE FUERTE, QUE FUERTE, QUE FUERTE. ES LA DESCENDIENTE DE LOUIS!

—Sí —dijo María— ha sido maravilloso estar tan cerca de Geneviève. De día... de carne y hueso, no me lo puedo creer.

—Habla como ella, se le parece mucho en la voz —dijo Juliana.

Tras firmar algún que otro autógrafo a la salida, se fueron felices a casa. Esa visita les había sentado de maravilla. Solo esperaban poder verla de nuevo y que los que habían faltado, pudiesen conocerla también.

Y así fue, al menos hasta que a los pocos días llegaron las vacaciones de Semana Santa y María y Daniel, marcharon a San Francisco. Antes, Christine volvió al colegio un día a las once de la mañana para poder encontrar a Nuria, que se mostraba muy escurridiza. Cuando los alumnos de su clase salieron para ir al recreo, Christine esperó y al salir Nuria, se dirigió a ella, apartándola del resto de alumnos.

—Nuria soy Christine ¿Te acuerdas de mí?

—Hola, sí, me acuerdo de usted. La vi antes, aquí, en la entrada del colegio....además...

—Vamos, Nuria, no me digas...recuerda...Vancouver, era de noche y hacía mucho frío.

—Sí, sí que me acuerdo, y usted... ¿que recuerda?

—Todo... de eso te estoy hablando.

—Entonces es que hice muy bien lo que fui a hacer allí.—Contestó Nuria en un perfecto inglés.

—¿Qué viniste a hacer? ¿Por qué...?

—Lo siento, he de irme. No quiero perderme el recreo. Ten paciencia Christine.

—¿Paciencia? pero ¿para qué?

Y Nuria salió corriendo.

—Pero…pero...

Christine seguía en la sorpresa y en la perplejidad. Pero a pesar de aquella gran evasión, la niña había querido dejarle claro que estaba en contacto con el ángel que ambas parecían tener en común. Lo que no sabía, ni creía que aquella niña quisiese explicarle, era el motivo. Christine cada vez se sentía más cerca de aquel ángel, que siempre llevaba en su corazón.

Eduard y Christine tuvieron varias cenas románticas y se juntaron también con la pareja formada por Frank Wells y Elena. Salieron de día y de noche. Tanto Frank como Christine se enamoraron de muchas cosas, sobretodo, de los paseos, un día a las cuatro de la mañana y otro a las cinco, desde el inicio de la Rambla en la Rosa del Vents, hasta el balcón del Mediterráneo. Ese maravilloso paseo con sus farolas de luz blanca.

Una noche que estaban los cuatro cenando juntos, Conde les explicó algo de su historia. Él era mallorquín de nacimiento. Sus padres también lo eran. Estos le querían mucho pero murieron en un accidente cuando él tenía catorce años del que se salvó por poco. Les explicó, que alguien le sacó del coche segundos antes de que este se incendiara, pero que cuando volvió en si en aquel barranco, no había nadie allí y permaneció sólo hasta que llegaron los bomberos. No ha podido averiguar quién le salvó Al poco tiempo vivió en un internado en Barcelona, al que le envió su tío materno, que vivía en Asturias y que no quiso hacerse cargo de él, aunque si le pagó el internado, para no verse obligado a tener que llevárselo a vivir con él. Estudió magisterio y filosofía, doctorándose en 1990. Después estuvo de director en varios colegios de Barcelona y

Granollers. Finalmente, le llamaron para salvar al colegio Atlas y parecía que lo había conseguido, bueno, reconoció, acto seguido de hacer esta afirmación, que el poco había tenido que ver, pero se sentía muy satisfecho por la forma como habían manejado la inesperada situación actual, en la que habían pasado en unos pocos días de ser un colegio en ruinas, a ser el colegio más fotografiado del mundo. Tanto él como Elena destacaron que tanto los alumnos, como los padres, habían tenido un comportamiento ejemplar y eso había permitido que los alumnos siguiesen asistiendo a clase normalmente y que sobre todo los más solicitados, no se viesen abrumados por la fama. Los alumnos estudiaban. Las notas mejoraban. Eran famosos y el dinero de los royalties entraba a chorro ¿Qué más se podía pedir? Conde reconocía que a veces temía que ese equilibrio pudiese venirse abajo, pero al llegar al colegio por la mañana, ver aquella bandera ahora impoluta ondeando al viento y a los chicos contentos y nuevamente atentos en clase, se le pasaba la preocupación por al menos, otras quince horas.

Christine explicó que sus antepasados abandonaron Europa. La filoxera (plaga de la uva) y la crisis de la época les obligaron a emigrar. Parte de su familia se instaló en el Este del Canadá y otra parte, en la que ella estaba, se instaló en el Oeste en busca de los nuevos territorios. Fueron muy felices, pero en agosto de 1972, perdió a su hermana Geneviève de ocho años, de una enfermedad por aquel entonces incurable. Christine lloró emocionada.

Sabéis— les dijo— Estos días me siento muy cerca de ella. En ningún momento la olvido, pero ahora, es como si estuviera aquí... conmigo.

Tal vez lo esté realmente— le dijo Elena sin poder evitarlo. Elena recordó aquella maravillosa mañana en la que todo cambio, en la que cantó y bailó "Heaven must be sending an angel". Tampoco ella, a la vista de todos los maravillosos acontecimientos sucedidos en las últimas semanas, pudo evitar creerlo.

Christine no quiso hablar con sus acompañantes de las numerosas coincidencias con las que se había encontrado en los últimos días. Primero esa niña esquiva, Nuria, que había viajado con sus padres y su hermana a San Francisco impidiendo de nuevo a Christine obtener alguna respuesta. Después estaba el Intrepid@ en la ciudad de San Francisco, lugar donde falleció Geneviève, por no hablar del hecho de que su colegio, fuese el primero y único de los que recibieron ese día el Intrepid@ en Vancouver.

Christine no tenía ya duda alguna de que algo mágico, más allá de cualquier explicación humana estaba sucediendo, de otra forma, una niña de ocho años no podía viajar hasta Vancouver en taxi. Pero, al mismo tiempo, esas cosas tan sobrenaturales y la forma en la que se iban lentamente desgranando, le hacían contenerse, era como..., como...si todo estuviese prescrito, como si esa niña estuviese jugando una partida y supiese de antemano, a qué palo iban a jugar los demás jugadores. Debería ser paciente y confiar en que esa pequeña le llevase a esa paz tan agradable, que por otra parte, notaba le envolvía en aquella ciudad.

Christine volvió a Vancouver enamorada de Tarragona y ¿De qué más.....? A Frank le pasó lo mismo. El además, se llevó varios contratos con Intrepid@, entre ellos, los juegos para teléfono, consola y ordenador, el sistema informático, multimedia y de comunicación global para la futura fundación Intrepid@ y para todas las futuras empresas del grupo Intrepid@, las nuevas páginas web del IntrepidAtlas y de Intrepid@, estaban ya operativas y por supuesto las nuevas pantallas digitales, ordenadores portátiles, etc., se habían instalado ya gratuitamente en el IntrepidAtlas y además, los demás colegios de la demarcación, obtendrían un descuento del sesenta por ciento en la compra de todos esos medios en la tienda de Tarragona. En cuanto a Elena, se había llevado un considerable contrato por ser la imagen del nuevo programa "Life is not away" o LNA. Elena era otra, el mundo entero podría verla en los miles y miles de carteles y anuncios que se colocarían. Pero pronto llegaría el verano y, con él, el trece de agosto, doscientos años iban a pasar, o puede que pasase mucho más que eso.

Ese verano se celebró en la Avenida Vidal y Barraquer, la presentación del nuevo prototipo de fórmula 1 de la escudería suiza. El entrañable Frenando Afondo manejó el coche por esa calle y a juicio de quienes lo disfrutaron, parecía más contento él que el público, que de por sí, ya estaba encantado. Después de la presentación, un taxi, como no podía ser de otra manera, le llevó hasta el puente y permaneció allí bastante rato, hasta que le hicieron salir de la hoja del puente en la que se hallaba y a pie de ella, pudo contemplar como el puente se levantaba al paso de un yate.

El miraba asombrado y repetía. ¡Qué maravilloso! ¡Qué maravilloso! ¡Vaya noche!

Por supuesto, Intrepìd@, su equipo y los demás protagonistas de aquella noche, estuvieron también allí.

A medida que se acercaba el mes de agosto el ayuntamiento iba desgranando sus planes para aprovechar y ordenar todo el aluvión de turismo que el fenómeno Intrepìd@ estaba generando. El ayuntamiento estaba impresionado por la cantidad de patrocinadores que se ofrecían para hacerse con todos los eventos que el gobierno municipal iba a poner en marcha. El Fortín de San Jordi iba a ser reconvertido, guardando los elementos constructivos protegidos, en el centro Intrepid@, además de en sede de la Fundación Internacional Intrepid@, sin ánimo de lucro, todo con cargo a la sociedad Intrepid@, que por esa fechas, ya pasaba por ser la empresa más potente de la ciudad. Era cierto, que la ciudad no sabía aun cual era la relación del Intrepid@ con ese singular edificio, salvo que aparecía en su primer número, pero era un edificio sin uso y ese les pareció un uso muy apropiado y legal.

En una rotonda cercana al aeropuerto y mediante acuerdo con el ayuntamiento de Reus, se instaló el fuselaje completo de un hidroavión donado por el gobierno canadiense, fabricante de esos aparatos, pintado además de los colores que se usaban en la extinción de incendios y con el logotipo Intrepid@. Las Fuerzas aéreas de los Estados Unidos, hicieron también donación de un caza A36, que se colocaría tras el hidroavión simulando una persecución. Bajo ellos una placa, en la que aparecería el nombre de las tripulaciones de los Águila 1 y 2, y un agradecimiento expreso de la Ciudad de San Francisco a los niños de la toda la zona de Tarragona.

Una gran empresa de cine y entretenimiento anunció que había llegado a un acuerdo para llevar a las pantallas las aventuras de Intrepid@. A pesar de que se había ofrecido a María y a Daniel protagonizarla, tanto los padres, como ellos mismos, bueno, ellos algo menos, rechazaron el ofrecimiento, pues para ellos, a pesar de representar un sueño para niños, supondría poner en peligro sus estudios. Aceptaron a cambio que tanto ellos, como los demás miembros de equipo, realizasen pequeñas apariciones e hiciesen de extras, dado que gran parte de las localizaciones y rodaje de escenas se llevarían a cabo en Tarragona.

Tampoco pudo pasar por alto el ayuntamiento la fecha del 13 de agosto de ese año. Los niños habían propuesto que fuese en esa fecha, en la que se colocase la primera piedra de la reconstrucción del fortín. Tras unos tira y afloja iniciales, el ayuntamiento dio su brazo a torcer, en cuanto los niños hicieron mención de la leyenda de los niños desaparecidos aquel día de 1813. Entonces, la alcaldesa María José Vela exclamó ¡COMO! Haber comenzado por ahí. María José recordó esa leyenda, que en realidad la ciudad tenía absolutamente olvidada y les preguntó qué relación tenía con Intrepid@ y con ellos. Ellos le contestaron que querían rendirles homenaje y a la alcaldesa y al resto del consistorio les pareció estupendo, es más, el ayuntamiento y la ciudad, aprovecharían para rendir homenaje a aquellos niños por todos los años en los que habían sido olvidados y les aseguró que no volvería a suceder.

A pesar de que los niños, en especial María y Daniel, habían hablado en numerosas ocasiones de todo lo ocurrido, de la reunión de trabajo de aquella noche en el fortín de San Jordi, de la excepcionalidad y la fascinación en las que se encontraban, no podían olvidar a Geneviève. Todo se lo debían a ella, sin su aparición, ese sueño no se hubiera producido, pero no era tan solo eso. Aquella historia, la leyenda, les tenía confundidos. Entre ellos había quien estaba convencido que esos niños eran ellos mismos, que todo era demasiado casual. Otros decían que no podía ser. Que eran de carne y hueso y que no tenían doscientos años, que era una simple coincidencia. Se miraban entre ellos, se veían, podían tocarse, no era como la vida no real paralela, por más que intentasen saltar lo más lejos posible, ninguno pasaba de los dos metros y no había gánsteres disparando ni incendios imaginarios, Daniel decía que él se lo pensaba incluso dos veces para tirarse del trampolín de la piscina y aun así cerraba los ojos para no verlo. No, no, no podía ser, ellos eran de verdad, pero por si acaso, cada vez que hablaban del tema, Daniel se daba un pellizco en el brazo.

Geneviève no se les había vuelto a aparecer. Vale, ella ya lo había avisado, pero necesitaban tantas respuestas. Sabían también que la operación San Francisco no había sido un éxito total (sí lo había sido, pero aún no lo sabían) que el mal no había conseguido arrebatarles los destellos de estrellas(los diamantes) y que por lo tanto, deberían esperar que tuviese que perder y aceptar que sus trampas no habían funcionado y así, se viese obligado a cumplir el trato con Geneviève, pero ¿qué haría entonces Geneviève con la eternidad? ¿Y si por alguna casualidad, eran ellos esos niños desaparecidos y Geneviève decidía quedarse la eternidad para ella? Eran tantos los interrogantes, que solo cabía esperar. Era verdad que todas esas dudas se acrecentaban próximos al 13 de agosto, pues hasta entonces, los viajes, la fama y los estudios les habían mantenido muy entretenidos y en poco se habían parado a pensar en ello. María que siempre iba varios pasos por delante de sus compañeros, era de la opinión que Geneviève lo tenía todo planeado y que la fama y todo lo demás eran "creaciones de ella", para mantenerlos despejados de esas preocupaciones. Ella estaba convencida de que tarde o temprano aparecería un guión que lo explicaría todo y los demás comenzaban a secundarla

El ayuntamiento dispuso que ese día se celebrara a partir de las ocho de la tarde y no antes debido al calor, la colocación de la primera piedra del edificio. Después se serviría un pequeño refrigerio en el edificio del Fortín de la Reina, que sería convenientemente adecentado para la realización del evento. A estos actos se invitaría al alcalde de San Francisco y al de Vancouver a petición de Intrepid@. a los cónsules acreditados en Tarragona, además de al presidente de Softwells, a Elisabeth y a Marina Anders, a John Pieters, a Frenando Afondo, y como no, representantes del colegio Atlas y de los demás colegios y por supuesto, a los miembros de Intrepid@ y familias,

¡ah!....también acudirían Anna Montcada y los No Dimensión, quienes ofrecerían además a las diez de la noche de ese mismo día, un concierto conjunto en la Avenida Vidal y Barraquer que podría ser seguido en pantallas gigantes colocadas por Softwells en muchas poblaciones de la zona. Esos actos iban a ser retrasmitidos por televisiones acreditadas del mundo entero. El acto final en el puente, que daría paso a los conciertos, era mantenido en secreto.

Christine viajó en otra ocasión a Tarragona, aunque estuvo tres días ¿No sabéis a que vino? pensad, pensad y acertareis. Bueno, pues Eduard Conde le devolvió la visita. La verdad es que desde la primera visita hablaron a diario por Internet. Christine, ya con más confianza explicó a Eduard sus inquietudes y las coincidencias poco casuales de todo aquello. Eduard se sinceró con Christine le dijo que el también pensaba que todo lo ocurrido tenía alguna explicación que iba más allá de lo que ellos eran capaces de imaginar, pero que en seguida se dio cuenta de que si para ver la yema, había que romper el huevo, no sería él quien lo hiciese y que además impediría, como así había hecho hasta ese momento, que cualquiera lo hiciese. Christine le confesó que ella tenía esa misma sensación y los dos coincidieron en que parecía que a mucha más gente le estaba pasando lo mismo. La conclusión era que todo lo que estaba ocurriendo era positivo para toda la humanidad y que eso, estaba por encima de averiguar las razones de lo que lo hubiese hecho posible.

John Pieters llegó a Tarragona junto a Elisabeth y Marina Anders el 11 de agosto. El agente Quim Masdeu, junto a su mujer Montserrat y su hija Meritxell de catorce años, les hicieron de anfitriones. John y Quim hicieron migas rápidamente, se contaron anécdotas policíacas. Al día siguiente,

Masdeu acompañó a Pieters al colegio Atlas. Pieters, en realidad, no había dejado de investigar a Nuria.

Pieters había estado con ella en San Francisco y su familia esa semana santa, pero no le había sacado ni palabra, siempre se le escabullía. En su estancia en San Francisco por séptima vez, si, la séptima, Nuria había vuelto a hacer una salida, digamos, extraordinaria. Él la siguió. Pasaba de las doce de la noche. No es que Pieters tuviese por costumbre seguir a niñas de ocho años, pero tampoco era muy de costumbre que una niña de ocho años, saliese de su hotel a las doce de la noche, cogiesen un taxi, y se acercasen a una casa en la colina. Entrase en un jardín y después volviese al hotel como si nada. No, no era nada habitual. Pieters no sospechaba nada de Nuria. Bien al contrario al igual que en 1972, estaba seguro que alguien le estaba guiando para protegerla. Él también pensaba que aquello seguía un guión preestablecido y que más pronto que tarde habría un desenlace. Por su parte, arrojaría por un acantilado a cualquiera que intentase averiguarlo antes de tiempo, ahora sólo faltaba saber cuánto. En todo caso Pieters, tras intentar días atrás hablar con Nuria, presintió que ésta iba a hacer algo, no sabía el qué, pero algo tramaba. Se plantó con su Mercury en una esquina próxima al hotel donde se alojaban y dos minutos más tarde de las doce apareció un taxi en la puerta del hotel, el no lo vio salir, ni de qué calle vino pero el taxi de San Francisco estaba allí. Comprobó la licencia y ésta todavía no había sido expedida. Empezamos bien, se dijo. Nuria apareció y se subió con total naturalidad en aquel taxi. Pieters le siguió con la absoluta certeza de que Nuria sabía que le seguía. Volvió a notar con mucha intensidad el sueño de la ciudad, al igual que le había ocurrido en febrero. El taxi se detuvo en el entradero de una casa en lo alto de Broadway Street. Nuria entró en el jardín como quién entra en su casa. Pieters no pudo ver lo que hacía

Nuria en ese jardín. A los pocos segundos salió, se subió en el taxi y este salió zumbando. Igual que a la ida, todos los semáforos estaban en verde, no se les cruzó, ni vio, a ningún otro vehículo o persona por ninguna parte. En la primera esquina el taxi había desaparecido. Aquel tornado apareció de nuevo, pero Pieters comprobó que Nuria había aprendido con los años a calcular como esquivarlo. Nuria y el taxi ya habían desaparecido cuando el tornado iba a acariciar el parachoques del taxi. Desaparecido el taxi con Nuria, el tráfico y algunas personas aparecieron de nuevo. Tiempo total desde la subida al taxi hasta la desaparición, 160 segundos, ni uno más, ni uno menos. Según los datos de su móvil, en aquella casa de Broadway street, residía el matrimonio Benson, con sus hijas, Estelle y Ruth, de 11 y 8 años respectivamente. ¿Qué habría ido a hacer Nuria allí? ¡No! ¡Esto no está, ni mucho menos acabado!— se dijo Pieters.

En Tarragona. Pieters acudió al IntrepidAtlas, acompañado de Elena con quién había cenado la noche anterior. Cena en la cual Elena le puso al corriente de la leyenda de los niños desaparecidos, leyenda, que esos días estaba de nuevo en boca de toda la ciudad, tal vez porque se iban a cumplir doscientos años. Pieters estuvo toda la noche dándole vueltas a la leyenda y a los acontecimientos de los últimos días. Y es que, le era difícil conciliar el sueño en su propia cama, como para conseguirlo en la habitación de un hotel. No iba a desaprovechar su estancia en Tarragona para saber que estaba pasando y por qué a esa niña le perseguía casi siempre una especie de tornado con mala sombra. Un misterio tenebroso volteaba a esos chicos y él estaba ahora seguro, que tenía que ver con la leyenda y estaba dispuesto a protegerles. Por supuesto todo eso sólo se lo iba a explicar a Masdeu, porque necesitaba explicárselo a alguien, pero a nadie más, no le tomasen por loco.

Elena y Pieters subieron hasta el despacho del director,

—Están todos muy ajetreados con los preparativos de esta tarde — le dijo— Ven. ven, te presentaré al director.

En el momento en que entró Pieters acompañado de Elena y Masdeu, Eduard Conde hablaba por teléfono con la alcaldesa:

—Sí, sí, me parece estupendo, estamos todos muy ilusionados. Me apetece tanto la celebración de esta tarde, que ya estoy pensando en celebrar, también por todo lo alto, en diciembre, los doscientos años de este colegio….Sí…sí, nos vemos luego María José…

—¡Qué bien me siento! Quien lo iba a decir…—dijo Eduard Conde— mientras entraban en su despacho Elena y Pieters y al tiempo que miraba el atlas enmarcado que colgaba en una de las paredes ¿No crees Elena... que con la acomodada situación económica que tenemos, deberíamos cambiar, de una vez por todas, el soso marco de nuestro atlas, símbolo de esta institución?

—Pienso que sí. Ya va siendo hora. Eduard, bien... aunque ya le debes conocer, pero no personalmente, te presento al detective Pieters, de la policía de San...

De repente alguien irrumpió en el despacho

—Ese atlas es una burda copia…—afirmó el recién llegado—

—¿Cómo? Perdone… ¿Quién es usted?

—Mi nombre es Oriol Munné y fui director de este colegio durante varios años.

—¿Oriol? pe…pe...perdona, no te había reconocido.

—Sí....estoy bastante desmejorado, lo sé...

—Pero... ¿Por qué no has venido nunca a ninguno de los actos que se han celebrado? siempre se invita a todos los ex directores.

—No he querido saber nada de este colegio, después de todo aquello, aunque veo, que ahora, todo os va muy bien...Me alegro.

—Oye... Oriol... ¿Por qué has dicho lo del atlas?, no...

—Porque es una copia. Lo sé porque yo la encargué.

—¿Quieres decir que ese no es el original, el que da nombre a este colegio?, pe....pe......pero... no dijiste nada a nadie ¿Por qué?

—Lo tuve que hacer en unas circunstancias muy difíciles.

—Explícate Oriol, aunque te advierto, que no ha sido fácil para ninguno de los que te hemos sucedido.

—Todo comenzó la noche posterior al primer día del curso 2002/03. Tanto la mañana como la tarde fueron normales, como siempre. Entonces nosotros teníamos una gran demanda de plazas. Todo el mundo quería mandar a sus hijos a este colegio. Como digo, todo transcurrió con normalidad, pero pasada la medianoche recibí una llamada de la policía y de la central de alarmas. La alarma había saltado y al acudir la policía habían encontrado todas y cada una de las ventanas del colegio abiertas, desde el piso inferior al último, tanto las que daban a la calle, como las que daban a los patios interiores. La calle estaba repleta de papeles. Al entrar en el colegio los papeles invadían los pasillos, las sillas y las mesas estaban amontonadas en las esquinas de las clases, las tizas, los trapos, los juguetes, los libros, todo estaba esparcido por todas partes, sin orden ni control.

—Resulta increíble, pero si es tal como lo explica, a mí ya me lo habían explicado—dijo Conde

—No faltaba nada. No había nada roto. Ni un sólo papel, pero eso no fue lo más extraño. Cuando la policía se marchó, nos llevó muchas horas ordenarlo todo, hasta poco después de las nueve. Tuve que pedir a varios profesores que me ayudaran.

—Sí— dijo Elena— yo estuve aquí esa noche, lo recuerdo perfectamente.

—Aunque quedaba mucho por recoger y ordenar, antes, a las ocho, pudimos abrir, como lo habíamos hecho siempre.

—Entonces ¿Qué ocurrió?— preguntó Pieters, al que le traducía Elena.

—Lo último en ordenarse fue mi despacho. Entré una vez esa noche y ya no volví hasta aproximadamente las diez de la mañana. Sobre mi silla, tu silla Eduard, se hallaba ese Atlas enmarcado ¿o había caído allí? ¿o alguien lo había puesto a propósito? Yo no pensé en eso entonces, pero al volver a colgarlo de la alcayata, me quedé estupefacto. Coloqué el atlas y al mirarlo, este estaba al revés.

—¿? ¿Sería cuestión de darle la vuelta? ¿No?—apuntó Conde.

—No me he acabado de explicar, estaba al revés... sólo... la tela.

—¿Cómo? No entiendo...

—Sólo la tela, por dentro. El gancho estaba en su sitio. La cinta adhesiva que cubre por detrás el par pertus y el marco no tenía ningún signo de haber sido manipulada, ni tan siquiera mínimamente. Sólo había un agujero en la parte de atrás del marco, y en él, el gancho, pero por dentro el atlas se había dado la vuelta, de forma que si lo colgabas como siempre, el atlas quedaba boca abajo.

—¡No puede ser...!

—¡Aja! Eso pensé yo, al tiempo que pensaba que nadie me creería. Cogí un destornillador, hice un agujero en el lado opuesto del marco, puse el clavo y lo volví a colgar, esta vez quedó boca arriba.

A los pocos días hubo una pelea multitudinaria en las clases de la ESO. Tuvo que intervenir la policía. Esto para un colegio como el nuestro, resultaba imperdonable. Dos días después, un alumno lanzó un cubo de pintura en el patio y alcanzó a una profesora con la pintura. La pobre, casi se muere del susto y poco a poco, día a día, los incidentes se fueron sucediendo, cada vez con más asiduidad y gravedad. El resto, ya lo sabes...

—¿Y qué hizo con el atlas? Con el original...—preguntó Elena.

—Un día vi que en al atlas habían dos pequeñas manchas, eran casi insignificantes, no hice caso, pensé que sería algo de humedad, o polvo...A los pocos días las manchas se habían hecho algo más grandes, no mucho más, pero si lo suficiente para no tener que fijarse para verlas. Semanas después, eran todavía más grandes, mientras los incidentes proliferaban en el colegio.

—¿Insinúa que había alguna relación? —preguntó Pieters, traducido por Elena.

—Por mi parte, no tengo ninguna duda, ni la tuve. Cogí el marco, saqué el atlas, hice una copia impresa en tela y la enmarqué en otro marco. Mi intención inicial era quemar el original, pero lo medité, no me atreví. Lo mandé a un restaurador creyendo que eso sería una distancia suficiente, nunca tuve intención de recuperarlo, aunque no se lo dije a nadie, ni tan siquiera al restaurador.

—¿Dónde estaban exactamente esas manchas? preguntó Pieters, quien ya cavilaba la respuesta.

—Aquí y aquí— Dijo Oriol, señalando dos lugares del atlas.

—¡Vaya! —Dijeron todos al unísono.

Una estaba sobre el mediterráneo, muy cerca de la costa dorada y la otra........en el Pacífico, tocando la línea de la costa de San Francisco

—¿Se sabe que pasó esa noche? ¿Hubo algún testigo?

—Era una noche de tormenta, hasta ahí todo normal, pero un empleado de limpieza, que tuvo que interrumpir su trabajo nocturno por la lluvia, dijo que un remolino de aire casi totalmente transparente se había introducido por las ventanas, que entró y salió del colegio varias veces hasta que se marchó tal y como había llegado, levantando hojas, papeles y plásticos.

—¿A quién le llevó el atlas?—preguntó Pieters, que ya estaba demasiado sorprendido de encontrarse en todas partes con ese remolino maléfico.

—A un restaurador de Els Pallaresos. No tengo ningún dato de él. Me llamó en una ocasión para darme el presupuesto, pero le dije que era mucho dinero y le pedí que lo guardarse. Al poco tiempo me llamaron del Centre Jujol de Els Pallaresos y me pidieron si podían estudiarlo. Yo les dije que sí, que se lo quedaran indefinidamente, todo... con tal de que no volviese. Aunque debo reconocer que las cosas tampoco fueron bien sin él, al menos hasta ahora. Y esto me recuerda el motivo que me ha llevado a venir hoy aquí, después de tanto tiempo.

—¿Cuál es ese motivo?

—El motivo es advertiros...

—¿Advertirnos? ¿De qué Oriol?

—De que ese remolino volverá, pero esta vez con mucha más fuerza. No os interpongáis en su camino. Dejad que se lleve lo que venga a buscar o se lo llevará todo, incluidos vosotros. Adiós...

Y dicho esto, el ex director Oriol Munné abandonó el despacho a toda velocidad y se marchó del Colegio Atlas. Conde intentó que en portería le retuvieran hasta que bajase e intentase volver a hablar con él, pero Munné se marchó sin querer dar más explicaciones. Conde subió de nuevo a su despacho.

—Creo que debo irme......dijo Pieters, ha sido un placer señor director.

—......es el detective Pieters...John Pieters —dijo Elena— que al entrar Oriol Munné, se había quedado al inicio de la presentación.

—¿Sí? ¿Ya se marcha? Si acaba de llegar.

—Nos veremos esta tarde en la celebración—dijo Pieters.

—Eso espero. Ha sido un placer, señor Pieters.

—Lo mismo digo Señor Conde.

Pieters salió del despacho y llamó al agente Masdeu.

—Quim...Quim... ¿Qué estás haciendo?

—Estoy comprando en el supermercado. Tengo turno de noche. Entro a las diez.

—Pues en cuanto salgas del supermercado, llámame, tienes que llevarme a un pueblo que se llama Erlssssss Paiailleriesos.

—¡Ja! ¡Ja! ¡Els Pallaresos! Suerte de que le has caído bien a Montse y no me pondrá pegas. Supongo que me explicarás de qué va todo esto……

—Por supuesto agente Maisdieieau.

—¡Ja! ¡Ja! ¡Ja!

A la media hora, sobre las once treinta, Quim Masdeu recogía a Pieters junto a la fuente del centenario. Pieters se había entretenido paseando por la ciudad e incluso había entrado en el mercado, pensando convencido que sus pesquisas iban bien encaminadas.

—Bien, que ocurre, por qué…. Tú no quieres ir a Els Pallaresos sin un motivo de peso.

—Se trata del original del atlas del colegio. Está allí.

—Bueno ¿y qué?

—Pues que alguien quiere que lo encontremos.

—¿Sí? ¿Quién?

—No lo sé Quim, pero eso no me preocupa. Me preocupa que alguien o algo no quiera que lo hagamos.

Masdeu guardó silencio. Conocía poco a Pieters, pero le había cogido mucho cariño, el suficiente para saber que John sólo hacía las cosas que tenía muy claras y que ese asunto, desde que apareció aquel taxi en el Golden Gate, se había convertido en una prioridad para él, aunque Masdeu no estaba seguro de por qué. Pieters le explicó sus teorías. Masdeu estaba muy sorprendido, pero se mostró dispuesto a ayudarle hasta el final, de hecho, le había convencido.

Masdeu explicó a Pieters que Jujol fue un arquitecto modernista nacido en Tarragona y discípulo de Antoni Gaudí, a quien sí conocía Pieters. Le explicó que Jujol construyó varios edificios en la comarca, alguno de ellos en Els Pallaresos y que en este pueblo, había un museo donde se recogía lo referente a su obra.

Llegaron a Els Pallaresos, al centre Jujol, que está a pie de carretera, en el antiguo ayuntamiento del pueblo. El encargado del centro, Enric Balagué estaba allí. Se identificaron y seguidamente le preguntaron por el atlas.

—Sí, está en algún lugar, aunque no a mano.

Enric lo buscó y lo encontró enseguida.

—Qué extraño, estaba justo al entrar en el archivo encima de una de las mesas. Hace años que estaba guardado en un archivador de planos dentro de un armario, no me lo explico, aquí sólo suelo entrar yo…Bien, nos lo enviaron porque tenía unas manchas. En realidad eran unas transparencias, causadas por un insecto, el Thysanuras, lo que comúnmente se conoce como pececillo de plata. Una vez tratado aquí, no parecen haber proliferado ni avanzado más, pero las que están no las vamos a tocar sin un nuevo permiso del colegio.

—Claro, quieren cobrar, lógico. Oiga…dijo Masdeu ¿Por qué está aquí el atlas y no en otro lugar? Nos han hablado de un restaurador.

—¡Ah! bueno, el restaurador era mi abuelo. Bien, miren, como aparece en el sello, este atlas fue dibujado por un famoso arquitecto francés, Víctor Louis, quien construyó entre otros el Teatro Nacional de Francia o el de Burdeos.

—¿Sí, pero por qué aquí?

—Porque pensamos que el arquitecto tarraconense Jujol pudo tener alguna relación o interesarse por el trabajo de Víctor Louis. Fueron casi contemporáneos.

—Es suficiente, nos lo llevamos. Dijo Masdeu.

—Pero, pero, no pueden…—Dijo Balagué.

—Sí podemos. Es una emergencia. Háganos un recibo.

—Oiga, no sé porque están ustedes aquí, pero, bien...llévenselo, Solo les pido que me hagan llegar un recibí del colegio Atlas lo antes posible, confió en ustedes.

—Descuide Balagué, lo tendrá, se lo prometo.

Pieters y Masdeu abandonaron el Centre Jujol y volvieron a Tarragona.

—Es evidente que el atlas se trajo aquí para ocultarlo tras la figura y el trabajo de Jujol, pero por otra parte, quería que fuese encontrado, tal vez... en el momento adecuado y no antes...—dijo Pieters.

—Tú crees que hay quien espera que encontremos el atlas, y quien espera que no lo hagamos, y se lo vamos a poner en bandeja. —apuntó Masdeu.

—¿Cómo?

—Primero voy a intentar que alguien me cambie el turno de esta noche. Sí consigo esto, porque si no tendrás que hacerlo sin mí, llevaremos este atlas al lugar donde yo supongo, como tú supones, que el bien y el mal, por decirlo de alguna manera, esperan que esté.

—¡Bravo Quim, ya lo entiendo. Quieres llevarlo a la celebración de esta tarde ¡al Fortín!

—¡Exacto!

Lo dejaremos allí, a la vista de todo el mundo. Sólo tendremos que estar atentos y esperar a ver cómo reacciona cada cual al verlo y cogerlo. En ese lugar estará todo el que tiene que ver algo con esta historia.

A las quince horas y a pesar del sol, las calles estaban ya abarrotadas. La mayoría de la gente aprovechó para ir a la playa del milagro que estaba atestada y desde allí, seguir los actos en las pantallas que Softwells había cedido y dispuesto por varios puntos del paseo Marítimo, de forma que pudieran ser vistas desde la playa. Con el paso del tiempo, el balcón del mediterráneo, la calle Roberto Aguiló, la Vía Augusta, todas las calles cercanas, así como el Serrallo, y el espigón del puerto, estaban ya abarrotadas. A las siete de la tarde, no cabía nadie más en todo Tarragona, las cadenas de televisión habían comenzado a emitir imágenes de la ciudad, entrelazadas con imágenes de Intrepid@ y explicaciones y entrevistas a los protagonistas del fenómeno. El paseo marítimo había sido cortado al tráfico, justo entre ambos Fortines, el de San Jordi y el de La Reina.

Comenzaron a llegar numerosos taxis con los invitados. Allí apareció entre ovaciones el alcalde de San Francisco, acompañado por la alcaldesa de Tarragona. Después llegaron Intrepid@ María y familia, junto con Nuria, Intrepid@ Daniel y familia y los demás miembros del equipo. Les siguieron Eduard Conde, Christine Troubert, los profesores y algunos de los antiguos directores del Atlas. No acudió Oriol Munné, Llegaron también Elisabeth y Marina Anders, Elena y el presidente de Softwells, Anna Montcada y Frenando Afondo. Los cónsules de varios países y otras personalidades. Pieters aún no había aparecido y todos se preguntaban dónde estaba.

A las 19:00, todos se situaron junto a la entrada al Fortín de San Jordi, había una placa para descubrir, junto a la puerta de entrada. Sobre la pasarela de acceso, la alcaldesa, el director Conde, María y Daniel. La alcaldesa se dirigió a los asistentes.

—Hoy hace doscientos años, en este lugar, un grupo de niños encontraron la muerte, mientras huían de ella. Es difícil encontrar algo más cruel, más doloroso, que la guerra. Con el descubrimiento de la placa y la colocación posterior de la primera piedra del Centro y Fundación

Intrepid@, tendremos la seguridad de que su muerte no fue en vano, de que su sacrificio servirá, no sólo para que se les recuerde eternamente, sino para que se les agradezca, desde ahora y ahora sí, para siempre, el formar parte de la grandeza de esta ciudad y de su historia. Gracias.

Una gran ovación siguió a estas palabras.

La alcaldesa pasó el micrófono a Eduard Conde.

—Tengo la fortuna de residir en una ciudad que jamás ha perdido el tiempo en buscar explicaciones a lo inexplicable, si eso significaba buscar culpables en las sombras de los que puedan ser inocentes. Esa suerte es la que nos ha permitido contar con este magnífico "equipo" de genios, a los cuales he tenido el placer de dar clase. Pero no, no tengo ningún mérito. Han sido ellos los que desde hace tiempo se marcaron un objetivo y lo han cumplido. Se propusieron un sueño y nos lo han regalado a todos. Gracias a Intrepi@. Gracias a María y a Daniel. Gracias a Nuria. Gracias a vuestro equipo, sois el ejemplo que todos han seguido, por eso, el mundo, hoy, aquí, desde Tarragona, comienza a ser mejor.

Otro fuerte aplauso siguió a las palabras de Eduard Conde.

Daniel y María cogieron una varilla de plástico y cada uno tiró de la pequeña cortina que le quedaba más cerca. Una placa quedó al descubierto. Era de metacrilato y en ella grabadas las letras Intrepid@ como un puzle, es decir, que el nombre lo componían el hueco de las letras, que habías sido retiradas. En el lado superior izquierdo, en huecos más pequeños, la palabra CENTRE y en el inferior derecho, FUNDACIO, todo realizado para limitar en lo posible el efecto de su presencia en la fachada. Un foco disimulado en el suelo iluminaría la placa. Conde entregó a Daniel, María y a todos los demás miembros del equipo, una placa en metal con tres circonitas incrustadas, similar a la colocada allí y más pequeña..

Aplausos, fotos, sonrisas, más aplausos, más fotos, más sonrisas, más fotos.

Quince minutos más tarde todos se hallaban ya en el Fortín de la Reina. El lugar había sido pulcramente arreglado, sin ninguna estridencia. Los alrededores habían sido adecentados y en cuanto al interior, consistente en el hueco que formaban las cuatro únicas paredes de piedra de la fortaleza, había sido saneado. Su suelo de gravilla había sido nivelado y rellenado y en sus desnudas paredes rebozadas de gris cemento, colgaban ahora un sin fin de fotografías de los últimos acontecimientos en la ciudad, a modo de exposición fotográfica abierta al público, a la que se añadirían posteriormente las de los actos de ese día. Posteriormente el lugar se destinaria a almacén y garaje de los coches de Intrepid@ y de los elementos de stands y exposiciones. Sobre la gravilla se colocaron dos docenas de mesas de plástico, que se adornaron con manteles de tela en color azul. Las sillas eran de jardín, recias, pero de plástico, no había más elementos, salvo un pequeño atril encima de una tarima, junto al muro que daba al mar. Unas sombrillas protegían cada mesa del sol vespertino. Se sirvieron unas tapas variadas y mucha bebida refrescante. La austeridad mandaba y esa era la parte que ponía el ayuntamiento, quien a pesar que en sus arcas ya notaba sustancialmente el aporte de ingresos que el fenómeno Intrepid@ aportaba a la ciudad, seguirá apostando por la austeridad en respeto a quienes lo estaban pasando mal en un contexto de crisis generalizada. A las 19:05, aparecieron Masdeu y Pieters. Masdeu vestido de uniforme y que había conseguido un cambio de día con un compañero, se identificó a la entrada y entró con el atlas bajo el brazo. Pieters mostró su invitación y pasó tras él. Dejaron el atlas encima de la mesa más alejada, a la que no se había acercado nadie aún. Pieters y Masdeu fueron saludando y hablando con algunos de los asistentes, sin perder de vista al atlas. El primero en acercarse al atlas fue el padre de Daniel, arqueólogo de profesión. Lo desenrolló con absoluta naturalidad sin temer que nadie le estuviese mirando. Al momento gritó ¡ES EL ATLAS DEL COLEGIO!

Masdeu le descartó como sospechoso de inmediato. Pieters, que tenía un ojo en el atlas y otro en Nuria, y casi se volvió bizco, le descartó también en ese preciso instante. En cuanto a Nuria, Pieters la veía mirando reiteradamente el atlas, mientras jugaba con Paula, Thomas y Nicolás, pero no había gesto en ella que sugiriese nada.

Daniel, María y los demás niños se acercaron en seguida a la mesa donde estaba el atlas, lo hicieron también Pieters y Masdeu, pronto se juntaron muchos más.

—¡Es increíble! —dijo el padre de Daniel ¿Quién lo ha sacado del marco?

Nadie contestó, aunque algunos recordaron haber visto a Masdeu depositarlo allí.

—Es precioso—Siguió. En tono solemne añadió— Es un trabajo del siglo XIX, del arquitecto Víctor Louis. Como dice la historia del colegio, parece que su primer director lo requisó del despacho del gobernador de la ciudad, tras la desesperada huida de este y de su ejército y en señal de victoria para aumentar la moral de la ciudad, lo colocó en el Colegio Imperial, al mismo tiempo que le cambió el nombre por el de Colegio Atlas.

Todos irrumpieron en un fuerte aplauso, todos menos los niños, Pieters, Masdeu, y Christine.

Mientras se lo pasaban unos a otros, el padre de Daniel vio en el atlas una cosa que le llamó la atención, estaba en el reverso. Había un trozo en el que la tela trasparentaba, en ese trozo, expuesto a la luz, podía leerse como escrito en letra invisible: "Louis". Eso en principio, no debía ser nada extraño, tratándose del nombre del autor, pero lo que llamó la atención es la escritura y sobre todo, la o completamente cuadrada en el nombre y un rabillo en la l y otro en la S.

—Yo he visto este nombre en algún otro lugar, pero…no recuerdo dónde…si, lo he visto antes…no recuerdo….no consigo acordarme… hace algún tiempo….¿Dónde?

Eduard Conde se aproximó y preguntó.

—¿Quién lo ha traído?

—He sido yo…es…el original….dijo Masdeu.

—¡Ah!…—exclamó Conde, sin querer profundizar en detalles que le obligasen a explicar el extraño suceso de la mañana con Oriol Munné. ¡BUENO! ¡BUENO! ¿Qué tal si seguimos con los discursos mientras damos cuenta de estos refrigerios?… ¡Hace mucho calor!

Con aquellas palabras, Conde, al tiempo que se alejaba de aquella mesa, consiguió su objetivo de quitar la atención sobre el atlas. Todos se alejaron de allí, salvo Pieters, Masdeu, María y Daniel. Hablaron entre ellos. Al poco, pensativo, Daniel se alejó para coger un vaso de cola. En ese momento, el alcalde de San Francisco, subido en el estrado, daba las gracias a la ciudad de Tarragona y destacaba los grandes lazos sociales, comerciales y de toda índole, que unían ahora a las dos ciudades y que se iban a incrementar. Anunció que en la próxima primavera, el programa Intrepid@, prepararía ya los primeros intercambios entre las dos ciudades y Vancouver, lo que daría paso a más intercambios con muchas otras ciudades. Los empresarios de

hostelería estaban dispuestos a firmar convenios de colaboración que favoreciesen este tipo de turismo.
Cuando Daniel llegó junto a María, Pieters y Masdeu, su padre se dirigió a ellos.

—¡Ya sé dónde he visto esa letra antes! y dirigió su mirada hacia un poquito más arriba de donde se hallaba el Fortín de San Jordi.

—¿Dónde papá?..

—Aquí al lado. Hemos pasado antes por allí. Por eso lo recuerdo. En el cementerio británico.

—¿En el cementerio británico?

—Sí, está allí arriba, junto al fortín. Siempre ha estado allí.

—¿En algún lugar en concreto?

—Es un lugar muy pequeño, creo que estaba en un nicho junto al suelo dentro de una de las criptas. Si pedimos permiso de entrada y vamos un día de estos, seguro que lo encuentro, no será difícil.

Y al decir eso se alejó, pensando que algún día irían a curiosear, aunque pensó también, "Tampoco es una prioridad". En ese momento hablaba el presidente de Softwells, el de la cartera más grande, a su lado, Elena.

Los cuatro se quedaron pensativos. Hasta que Pieters rompió el silencio.

—Un representante inglés de Barcelona está aquí ¿no?

—Sí, creo que sí, le habrán invitado, como a todos...

—Pídele el número del móvil Quim.

—El número…

—¡Pídeselo! Otra cosa, en el coche patrulla ¿Hay alguna pala?

—Creo que sí, ¿En qué estás pensando? no estarás…sí, estás…

—Vamos chicos…—les dijo a María y a Daniel

María y Daniel sabían a que iban al cementerio británico y estaban temerosos y nerviosos.

Te esperamos allí Quim. Déjame las llaves del coche patrulla

Quim le pidió las llaves del coche a un compañero de servicio y éste, aunque un poco confuso, se las entregó. Masdeu se las lanzó a Pieters.

Los tres se subieron en el monovolumen policial y se dirigieron al cementerio británico que se encontraba a escasos doscientos metros. El policía motorizado que había junto a la valla que cortaba el tráfico, apartó esta y dejó paso al coche patrulla.

Entretanto, Masdeu se acercó al representante inglés llegado desde Barcelona, se identificó y le pidió el número de móvil. El inglés se mostró algo contrariado, pero Masdeu le dijo "No voy a gastarle una broma a las tres de la mañana. Es un asunto oficial que pronto entenderá, fíese…"

El representante inglés Sir Lindon Muphins, todavía contrariado, le dio el número.

—Gracias….

Masdeu alargó el agradecimiento. En realidad ya se había olvidado del gracias, pero estaba pensando en lo que Pieters se disponía a hacer. Masdeu le pidió a un compañero de la policía portuaria que le acompañase y éste le llevó en un todo terreno de la policía. El vehículo se detuvo junto al primer policía que controlaba el tráfico. Masdeu le ordeno cortar el tráfico más arriba del fortín de San Jordi, prohibiendo el paso hacia el cementerio británico. Masdeu agarró una valla por la ventanilla y la colocó en el lugar adecuado para cortar el paso. Cuando llegaron al cementerio, el coche patrulla de la policía portuaria se colocó impidiendo el paso por el otro lado Había muchísima gente y Masdeu pidió a todo el mundo que se retirasen más allá de las vallas. Algunos dudaron, pues habían visto a Daniel y a María allí.

María y Daniel habían trepado hasta el interior del cementerio y estaban quitando ramas y mirando las tumbas. No era una cosa que hubieran pensado hacer, pero necesitaban respuestas ya, ese día, o tal vez no habría más.

Pieters explicó el plan a Masdeu.

Masdeu cogió el móvil y marcó el número del cónsul. Este se puso al instante.

—Hola señor, soy el agente Masdeu, Sir le pido permiso para acceder al recinto del cementerio británico, unos niños han entrado en él y hay que ayudarles a salir, antes de que se lastimen.

—¿Cómo dice? ¿Que han qué? ¿Niños?... Voy para allí Masdeu. Estoy aquí al lado.

El representante del Reino Unido en Barcelona se desplazaba siempre en una pequeña motocicleta, lo había hecho desde Barcelona, y ahora, no iba a hacer una excepción. Llegó al cementerio en menos de medio minuto.

—¿Qué ocurre Masdeu? ¿Qué hacen esos niños ahí dentro? pero si son Daniel y María...

—Tiene Ud. que concederme permiso para entrar y sacarlos.

—Bueno...bien...espere...yo...no tengo las llaves...nunca las llevo encima, hace veinte años que no entra nadie ¡NIÑOS! ¡SALIR DE AHÍ AHORA MISMO! Pero ¿Qué lío es éste?

—Vamos Sir Lindon.... o nos perderemos la celebración.

—Bien...sí...pero tendrán que romper los candados, así que pediré permiso a la embajada...y tardará...

—Oiga—le dijo Pieters, por supuesto en inglés. ¿No querrá Ud., pasar a la historia como esos tipos de las películas que se niegan a ayudar a los buenos y al final quedan como unos idiotas?

—Es que no tengo otro medio...un momento....

El británico notó algo en el bolsillo interior de su americana de lino.

—Es...es...la...la...llave...no puedo explic...

—No es necesario que lo explique, tan solo, démela— dijo Masdeu.

El representante inglés no salía de su asombro, pero el sentido común le dijo que no era casualidad y que había que entrar allí ¿el motivo...? qué más daba.

—Oiga—dijo dirigiéndose a Pieters— Usted no puede entrar, solo puedo tramitar el permiso para una autoridad local.

—Mi abuelo era de Bristol ¿será suficiente?

—¡Errr! bien, voy al coche patrulla, a llamar a la embajada y solicitar el permiso on—line por teléfono, es un caso de emergencia, ¡Pieters...!

El representante inglés con buen criterio, dio la vuelta y se metió en el coche patrulla, ojos que no ven. Eso sí, llamó a la embajada y comunicó que debido a una emergencia autorizaba a la policía de Tarragona a acceder momentáneamente al recinto, y que al día siguiente enviaría un informe, que él estaba presente y se haría conforme a la ley.

Por supuesto, Pieters accedió al recinto junto a Masdeu, Daniel y María entraron con mucho cuidado, el lugar estaba muy descuidado. Pronto aparecieron caminando los demás miembros del equipo, a quienes Nuria les había dado el recado de María para que acudiesen poco a poco, unos minutos después de hacerlo ellos, para que no se notase la ausencia de todos de una vez.

Fue Nerea la que descubrió aquel grabado, estaba en la pared del fondo de la cripta, junto al nicho más pegado al suelo, en la última fila de la izquierda, tocando la otra pared lateral. La inscripción estaba por debajo de la que correspondía a ese nicho, entre el hueco del nicho y el suelo. En la parte más baja de ese nicho, casi fuera de este, se leía 1813. Eso era lo que leería cualquiera que no hubiese visto esa letra en el atlas, pero sí después de haberlo hecho antes, te fijabas en esta, leías también Louis, pero con un cuadrado puesto encima de la u, de forma que se leía también 8 y un pequeño rabillo en la I, y otro en la curva superior del 3, de forma que podía pasar por una S. Pieters comenzó a cavar con la pala, en el hueco entre el suelo y esa pared. No le hizo falta mucho esfuerzo. Pronto topó con algo, tiró y sacó un libro, todos se abalanzaron sobre el hueco y comenzaron a cavar con las manos. Comenzaron a extraer libros y más libros, todos a pocos centímetros de la superficie. Muchos estaban mojados y enmohecidos, había docenas de ellos. La sorpresa se reflejaba en la cara de todos ellos. En un momento, María cogió algo diferente, parecido a una piedra, era un diamante, el diamante de las lágrimas de Louis, sin duda, escondido entre los libros. Todos los presentes se felicitaron por el hallazgo. Tenían el segundo diamante. Al mismo tiempo, comenzaron a preocuparse ¿y el tercero? ellos no lo tenían y suponían que tampoco Malos, pero ¿dónde estaba? Y el tiempo… ¿Se les estaba acabando? Pero...y esos libros… ¿qué significaban?

Había libros y pequeñas libretas. Todos correspondían a un periodo de tiempo pasado. Unos parecían más antiguos, pues sus páginas estaban atadas con cuerdas y otros eran claramente más modernos. Todos comenzaron a ojearlos y a sorprenderse, más incluso, de lo que lo habían hecho hasta ahora. Era…según ponía en las tapas, además del año a que correspondía cada uno… ¡LAS AVENTURAS DE INTREPID@! Estaba hasta la arroba, la diferencia es que esta arroba, era una o cuadrada y atravesada por una línea en diagonal.

—¡NO PUEDE SER! —exclamó María, también Daniel y los demás.

—¡HABLA DE MI, DE MI NACIMIENTO!— dijo uno.

—¡TAMBIEN HABLA DEL MIO!— dijo otro

—¡SALEN MIS PADRES! ¡SU BODA! ¡EL DIA QUE COMPRARON LA MAQUINA DE FOTOGRAFIAR SUEÑOS, ESTA EXPLICADO CON TODO DETALLE, ELLA ESTABA ALLI!—exclamó Daniel.

Se iban pasando los libros unos a otros, 1956, 1960, 1965, 1970, 1972, 1979, 1980, 1983 y así sucesivamente. Otros tenían 1814, 1815, 1826 y así sucesivamente.

La gente se agolpaba fuera, a pesar de los esfuerzos de la policía portuaria, que pidió refuerzos. El exterior de la cripta estaba muy descuidado y lleno de plantas bastante altas, eso permitió que los curiosos que se acercaban, no pudiesen ver bien lo que estaba sucediendo en el interior de la cripta. Era un lugar algo tétrico, pero tenían qué averiguar que significaban todos esos libros.

Nerea abrió uno de ellos.

—¡Lee lo que pone!

—Explica... lo que ocurrió la noche del 13 de agosto de 1813. Hoy hace doscientos años...

Nerea comenzó a leer, lo siguiente:

"Los niños salieron corriendo, luego supe que ninguno de ellos se fijó en nada. Comte ordenó entonces a mi hermana y a Intrépido que entrasen en el fortín. Ellos querían entrar solos, sin que entrase ningún niño más, pero los niños se negaron a abandonarles y Comte obligó a todos a entrar y también a mí. Uno de los hombres de Comte cerraba la puerta cuando sonó un gritó de muerte. Aquel hombre, sorprendido y asustado al oírlo, cerró la puerta y el candado rápidamente para girarse, sin pensar que el grito era de su compañero, el otro verdugo, al que Comte acababa de apuñalar. Yo aproveché su confusión para saltar y me escondí entre los arbustos. Comte disparó entonces contra ese hombre, que alcanzado cayó a plomo. Entonces Louis corrió hacia la puerta. Sé que Comte me dejó aparecer y acercarme también a la puerta para dispararme o para que la explosión me alcanzase. Louis intentó con las manos atadas encontrar las llaves, pero el verdugo no las había traído, pues aquellos cerrojos iban solo a cerrarse. Louis los cogió con las dos manos juntas y comenzó a chillar y a tirar, yo me puse a su lado e intenté ayudar, aun sabiendo que no iba a poder. Lloraba y lloraba, de pena y de tristeza. Entonces escuché esa canción. Miré al cielo y la vi. Era una niña como yo. Estaba cantando. Quería ayudarme, pero no sabía cómo. Estiró sus brazos y de sus manos salieron unos bellos rayos de luz, fue entonces cuando otra luz muy, muy intensa lo invadió todo, oí un disparo, pero no me alcanzó a mí.

Sonó una gran explosión, que cesó casi al momento de iniciarse. Todo lo que veía era una gran luz blanca, como una gran niebla. Hubo silencio. Estaba aturdida, como dormida, escuché un sonido que proveniente del cielo, se acercaba más y más, era como el de las aspas de un molino, cuando lleva poca agua, pero no, aquellas aspas no movían agua, descendían desde el cielo. Todo pasaba muy lentamente. Me desvanecí. Al despertar era de día. En mis manos había una piedra de cristal, no había ruido. Las puertas del Fortín estaban abiertas, los cerrojos estaban rotos, pero en su interior no había nadie, ni rastro de mi hermana, ni de los demás, tan solo el atlas de Louis y un cristal tallado en el suelo que recogí. Salí corriendo y tampoco hallé a Louis. En el lugar donde cayó al foso, había también un pequeño cristal, lo recogí. Comte había huido. Al tener en mis manos los tres cristales y mirarlos, vi en ellos a multitud de personas y de cosas, eran imágenes, muchas imágenes de la vida. Me senté y me puse a pensar en esa niña del cielo, en mi hermana, en Louis, en los demás. No sabía qué hacer, pero al momento por todas partes aparecieron unos caminos de cristal que partían en todas direcciones, había cientos de ellos. Subí a uno de ellos y al cruzarlos, aparecí en Sant Celoni, en el año 1981. Volví sorprendida. Con el tiempo he comprendido que esos pasillos de cristal y esas imágenes en los cristales, son los que me van a llevar a encontrar a mi hermana María y a mis amigos y traerlos de vuelta, a mi lado."

Seguimos en el cementerio británico

María lloraba, también Juliana, Daniel y Mario. Los demás estaban a punto de hacerlo. Ya no había duda. Ellos eran esos niños desaparecidos en 1813 y en ese momento, no sabían si estaban vivos, soñando, o a lo peor... muertos.

Cada uno fue leyendo un trozo de alguno de los libros y las conclusiones eran claras.

En otro se relataba la noche en el que el tornado entró y arrasó el colegio Atlas. Según Nuria, ese primer día de curso, todos los niños desaparecidos estaban juntos por primera vez en el colegio. Habían vuelto a él y no faltaba ninguno. Malos se lo había tomado muy mal y quiso demostrárselo...

No podían saber si esos niños murieron o no aquella noche de 1813, pero lo que era seguro es que durante casi doscientos años Nuria había reconstruido y escrito, a través de las imágenes de los diamantes, la vida de cada uno de ellos, de sus familias, de todos sus acontecimientos, con el único objetivo de guiarlos hasta ese día, doscientos años después, a ese día y a esa hora exactos. En los libros estaban todos los detalles, no faltaba ninguno. Nuria deseaba volver a tener a su hermana y a sus amigos y... ¡Los reconstruyó! recomponiendo las imágenes de los diamantes, antes del desenlace final.

En el primero contó también, como encontró a Louis malherido, en ese mismo lugar donde ellos estaban en ese momento. "Louis permaneció allí oculto. Se refugió allí tras ser herido por Comte. El cementerio británico está a 160 segundos del fortín. En ese cementerio no entraba nadie, era un lugar seguro, solo se enterraban a difuntos ingleses, nadie le buscaría allí, ni tampoco los restos". Nuria tuvo que ocultarse en numerosas ocasiones de un remolino que la perseguía. Anduvo y anduvo hasta que llegó a Els Pallaresos. Allí la encontró un pagés casi desfallecida. Este la llevó a su masía cercana al pueblo. No era la primera vez que encontraba a un niño en ese estado y siempre les había ayudado, pero esa niña permaneció desfallecida durante tres días y tres noches. Nuria que era muy lista, había dejado los diamantes en el cementerio británico. Cuando despertó, aquel pagés de apellido Torres, le dijo que no podía mantenerla, que tenía muchas dificultades para comer y dar de comer a su mujer y a su hijo, el cual además estaba muy enfermo. Nuria miró al niño, el niño tenía casi su edad y no podía moverse de cintura para abajo y con mucha dificultad, apenas los brazos. El niño sufría el entonces absolutamente desconocido Síndrome de Guillain Barré, una enfermedad que paraliza el cuerpo de quien lo padece y que requiere de mucha rehabilitación para volver a llevar una vida normal. Para los Torres el niño sufría una maldición. Nuria se ofreció a cuidarle y ayudarle a moverse mientras sus padres estaban en el campo, a cambio del justo sustento y de poder dormir en la cuadra. Los Torres aceptaron enseguida, porque eso les permitía a ambos ir a trabajar el campo, mientras la niña cuidaba del pequeño Arnau. Nuria sabía que podía utilizar esos caminos de cristal que habían aparecido por todas partes y que ella podía ver cuando se lo proponía, pero no sabía bien como usarlos.

El primer día que los Torres marcharon al campo pensó en hacer un segundo intento, quería ir "volando" hasta el cementerio británico y ver a Louis, aunque supuso que no le encontraría vivo. No quiso arriesgarse y dejó a Arnau. Pensó en donde quería ir y falló, apareció en Barcelona 1952. Al rato volvió a probar y apareció en Roma 1961. Probó muchas más veces y volvió de diferentes lugares y años y casi siempre se encontraba con aquel remolino perverso enviado por el mal, hasta que al final apareció donde deseaba, en el cementerio británico agosto de 1813. El cadáver estaba escondido dentro de una cripta. Louis lo había preparado todo para que no fuese encontrado, había puesto ramas por el lugar para ocultarlo, aunque todo estaba de por sí, muy descuidado. Louis había dejado un pequeño saquito con una nota para Nuria. Ella, como pudo, tapó el cadáver con más ramas y volvió a la granja. En total los viajes no habían superado los diez minutos de tiempo, en el tiempo del mundo de los demás. El niño estaba bien. Durante la noche Nuria no durmió, ensayo y subió a multitud de esos caminos. A medida que lo hacía, se daba cuenta de una cosa, era el pasado, pero también el futuro y estaba a su alcance. Una idea le rondaba por la cabeza. Cuando el niño había recuperado en algo la movilidad de los brazos y también de las piernas, algo por otra parte habitual en la evolución de ese síndrome, pero que los padres atribuyeron a la acción milagrosa de la niña, Nuria se propuso otra cosa más arriesgada Pasados unos días más, el niño era ya capaz de sostenerse en pie y de dar más de dos pasos seguidos. Al día siguiente, al marchar el matrimonio Torres al campo, contentos y felices de contar con Nuria, pues hasta las cosechas habían mejorado, Nuria abrazó a Arnau y pensó en lo que quería hacer. Al momento aparecieron ambos a las puertas del edificio del recién inaugurado colegio Atlas, o lo que es lo mismo a las puertas del que hasta entonces, había sido el colegio Imperial. Era diciembre de 1813. A pesar de que aún estaba bastante derruido, Comte había comenzado a dar clases a aquellos que podían de una forma u otra pagárselas.

Cuando Comte vio entrar a Nuria casi se desmaya.

—¿Qué quieres pequeña? ¿Qué has venido a hacer aquí? No eres bienvenida.

—Quiero que le enseñen a leer y a escribir.

—Que te crees tú eso...

La mirada de Nuria no ofreció dudas a Comte. No sabía cómo, pero esa niña era muy poderosa.

—Volveré a por el poco antes de la puesta de sol y así será cada día, hasta que yo diga lo contrario.

Comte no dijo palabra.

Nuria le hizo prometer a Arnau, que les diría a sus padres que era ella quien le enseñaba y podría haberlo hecho, pero Nuria, pretendía también otra cosa...

Durante años, los Torres vieron como su hijo se curaba poco a poco y además, como aprendía a leer y a escribir. Las cosechas de los Torres fueron muy productivas y sus viñas, beneficiadas por la aparición de la filoxera en Francia, prosperaron espectacularmente.

En cuanto a Comte, según los libros, no pudo ver nada de lo que ocurrió después del disparo que alcanzó a Louis. Se asustó tanto al ver la intensa luz blanca, que se metió entre unos arbustos y se cubrió la cabeza. Cuando se hizo de día de repente, se asustó aún más y salió corriendo. A los pocos días, con la ciudad en ruinas, volvió al lugar para cerciorarse de que los niños no se habían salvado. Supuso que todos incluida la pequeña habían muerto por la explosión. Pero cuando llegó allí, solo pudo ver el atlas en la pared. Se enfureció tremendamente, aunque pensó que no tenía motivos para pensar que volvería a verlos.

Agarró el Atlas y se dijo a si mismo ¡El colegio es mío!

Como a los actuales gobernantes el nombre de Imperial, no les iba a parecer muy apropiado para un colegio, Comte se inventó la leyenda de los niños asesinados por el soldado Louis y como él le había disparado intentando evitar la masacre. El pobre, había estado inconsciente durante días. Solo recordaba haber entrado enloquecido por la tragedia en el despacho del gobernador invasor, con la intención de ajusticiarle. No le encontró. Así que enfurecido, arrancó el atlas de la pared y se lo llevó como conquista para la ciudad y para su colegio. Luego se fue a su casa desvalido y se derrumbó sollozando en su dormitorio. La angustia le duró hasta varios días después. Las nuevas autoridades le trataron como a un héroe y por supuesto, le facilitaron la reapertura de su nuevo colegió, el Atlas, en fecha uno de diciembre de 1813. A esos niños, les había arrebatado incluso ese nombre. Nada dijo pues de la relación del atlas con los niños desaparecidos y por lo tanto con el colegio. La leyenda se fue desvaneciendo con el tiempo.

Según los libros, los recuerdos tormentosos visitaron noche tras noche a Comte, mientras el pequeño Arnau Torres crecía y aprendía. En 1817 Comte desapareció sin aviso previo. Tan solo dejó una nota en la que decía que se marchaba a Galicia por problemas familiares, aunque hasta ese momento, nadie sabía que tuviese familia.

Hasta eso era mentira, Comte marchó a Mallorca, donde inició una nueva vida. Durante años había intentado atrapar a esa niña, pero siempre se le escapaba. Intentó acabar con ella escondiéndose en el bosque para capturarla. Contrató a gente, pero la niña siempre escapaba, tanto lo intentó, que fue eso precisamente lo que le obligó a marchar, pues temió que al tener que contratar a matones, algún día estos se irían de la boca y entonces, tal vez acabaría sabiéndose toda la verdad y el ajusticiado sería entonces él.

En Mallorca, mar por medio, Comte se casó y tuvo un niño. Antes de eso, se había cambiado el nombre. Se puso Conde, no le resulto difícil ayudándose de un buen soborno. Después, con los años y la situación política, hasta le resultó útil.

Así el pequeño Conde creció, se casó, tuvo descendencia y según otro libro, finalmente Eduard Conde llegó a Tarragona en el año 2009, sin saber que alguien de su familia ya había residido allí.

En ese mismo libro se narraba como a los veinticuatro años, Arnau Torres se convirtió en director del colegio Atlas y su dirección y su ánimo, le convirtieron en el mejor colegio del mundo. Arnau se reveló siempre contra el servilismo y eso le granjeó enemistades. Se negaba a cobrar a los necesitados y cuando salía del colegio, daba clase a niños pobres o desvalidos en sus propias casas.

Pero el detalle más relevante de la relación de Nuria con los Torres, se produce antes, en 1817.

Nuria, entonces ya con doce años, escuchó como Arnau explicaba a sus padres que Nuria le llevaba y le traía de vuelta montando los dos en un pequeño poni que Nuria había aprendido a montar. Que surcaban los aires y tardaban muy poco en ir o en volver. El niño estaba feliz, contento, ya se había recuperado totalmente. Casi sabía escribir, leer y sumar, y se dejó llevar por la euforia. Nuria al ir a dormir, en la que ya era su propia habitación, pequeña y húmeda, en un extremo de las cuadras, le dijo al niño que ella tenía que marcharse. Arnau le preguntó porqué y se negó a aceptarlo. Ella le insistió en que había llegado el momento, que él ya podía valerse por sí mismo. Nuria no le dijo a Arnau la verdadera razón, que era que Nuria sabía que si el niño seguía contando esas historias, con el mal rondando por allí, se pondría en peligro, él y toda su familia, además, Comte iba a salir zumbando de allí y ella ya no tendría que seguir protegiéndole. Se llevaría al mal tras ella. Nuria tenía otros planes. En aquellos cristales estaban las caras y los momentos del futuro. Quería escribir y había encontrado la fórmula con la que creía que podía hacer regresar a su hermana y a los demás burlando el acecho de Malos.

Esos poderes que consiguió tras la colisión de la fuerza de los destellos de bondad enviados por aquella niña y el meteorito enviado por el mal, le permitirían ir y volver de cualquier lugar por aquellos caminos de cristal a la velocidad de la luz. Nuria viajaba siempre con el aspecto de una niña de nueve años, para cuando encontrase a Geneviève, ésta la conociese. Arnau se enfadó mucho y les dijo a sus padres que Nuria se marchaba. Los padres estaban consternados, pero con todo lo que le debían a la niña, intentaron disuadirla de quedarse, pero aceptaron su decisión de marchar. El padre de Arnau Torres le dijo que allí estaría siempre su casa y que siempre la tendrían por una hija. Nuria le pidió que hiciera una cosa que ella no podía hacer, pues ella no tenía fuerzas suficientes para hacerlo. Aquel hombre le dijo que haría cualquier cosa por ella, fuese lo que fuese. Nuria se lo reiteró y el insistió "sea lo que sea".

"Has devuelto la vida a esta casa, la salud a nuestro hijo y a nuestras tierras las buenas cosechas— dijo aquel hombre llorando— "Haré lo que me pidas."

Te pido esto porque yo no puedo hacerlo. Es una cuestión de justicia. Pero debes mantener el secreto, porque es una justicia que sólo podrá concederse en el futuro.

Nuria le pidió que enterrase un cadáver que había oculto dentro de una cripta en el cementerio británico. Sabría en qué lugar del recinto, porque ella había puesto el año y un nombre en el mismo lugar, superpuestos, para que nadie más lo averiguase. Torres así lo hizo, la misma noche que Nuria se fue. Torres guardó por siempre el secreto, incluso a su familia.

El pequeño Arnau Torres llamó a la puerta de la habitación donde dormía Nuria. Esta le abrió la puerta. El pequeño lloraba y le pedía a Nuria que no se fuese, pero ella le dijo que debía ser así. Arnau le pidió perdón llorando, Nuria también lloró, el pequeño Arnau le miró y le dijo.

"Si alguna vez vuelves a llorar por mí, búscame en el cielo y allí estaré, en cualquier lugar y así les diré que lo hagan a todos mis descendientes"

—¿Arnau, dónde has oído eso de "si vuelves a llorar por mi"?— le preguntó Nuria.

—Te lo escuchado a ti, lo cantas mientras duermes y sé que te escuchan. Les oigo.

Nuria abrazó al niño y volvió a llorar. Sabía que el niño decía la verdad y eso le lleno de felicidad y le alentó a seguir buscando a su hermana y a sus amigos

A la mañana siguiente Nuria había se marchado a un lugar y a todos.

Después la prioridad de Nuria fue encontrar a aquella niña. La que en una canción le había prometido ayuda y a la que ella misma, a su vez, se había comprometido a ayudar. Realizó numerosos viajes y en uno de ellos, se encontró en el San Francisco de 1972, ciudad a la que Geneviève había sido trasladada para ser sometida a un nuevo tratamiento para su enfermedad. Nuria supo en seguida que se encontraba en el lugar adecuado, pues una turbulencia la rodeó y la zarandeó siguiéndola desde su misma llegada. Sé libró metiéndose en un taxi. El taxista se sorprendió. Nuria le dijo al taxista que se había asustado y salió del taxi. Al salir del taxi, este se había desplazado sin que ella se diese cuenta, estaba en la misma calle, pero varios metros más lejos de donde había entrado en él. Entonces la vio, estaba en una ventana, mirándola. Era ella, sin duda. Ambas se reconocieron. El edificio era un hospital. Después Nuria entró en un comercio chino de la calle Bush, junto a la Chinatown Gate, o puerta de China Town. Nuria viajó varias veces para conocer el lugar y a su dueño, Wing Tau. Sabía que Wing Tau era de fiar y que ayudaba a mucha gente. Al entrar en la tienda Wing Tau le atendió personalmente.

—¿Tiene usted diamantes baratos de cristal?

—¡Claro pequeña!— se los mostró. Si compras uno de estos diamantes y lo regalas, harás feliz a esa persona, pues lo que importa, no es su precio, sino el amor con el que lo regales.

—Sí, pero esque yo no puedo dárselo a la persona a la que quiero entregárselo. Soy muy pequeña y ella está en un hospital. No me dejan entrar.

En realidad, Nuria no sabía si pondría en peligro a esa niña y no quería arriesgarse.

—¿En qué hospital está tu amiga?

—En uno que hay aquí cerca, a dos manzanas.

—Entiendo...

Wing Tau sabía perfectamente que hospital era aquel. Era, en realidad, un centro para enfermos terminales.

—¿Por qué no hacemos una cosa? ¿Qué te parece si se lo hago llegar yo?

—Bueno. Pero sabe, no quiero que se entere Malos o podría quitárselo y entonces ella a lo mejor no se cura.

—Entiendo...No te preocupes pequeña. Yo me encargaré de dárselo, pero ¿no crees, que deberíamos hacerlo con el diamante que llevas en tu bolsillo?

—¿Cómo lo sabe?

—Pequeña... yo he luchado muchas veces contra el mal. Observa—dijo Wing— mientras con la mano se quitaba el ojo izquierdo de cristal ante la sorpresa de Nuria. Tal vez estés aquí por ese motivo. Ya estuvo aquí una vez y me arrancó el ojo, que ahora llevo de cristal, por ayudar a una niña como tú. Le conozco y puedo asegurarte, que el mal no lucha para conseguir diamantes sin valor sentimental, sin cariño, por caros o baratos que sean, lo que le interesa es arrebatar ilusiones, esperanzas...Mira, dame ese diamante y te prometo, que yo se lo haré llegar, de una forma u otra y sin que Malos se entere.

Nuria se dio cuenta que Wing Tau tenía razón, y que si ella estaba allí era por algo. Así que se lo entregó.

—Tengo...otro...más...

—¿Otro más...? Y...ése ¿A quién he de dárselo?

—Este es para que me lo guarde. Volveré a buscarlo. Sé que aquí estará seguro.

—De...de...acuerdo. Lo guardaré hasta tu vuelta.

—Tal vez no venga yo, pero quien sea, pedirá por este diamante y usted sabrá que yo le envío.

—Bien, esperaré...

—¿Y si viene Malos? No quiero que tenga usted problemas con él.

—Una vez el bien entra en una casa, pequeña, fuera está siempre el mal acechando. Depende de cada cual, que el mal sé salga o no con la suya. Vendrá pequeña, vendrá, pero yo no le temo. Mi convicción por ayudarte, es mayor que el miedo que pueda intentar darme. Además, puede que mi ojo de cristal le impida ver lo que busque.

Nuria le dio las gracias y salió de la tienda para volver después a Tarragona, montada en un pequeño caballo de madera.

Cuando Nuria salió de la tienda, Wing Tau cogió el teléfono.

—Sí. Quisiera hablar con el agente Pieters ¿Puede decirle que hay una emergencia en la tienda de Wing Tau? —Dígale que acuda lo más rápido posible.

Wing Tau había calculado bien. Pieters había estado en su tienda dos minutos antes de que la niña entrase. Para Wing Tau, Pieters era el agente de policía más tosco de la ciudad, pero también el más honesto.

Pieters fue avisado desde la central. En realidad estaba con el coche patrulla a solo una manzana. Tenía mucho aprecio por Wing Tau, fuente de sabiduría. Pieters sólo llevaba tres meses en el cuerpo de policía y le convenía hacerse amigos en su zona y esa, era su zona. Al llegar a la tienda de Wing Tau, Pieters observó un hecho que le llamó mucho la atención. Una niña que no debía tener más de ocho o nueve años, subía sola en un taxi de San Francisco. En el taxi solo estaba el taxista y la niña. Podría ser su padre— pensó—. Aun así tomó la matrícula del taxi. ¡Ahora vengo! —le dijo a su compañero Arnold. Pieters entró en la tienda de Wing Tau.

—¿Qué ocurre amigo?

Wing miró su reloj.

—No detengas el taxi John, tan sólo, asegúrate que llega a su destino.

—¿El taxi? ¿destino? ¿que tax...? ¡Maldita sea!

Pieters subió corriendo al coche patrulla.

—¡Sigue al taxi Arnold! ¡Pero no pongas la sirena!

—Ha subido y ha girado a la izquierda.

Pieters vio numerosos taxis, todos iguales. Con algo de suerte y una conducción agresiva, pudo acercarse al adecuado justo en el momento en el que el taxi entraba en la Avenida Van Ness. Se dirigía al Golden Gate.

El taxi entró en el puente seguido de cerca por el coche patrulla.

—John, avisemos a la policía del condado de Marín. Ellos le seguirán, por cierto, ¿Por qué le estamos siguiendo?

En un momento, el taxi de San Francisco se perdió en una tan repentina como densa niebla. Pieters vio que se accionaban las luces de freno del taxi. Casi estaba al final del mismo, cuando un gran remolino de aire apareció de golpe en el puente y comenzó a zarandearlo. El coche patrulla se detuvo, Pieters bajó del coche y pudo ver como la puerta del taxi se abría y la niña bajaba y corría asustada. En ese mismo instante el remolino golpeó a la niña y Pieters se abalanzó sobre ella protegiéndola. El remolino les sacudió violentamente arrojándoles al suelo. Pieters la resguardó con su propio cuerpo. Estaba espantado. Aquello era algo sobrenatural, pues aquel vendaval rugía como una bestia salvaje. En ese momento se escucharon los disparos del arma de su compañero Arnold disparando contra el remolino. El remolino y su rugido cesaron por completo. La niebla se desvaneció. La niña de entre sus brazos, y el taxi, habían desaparecido como por arte de magia. Arnold no vio a la niña desaparecer de entre los brazos de Pieters, pero creyó lo que éste le contó. Ni Pieters ni Arnold explicaron nunca nada de ello. Pieters volvió a la tienda de Wing Tau al día siguiente y le explicó lo ocurrido.

—No he podido dormir. Todo es muy extraño, sobrenatural. Lo que pasó en el puente no tiene explicación ¿Que sabes de ella Wing? ¿Qué le ha ocurrido?

—No le ha ocurrido nada malo querido John, no debes preocuparte.

—¿Cómo lo sabes? ¿Por qué lo dices?

—Sé lo mismo que tú. No sé si vi a la niña o fue tan sólo una ilusión. Tú querido John ¿Has informado al comisario?

—No ¡Como voy a hacerlo! ¡Pensará que estoy loco! Sólo Arnold sabe lo que pasó.

—Entonces es que crees que no la has visto. ¡No me preguntes más! Así las cosas están bien. El tiempo pone cada cosa en su sitio, todo en su lugar, en su tiempo y al final, todo tendrá una explicación. Vete tranquilo John, hazme caso...

—No creo que pueda olvidarla nunca...

—Ella tampoco va a olvidarte, ya lo verás. Tengo un recado muy importante que hacer John. Me encantaría seguir charlando contigo, pero yo siempre cumplo con mis amigos y ahora tengo un compromiso.

—Lo sé Wing, pero como sabes...

—Vete tranquilo, has cumplido tu trabajo de forma brillante.

Pieters se fue sintiéndose realmente mejor después de hablar con Wing Tau. Nunca olvidó la cara de esa niña y creyó firmemente que Wing tenía razón, que ella tampoco le olvidaría.

Wing Tau salió de su tienda y se dirigió al hospital de enfermos terminales. Al llegar allí se colocó en la acera frente al edificio. Pasó bastante rato hasta que vio a una niña tras una ventana, junto a su madre. Había pensado en pedir el nombre y el número de habitación para enviarlo, pero ¿quién era el remitente? Debía hacerlo bien, o cualquier familiar podría llevárselo a casa. No era seguro.

Al rato la esa señora y su marido salieron del edificio. Wing Tau cruzó la calle con decisión, pensando cómo abordarles para hablar con ellos. Quería ocasionar un encontronazo y provocar con ello una conversación. Sí lo conseguía, tal vez podría presentarse más tarde en el hospital y entregarle el diamante a la niña a modo de disculpa. Lo hizo al mismo tiempo que lo ideaba. Se detuvo el tiempo suficiente para provocar el encontronazo. A la señora se le cayó el monedero que llevaba bajo el brazo. Wing Tau se agachó y se lo recogió.

—¡Oh...Oh...disculpen...!— Les dijo— Esperen, me llamo Wing Tau ¡Les pido humildes disculpas! ¿Puedo ayudarles en algo? No son ustedes de la ciudad, se lo noto en el acento.

—No. Somos de Vancouver. No se preocupe, bueno, ¿sabe usted dónde podemos encontrar un carrete y una batería para esta cámara?

—¿Esa cámara...? Cla....claro...Precisamente tengo en mi tienda. Además, si compran dos carretes y una batería, puedo limpiarles el hueco del carrete y el objetivo con un nuevo producto, que además puedo regalarles. Están en promoción.

Wing Tau estaba improvisando. No tenía ninguna oferta ni de carretes ni de nada, pero estaba dispuesto a ofrecérsela, a cambio de que acudiesen a su tienda.

Accedieron y en unos minutos estuvieron allí.

.—No parece una tienda de fotografía —le dijeron.

—Bueno, en realidad tengo otra tienda, donde tengo mucho material de fotografía. Está en la calle Powell. Aquí tengo algunas cosas. Deme la cámara. Le cambiaré el carrete y la limpiaré. Esta es la mejor máquina de fotografiar sueños que existe...

—¿Cómo dice?

—No...nada...nada ¡Estaba pensando en otra cosa!

Hasta el mismo Wing Tau se quedó asombrado de lo que acababa de decir. En el camino lo había improvisado todo. Desmontó la carcasa de la cámara. Situó el diamante en un hueco interior y lo adhirió con pegamento industrial, el mejor del mercado. Nunca se desprendería y esa máquina era de tanta calidad que jamás se estropearía. Limpió el interior y el objetivo, cambió el carrete y cerró la cámara de nuevo.

—Ya está y tengan la gamuza. Son cuatro dólares.

—¿Sólo cuatro dólares?

—Ésta tienda es muy barata, además, he tardado un poco más de lo que pensaba. La cámara es muy buena y lo he hecho con mucho cuidado. Este es el envoltorio del carrete y éste el de la batería. Son de la mejor calidad. ¿Van a hacer Uds. fotos a su hija?

—¿Cómo sabe que tenemos una hija?

—¿Un hijo tal vez?—corrigió Wing rápidamente.

—Sí, tenemos una hija, si alguna foto… tal vez más de una…

Se pusieron muy tristes. Wing Tau les dijo.

—El amor nunca se va. Siempre existe. Es lo único que puedes llevarte a la eternidad. Seguro que ella se llevará mucho.

El matrimonio salió y se alejó de la tienda de vuelta al hospital con la máquina de fotografiar sueños dispuesta para ser usada.

Wing Tau no le había fallado a Nuria, como Nuria no iba a fallarle a nadie.

En definitiva Nuria, no viendo otra forma de encontrar a su hermana y a los demás, los recrea, los repite, tal cual eran. El dominio de los tiempos y los caminos existentes entre 1813 y el futuro, así como las imágenes del futuro en los diamantes, le permiten detallar las circunstancias de la recreación de cada uno de ellos.

Aparecen los nacimientos, los familiares de cada uno, alguna que otra desgracia, que aparece con tachones, tal vez por el enfado de Nuria. Así transcurre un año tras otro y Nuria va creciendo, haciéndose mayor. Su sabiduría se acrecienta. Ha viajado por el mundo entero. Conoce todos los idiomas. Domina el tiempo de la vida real y el de la vida no real. Incluso en sus últimos libros, relata el logro de Intrepid@, la aparición de la revista, los logros en el colegio y por supuesto, las aventuras. Nuria duda en muchas ocasiones que su empeño vaya a tener éxito y por si así fuera, a falta de poco tiempo para el bicentenario, decide escribir una serie de aventuras, para que los niños lleven además a buen término el deseo que se marcaron bajo el atlas en el Fortín de San Jordi, cuando el dedo de su hermana se posaba en lugares que desconocía plenamente. Nuria iba a conseguir que el mundo fuese mejor, era, pensaba ella, lo que esos niños hubieran hecho, de no haber truncado sus vidas el malvado Comte. Pero Nuria pasa mucho tiempo en ese empeño. Sólo le queda confiar en Geneviève y que ella, en el poco tiempo que queda, le ayude a encontrar a su hermana y a sus amigos Ella tan solo cree que debe salvar a la pequeña niña enferma, para que esta le ayude a encontrar a los demás. En el fondo, cree que el mal quiere acabar con la única persona que había visto lo ocurrido y por ello, podía saber del paradero de los desaparecidos y ayudarla a encontrarlos, tal y como le había oído al cantar. Debía encontrar a Geneviève. El mal instigaba siempre a Nuria para confundirla. Sabedora de ello, Nuria escribía y escondía los libros en lugares remotos, para que el mal no se diese cuenta de lo que estaba tratando de conseguir.

En el cementerio británico, los niños, Masdeu y Pieters, estaban cada vez más absortos en la lectura de aquellos libros. María esgrimió uno correspondiente a 2003, lo que leyó a los demás en voz alta, era más o menos esto.

"María tiene dos años. Yo la observo con mamá, que es más guapa que en 1811. Junto con papá salen a pasear y se ríen mucho. Yo, en cambio, no puedo disfrutar de ellos y son mi familia, he pensado esta noche hablar con Geneviève. Llevo demasiados años rondado por el mundo con unos poderes extraordinarios, pero me gustaría tener a mi familia, ahora que ya existe de nuevo."

El relato sigue con la conversación de Nuria con Geneviève. Esta le dijo que podía volver cuando quisiera, al fin y al cabo estaba viva. Era de carne y hueso, podía entrar y salir de la vida real cuando le apeteciese. Tan solo tenía que escribir y dibujar su propia vuelta. Nuria le preguntó si perdería los poderes. Geneviève le contestó que cree que no, pero que no estaba segura. Creía, eso sí, que perdería la memoria de todo, pues difícilmente se podía ser un bebé, teniendo una menoría de una mujer de más de 100 años. Pero eso, según Geneviève, —"...no debía preocuparle. Cuando llegué el momento, yo te guiaré, tu solo disfruta de tu familia, para eso han vuelto, para eso has de volver tu también. Aprovéchalo. "Yo no podré hacerlo" Y así fue como en 2004, Nuria nació como cualquier otra niña. Hasta que una noche, años después, una bonita canción le recordó en la noche, que tenía una misión. Una misión que había atravesado los tiempos, las dimensiones e incluso la realidad. Una misión que no había variado, que debía impedir que todo eso de lo que Nuria había escrito sobre su hermana y sus amigos de colegio se esfumase después de 200 años, en tan solo 160 segundos.

Después de volver a nacer, Nuria no recordó nada de su anterior vida. Geneviève esperó a que creciese y a que comenzase a razonar, esperando también, que le quedase algo de la sabiduría que había tenido. Entonces, el veinte de diciembre, justo después de que Nuria cumpliese los nueve años de edad, se le apareció en la noche y le explicó toda su anterior historia. Nuria no se acordaba de nada de sus 192 años anteriores, ni tampoco de Geneviève, pero a medida que la escuchaba, un instinto interior le hacía creer que lo que ese ángel le explicaba era cierto. Mientras escuchaba el relato, su mente se transformaba y le hacía adquirir una madurez impropia de una niña de su edad. En seguida se dio cuenta que conservaba los poderes que Geneviève le había explicado que había tenido. Tras escuchar a Geneviève, Nuria no estaba dispuesta a perder de nuevo a su hermana y a sus amigos. A partir de entonces, les quedó muy poco tiempo para acabar lo que Nuria ya había comenzado en su anterior vida. Solo la combinación de la voluntad y la fuerza de ambas podían derrotar a Malos en aquel juego macabro que les había impuesto la noche del 13 de agosto de 1813.

Nuria escondía los libros en montañas y valles, cuando hubo acabado sus relatos los llevó al cementerio británico, dónde sabía que estarían a salvo y dónde sabía seguro que los encontrarían el día del bicentenario y a la hora precisa. El último lo escondió el 10 de marzo de 2004, ese día, todo, absolutamente todo, estaba ya escrito.

El móvil de Pieters sonó con intensidad. Era el padre de María.

—¿Dónde están los niños? Aquí están a punto de acabar.

—En seguida vamos para allí, estamos entre un grupo de...antiguos fans —dijo, mientras miraba los nichos que les rodeaban.

—Bien—dijo Masdeu— Recoged todos los libros y metámoslos en los coches patrulla. Espero que tengamos tiempo de mirarlos con calma.

Mientras decía eso, sacaba del suelo lo que parecía una tibia humana. Dedujeron que se trataba de parte del cadáver de Louis Troubert. Sacaron la mayor parte de los libros. Masdeu hizo que se cerrase la puerta con candados y se vigilase hasta que las autoridades decidiesen qué hacer allí.

El Cónsul del Reino Unido en Barcelona reapareció, una vez habían salido.

—Una vez resuelta la situación, debo rogarles que abandonen territorio británico ¿No habrá usted entrado Pieters, infringiendo las normas?

—No, no, me he quedado fuera vigilando.

—Bien, yo no lo hubiera dicho mejor, sin trasgredir las normas, claro.

Montaron en los coches patrulla y se dirigieron al Fortín de la Reina. Todos estaban pensativos. Los niños no sabían que pensar. No hablaban entre ellos y pensaban en sus familias, en sus recuerdos. No podían ser otros, ellos tenían que ser esos niños desaparecidos. Daniel, como siempre, iba dándose pellizcos, pero en esta ocasión pellizcaba también a los demás, esperando que alguno despertara y se lo hiciese saber. Pero no. No era un sueño. Sólo cabían dos posibilidades o eran esos niños desaparecidos en el siglo XIX o eran unos niños como los demás del siglo XXI, estuviesen o no soñando.

Al llegar al Fortín todos bajaron de los coches. Entraron mirando a su alrededor, como si estuviesen contemplando un gran cuadro pintado, de gran realismo, pero un cuadro al fin y al cabo. Tuvieron que contenerse para no ponerse a llorar delante de todo el mundo Muchos se dieron cuenta y les preguntaron que les ocurría pero apenas contestaban con explicaciones diversas.

Masdeu fue a buscar a la alcaldesa y la apartó. Habló con ella por espacio de unos minutos. La alcaldesa hacía gestos de sorpresa ante lo que Masdeu le decía. Al final hizo un gesto de afirmación a Masdeu y se apartó. Como todos habían acabado ya sus discursos, Conde, que no había avisado de sus intenciones de hablar también en aquel recinto, cogió por el brazo a Christine y cuando para sorpresa de todos iban directos a la tarima, la alcaldesa les pidió que le dejasen hablar a ella primero, ya que tenía que comunicar una noticia muy importante.

"Creo que estoy en disposición de darles una excelente noticia, que acabamos de conocer hace tan solo unos instantes. Como alcaldesa de Tarragona puedo informarles, que tenemos datos suficientes que corroboran que el soldado Louis Troubert, nada tuvo que ver en la desaparición y muerte de los niños que fueron encerrados y ejecutados en el Fortín de San Jordi. A pesar de que las pruebas que ha obtenido este consistorio están pendientes de una revisión más a fondo, se deduce con claridad, que el soldado Troubert, no sólo no participó en el encierro y asesinato de los niños, sino que hizo lo posible para evitarlo y dio su vida en el intento de liberarles y salvarles. En el futuro, al igual que hoy, esta ciudad le rendirá justo homenaje. La historia de Tarragona, al igual que su futuro, se escribe cada día y hemos de cuidar que lo sea en la honestidad y en la justicia".

Los invitados rompieron en un sonoro y prolongado aplauso. Christine, a la que Conde había ido traduciéndole el discurso, se echó las manos a la cara y comenzó a llorar de felicidad. Cuando llegó a aquella ciudad, temía que la gente le mirase por la calle reconociéndola. Que le acusaran con la mirada. Que le hicieran sentir culpable. Nada de eso había ocurrido y ahora por el contrario, le habían hecho sentir tremendamente feliz. No sabía que rostro tenía Louis Troubert. Le suponía buena persona, honesto y justo, como lo habían sido todos sus descendientes. Si podía poner cara a Geneviève y cada vez estaba más cerca de ella, en cierta forma, y sin saber todavía por qué, también se alegró por ella.

Conde visiblemente feliz, se acercó entonces a la tarima acompañado de Christine. Se dirigió al micrófono y comenzó a hablar. Eso no estaba previsto.

Quiero agradecer sus palabras a la alcaldesa y a quienes le han proporcionado los datos suficientes para que ella haya podido hacer esa declaración. Eso hace más fácil y alegre lo que vamos a deciros. Cuando Christine llegó a Tarragona por primera vez lo hizo con miedo. En este tiempo, ha comprobado que esta ciudad no produce temor. Esa desconfianza se fue convirtiendo en admiración y poco a poco, viaje tras viaje, en la voluntad de volver una y otra vez. Y es que el amor no existe, hasta que echas de menos eso de lo que antes podías prescindir. En estos días hemos estado juntos, compartiendo ese amor, de tal forma que también ha nacido entre nosotros. Quiero deciros, que hemos iniciado una relación, que esperamos próximamente confirmar en matrimonio.

Otro gran aplauso lleno el recinto.

Masdeu le dijo a Pieters,

—Alguien deberá decirle la verdad a Conde.

—Sí— le contestó Pieters— pero no será hoy…

Christine habló cuatro palabras, pues solo hablaba inglés y francés. Dio las gracias y dijo sentirse muy feliz. Mientras lo hacía ocurrió un hecho impresionante.

Un helicóptero blanco, con las siglas UN se acercó al Fortín, se aproximó lo suficiente para preparar el aterrizaje. Los helicópteros de los medios de comunicación se habían mantenido más lejos. Este sin embargo, descendió hasta posarse sobre un montículo junto al aparcamiento del Fortín de la Reina. Sus aspas se movían a toda velocidad, sin embargo no levanto ni una mota de polvo, ni hizo caer una sola hoja. Dentro del fortín, todos lo habían visto descender sin atreverse a decir nada, hipnotizados por la sorpresa.

Nuria comenzó a correr hacia el exterior. Iba sonriendo. Los niños y algunos invitados salieron fuera. Nuria cogió un cojín violeta, de manos, de ni más ni menos, que del Comandante Francisco Javier Torres, el fornido soldado de las Naciones Unidas, que les abrió paso en la primera aventura y que ahora pilotaba ese helicóptero. El comandante hizo el saludo militar a Los niños, que le contestaron de igual manera, excepto Clara y Alex, quienes gritaron ¡A SUS ORDENES SEÑOR!

Nuria entró despacio llevando el cojín en sus brazos, no, el cojín no lo llevaba ella, flotaba sobre sus manos, nadie se dio cuenta. Pasó por el pasillo central que habían dejado las mesas, subió a la tarima donde se hallaban todavía Christine y Conde. Christine fue a coger uno de los objetos que había sobre él y entonces Nuria, con mucha intención, recogió las manos. El cojín se mantuvo flotando frente a Christine y ella pudo verlo con absoluta claridad. Con cara de absoluta sorpresa cogió ese anillo de oro. Lo miró una y otra vez. En su interior había un grabado, "Louis Troubert — Ivette Reims— le 24.april 1807." Christine volvió a llorar. Con mucha dificultad, consiguió decir —"Gracias Nuria"— Christine sabía que la pequeña Nuria tenía un plan, que siempre lo había tenido pero no sabía cuál era. Ahora ya lo sabía. Esa niña esquiva le había conseguido lo que había ido a buscar a Tarragona, la verdad y de paso, le había traído el amor y estaba segura que aún le aguardaba algo más. Aquel recelo que tenía con Nuria, se tradujo en ese momento en admiración y agradecimiento. Christine la abrazó con mucho cariño y le dijo:

—"Te quiero pequeña Nuria"—. Entonces lloró todavía más y se acordó de nuevo de Geneviève. Conde cogió el otro anillo, él sabía que anillo era, como olvidarlo, era el anillo de matrimonio de su madre, el que siempre le pedía a él que lo dejase en una pequeña cajita de plata, cuando ella iba a lavar los platos. Conde sabía que todo aquello era y había sido siempre así desde aquel veinticinco de enero. El jamás había querido averiguar que se escondía detrás de aquellos fantásticos acontecimientos, porque detrás de un hecho maravilloso, venía otro, que lo era todavía más, y no había ningún peligro ni maldad. Ese, el que tenía en sus manos, era el claro ejemplo.

Ambos miraron a los asistentes, entre los que me hallaba, con cara de satisfacción, miraron esos anillos, de los que los demás desconocían su origen, y se los pusieron cada uno en el dedo del otro.

El helicóptero se elevó y se mantuvo bastante elevado, por encima del fortín. Todos fueron saliendo mientras felicitaban a la pareja.

En el exterior ya estaban preparados los Cadillac, uno verde y otros dos negros, también lo estaba el Cheker. El Cheker era donación de la ciudad de Nueva York y de la compañía de taxis, que tras quedar impresionados por las aventuras de Intrepid@ y en particular de su Cheker por las calles de Tarragona, y al enterarse de que la ciudad de Tarragona iba a crear el Centro Museo Intrepid@, recuperó un Cheker que iba a desguace, lo reparó y pintó con el típico color amarillo y lo donó a Tarragona. El taxi no estaba para muchos kilómetros, aunque aguantaría sin problema unos cuantos cientos. Estaba previsto que en ese Taxi fueran María, Daniel y el pequeño Nicolás, como lo fue la noche de aquel 25 de enero, pero el anuncio realizado por Christine y Eduard cambio los planes. Se aceptó que quienes viajasen en el Cheker, seguidos por los Cadillac, fuesen Christine y Conde. Frenando Afondo que era en todo caso el conductor, realizó entonces un pequeño cambio. La compañía propietaria del taxi ya no era la "King Cab", ahora era la " The unlimited Road Taxi Corporation", Frenando cambió el "Road", por un "Love"con un pintalabios prestado, entonces podía leerse " The Unlimited Love Taxi Corporation". Los niños subieron entonces a los Cadillac, la comitiva se puso en marcha, el Cheker, seguido por los tres Cadillac, y detrás de estos, ocho taxis con las familias de los niños y tres microbuses con el resto de invitados, además de la motocicleta del representante británico, enfilaron el paseo marítimo rumbo al puerto. A su paso atestado de público, la gente saludaba y vitoreaba, lanzaban flores y confeti, sobre los vehículos. Al llegar a la zona de la playa del milagro, un barco pirata alquilado al efecto, disparaba salvas de fogueo. En el pasaje Bryant, un grupo de soldados estaban formados junto a un camión. Dos hidroaviones con base en Reus, sobrevolaron el paseo en paralelo a la playa y rociaron una vez el paseo con un confeti biodegradable de colores, que cayó sobre la comitiva. El helicóptero blanco les seguía y aunque algo más elevados, los de televisión cuyas imágenes retrasmitidas al mundo resultaban espectaculares.

Dentro de los Cadillac, los niños no paraban de hablar, se rompió todo el silencio que habían mantenido antes.

—Está claro que no tenemos los tres diamantes, que es 13 de agosto y que son las 20:55. Quedan pocos minutos para que se cumplan los doscientos años exactos y aún no sabemos lo que va a pasar.

—Sí, es cierto que solo tenemos dos de los tres diamantes, pero el tercero no lo tiene Malos, es posible que aparezca en el último momento, quien sabe…si hemos impedido que el mal se haga con él Con los otros dos, es posible que Geneviève pueda negociar y devolverle sólo esos a cambio de la eternidad. Malos tendrá que aceptar dos o ninguno.

—Sí, eso, ¿pero qué eternidad? ¿la de ella?— Dijo Nerea.

—Es posible que ya haya decidido y que nosotros estemos ya condenados sin saberlo. —Dijo Pau.

—Es verdad, casi nos acercamos al final y no sabemos nada de lo que va a pasar.—añadió Joan

—Yo no creo que Geneviève nos deje de lado— dijo Juliana.

—No se trata de eso. Yo tampoco lo creo. Puede que hayamos logrado vencer a Malos, y puede que no haya sido así. Estoy segura, que a Malos no le bastará con tan solo dos de los diamantes y menos con lo tramposo que es. —Añadió Alex

—¡Hey! Estamos aquí. Somos de carne y hueso. No tengamos miedo. Cruzaremos el puente y sea la hora que sea, no pasará nada, todo seguirá igual—Dijo Daniel

—Ojalá sea así. No quiero quedarme sin mi familia, sin el colegio, sin mis amigos…—Dijo Mario

—Estamos juntos en esto ¿o no? El que quiera puede bajarse ahora mismo y alejarse, tal vez se libre si pasa algo.—dijo María.

Todos dijeron que no al unísono.

—¿Y si todo esto es un sueño?— Se preguntó Alex en alto.

—Pronto lo sabremos—Le contestó María.

La comitiva cruzó las vías, por las que pasaba el tren carbonero. Pasaron el control. Ya estaban muy cerca del puente. Este apareció, imponente, como siempre. Al verlo, lejos de infundirles temor a los niños, les relajó. Era como si esperasen que el puente les echase una mano. Lo hizo en una ocasión. Los muelles internos del puerto estaban al completo, con todos sus amarres ocupados por enormes y lujosos yates, de personas que querían ver la celebración desde ellos. El puerto estaba atestado de público.

Parte Decimoctava

Desenlace

La mayoría de los vehículos cruzaron el puente, a excepción del Cheker, que se detuvo a escasos centímetros de la hoja levadiza. Tan solo quedaba el Cheker que se introdujo en el puente y comenzó a cruzarlo. Todos los niños se juntaron al comienzo de esa hoja levadiza. Al tener allí solos a María, Daniel y los demás miembros del equipo juntos. Masdeu les preguntó.

—¿Qué vais a hacer?

—Cruzar el puente como todo el mundo, pero queremos hacerlo solos.

Ni Masdeu ni Pieters sabían si era buena idea, pero sí sabían que debían respetar la decisión de los niños, aunque no tenían ni idea de que iba a pasar. Pieters y Masdeu se pusieron a caminar y cruzaron la divisoria de las hojas. Los demás miembros de la comitiva, familia autoridades e invitados, se sorprendieron al ver que los niños se quedaban solos en el otro lado del puente, pero se les había dicho que los actos finales eran sorpresa y se miraban unos a otros, como diciendo, habrá sido cosa de estos, o de los otros y se quedaron expectantes a ver lo que pasaba. Intrepid@ y su equipo avanzaron juntos por la hoja del puente, cogidos de la mano. Cuando llegaron a la altura del Cheker, Christine feliz y sonriente bajó del taxi, también lo hizo Conde.

—Estoy muy feliz de ser vuestro director y orgulloso de vosotros, como alumnos y como personas.

—Gracias, dijeron todos,

La mayoría ya con lágrimas en los ojos miraban al otro lado del puente, dónde sus familias y amigos les esperaban cómo si la vida fuese a seguir. Nunca el futuro estuvo más cerca. Podían tocarlo tan sólo pasando la mano al otro lado de la línea divisoria pero ninguno de ellos se atrevía a cruzar. Alcanzar el futuro. Los demás lo consiguen en cada segundo que pasa, pero para ellos podía resultar imposible.

El helicóptero blanco permanecía en lo alto, suspendido sobre el muelle interior, a unos 50 metros sobre el agua, estático. El sol estaba ocultándose tras las montañas y el cielo rojizo y anaranjado dominaba el horizonte, cuando una rasgo blanco surgió por detrás de las montañas. Era una estrella fugaz, un cuerpo celeste que cruzaba el cielo a gran velocidad (era el Apophis que volvía doscientos años después). En ese preciso instante, muchos observatorios astronómicos miraban contrariados las pantallas de ordenador y los telescopios. Aquel meteoro no seguía la órbita que se preveía trazará ese día. Ahora, su órbita, era de impacto inminente contra la tierra. Nadie más se dio cuenta, tampoco en Tarragona. El paso más cercano a la tierra de ese meteoro, el Apophis, debía ser el 18 de agosto, sin embargo, ahora, lo más probable es que ese día, para los habitantes de Tarragona, no llegara jamás. El Apophis avanzaba, pero los pocos que se apercibieron de su presencia, pensaron en la estela de un avión. Daniel que ya había visto el meteorito, notó un cambio en su muñeca. Era su reloj Intrepìd@ que acababa de aparecer en su brazo. Las manecillas estaban quietas en las 21:12:80 y también el cronómetro. Daniel estaba pensativo y pasados unos segundos dijo

—Recordáis lo que Geneviève dijo que le había dicho el mal sobre que ningún ser humano tendría 160 segundos para evitar el impacto de un meteorito contra la tierra. Ahora sabremos lo que somos, porque mi súper reloj...ha empezado ahora mismo a contarlos.

Comenzaron a juntarse haciendo una piña junto a la barandilla del lado interior del puente. María dijo en alto.

—¡Si alguno quiere marcharse que lo haga. Que cruce la línea ahora, tal vez tenga más suerte!—gritó María

—¡SOMOS UN EQUIPO JAMAS ABANDONAMOS A NADIE!

Todos se juntaron en la piña y levantaron al cielo la máquina de fotografiar sueños y el otro diamante. El tiempo parecía ralentizarse como si tuviera que encajar. Todo lo que estaba más allá de las hojas del puente comenzó a hacerse borroso, como si alguien estirase una fotografía. Sólo podían verse con claridad el helicóptero blanco, el puente y el meteorito. En la calle de Trafalgar del Serrallo, en el mismo puerto, solo podía verse el pequeño muelle de madera donde atracaban los barcos de las excursiones. De pronto apareció corriendo por él una niña. Llevaba un vestido blanco del que surgían bellos destellos dorados, la niña llegó hasta el final del atracadero y quedó frente al puente. Un mensajero apareció corriendo tras ella y le entregó un pequeño paquete. La niña lo abrió y se emocionó, el mensajero le señalo el puente levadizo mientras le decía— "Han sido ellos, ellos te lo envían."— En realidad había sido Nuria. Lo había hecho en nombre de todos.

Todos la vieron. La niña agitaba las manos en alto para llamar su atención.

—¡SI! ¡CLARO...! —Se dijo María.

María me vio y sonrió, como dándome las gracias por lo que había hecho por ellos, como si no hubiese pasado el tiempo. En ese momento, la niña que estaba en el muelle de madera, frente al puente, extendió a lo alto el brazo derecho. En él llevaba el tercer diamante, el que estaba en San Francisco. El diamante brillaba de forma tan intensa, que su brillo podía desde cualquier lugar.

—¡ES LUNA! ¡LUNA NO ES HUMANA! ¡Ella si tiene 160 segundos!

María comenzó a repetirlo, una y otra vez.

Pieters se acercó a Nuria y le hizo una pregunta.

—¿Cuántos años tienes realmente pequeña Nuria?

—No siempre he tenido nueve.— Le contestó.

—¿Puedo preguntare otra cosa?

Pero Nuria no le contestó. Se acercó a Christine, que ya había cruzado la línea junto a Conde, le dio un pequeño libro de tapas verdes abierto por la primera hoja que era la única que estaba escrita, pues las demás estaban en blanco. Christine lo leyó, había una frase subrayada y la leyó...

¡Ves ese destello allí arriba! ¡ Estoy en el!

Christine miró al helicóptero que brillaba dentro de una cálida luz blanquecina. La vio, era Geneviève que le mandaba un beso, asomada a la puerta del helicóptero. Christine se puso a llorar de emoción. En ese momento el comandante Torres hizo el gesto de la victoria con el pulgar a los niños y cerró la puerta lateral del helicóptero. Los destellos de los dos diamantes y los de la máquina de fotografiar sueños, se elevaron hacia el helicóptero. Mario palpó en el bolsillo de su pantalón y encontró las llaves de aquella furgoneta blanca de

"Reparaciones de ensueño". Lloraba, pero fue fuerte y levanto la mano con las llaves. Apretó el botón del mando y el helicóptero se convirtió en un fulgor que salió lanzado vertiginosamente por el cielo en dirección al meteorito

Los niños alzaron sus brazos y gritaron juntos,

¡GENEVIÈVE...!

Nuria ya no escuchó la pregunta de Pieters, pero le entregó el pequeño libro que le había devuelto Christine. Buscó en el cielo. Escucho el inicio de una gran explosión. Una gran luz blanca lo inundo todo, la luz era como una niebla densa. Se oyó un disparo que no la alcanzó. El tiempo y el sonido se ralentizaron. Escucho un ruido que proveniente del cielo se acercaba más y más. Era como el de las aspas de un molino cuando se mueven con poca agua, pero esas aspas no se movían por agua, se trataba del mar. Escucho pasos veloces que se acercaban. Unas fuertes y grandes manos la cogieron y la apartaron con suavidad, al tiempo que alguien le decía "Tranquila. Estoy aquí para cumplir la promesa que mi antepasado Arnau Torres te hizo en 1817". Escuchó golpes de metal contra metal, mientras esperaba desorientada. Alguien le acariciaba el cabello y escuchaba como esa niña cantaba "Si lloras por mí, búscame en el cielo....te ayudaré" La noche se hizo más oscura y todo, salvo una cosa, todo, absolutamente todo... siguió exactamente igual que antes de la luz blanca, menos los libros, que desaparecieron, todos y cada uno de ellos, a excepción del que Nuria dio a leer a Christine. En él había una declaración jurada de 1867, de uno de los niños que se escapó del fortín el 13 de agosto de 1813. Ese niño, Pere Bonpunt, compareció ante un notario de Tortosa y en el momento de redactar la declaración, certificó que Louis Troubert no ejecutó a nadie, que no sabía lo que había pasado, ni quien era culpable, pero que no pudo ser Louis Troubert. Así lo explicaba.

"Salí el último. Troubert se giró hacia mí y pude ver que estaba maniatado y había sido brutalmente golpeado. Troubert no pudo cometer la matanza. Sólo pudo ser Comte o alguno de los hombres a sus órdenes. Ellos (refiriéndose a los niños desaparecidos) me enseñaron a leer y escribir. Gracias a ello y a pesar de mi minusvalía (le faltaba un brazo), he podido ser lo que soy. Les debo la verdad, por dignidad. Muchos callamos nuestras sospechas demasiado tiempo por miedo a Comte y otros se beneficiaron de ese silencio, pero se acabó" Después se comprobó que efectivamente el original estaba en el archivo conservado de ese Notario y qué era perfectamente legal y válido a todos los efectos como prueba de veracidad.

Dentro del fortín, lo que se dice dentro del edificio, en realidad, la noche del 13 de agosto de 1813 no murió nadie, excepto, si se puede decir así, el verdugo abatido por Comte justo en la puerta, y cuyo cadáver, pronto adivinareis donde se encontró.

Sobre el puente del puerto, el helicóptero blanco salió al encuentro del meteorito. Allí Geneviève fue a cumplir el pacto al que había sido obligada a aceptar por Malos en 1813. Geneviève entregó todos los destellos a Malos y con ello, perdió definitivamente la eternidad. Geneviève era inmensamente bondadosa, pero no confiaba en que Malos cumpliese el pacto, a pesar de haberlo cumplido ella, por eso, mientras ella entregaba su eternidad, el helicóptero blanco se posó en tierra, y de él, llegado del futuro, el Comandante Francisco Javier Torres Torres corrió hacia el Fortín, apartó con delicadeza a la pequeña Nuria, rompió los cerrojos de la puerta del Fortín y liberó con ello a los niños, cumpliendo con ello la promesa que su antepasado (el pequeño Arnau), había hecho a Nuria en 1817, antes de que ella marchase para siempre de la granja de la familia Torres. Como Geneviève ya había explicado, los sueños, la vida no real paralela, la vida real, los tiempos y las cosas, se mezclaban hasta confundirse. La aparición de ese agujero en el espacio y en el tiempo hizo que los niños, tal y como salían del Fortín al que habían entrado en 1813, apareciesen doscientos años después, en el siglo XXI.

Los niños cruzaron después la divisoria de las hojas del puente y se abrazaron en otra piña al otro lado del puente. A esa piña se fueron sumando todos, Pieters, Conde, Christine, la alcaldesa, el alcalde de San Francisco y la pequeña Nuria, a quién su madre acariciaba los cabellos. Ninguno de los niños recordó nada más anterior. Era como si la leyenda jamás hubiese ido con ellos. Solo permaneció el Intrepid@, la fundación, las empresas, y todo lo que había pasado desde el 25 de enero, pero sin Geneviève, ese era su deseo. El mundo fue mucho mejor desde entonces y todo por el acierto de una revista escolar. La película Intrepid@ tuvo un éxito sin precedentes, al igual del multitudinario y multi retrasmitido concierto de esa noche. Intrepid@ se interpretó en teatros y obras escolares.

La ciudad de Tarragona se situó como una de las capitales que más turistas recibían.

El acto secreto de aquel 13 de agosto, que sabían cuatro y el gato porque había visto como lo preparaban de noche, tuvo lugar después de que los niños cruzasen finalmente la línea divisoria de las dos hojas. Una vez lo hicieron, en dos de las bases de cemento del puente, una en el lado interior y otra en el exterior, se desprendieron, mediante unos pequeños artilugios pirotécnicos, unas láminas de masilla del mismo color cemento de las bases, al desprenderse estas quedaron al descubierto dos inscripciones, una por cada lado, en las que grabadas en el cemento podía leerse;

Intrepid@

La autoridad portuaria había decidido a petición popular, llegada del mundo entero, poner nombre al puente. Desde ese momento y por siempre, se llamaría "Puente Intrepid@". Ante esa acertada decisión, los aplausos de toda la ciudad resonaron en todos los barrios cercanos. Fue un nombre que encantó y maravilló a la ciudad y al mundo entero.

Las autoridades del puerto de Tarragona fueron puestas a prueba. A partir de aquel día, fueron miles las peticiones de personas que querían celebrar su unión cruzando la línea divisoria de las dos hojas del puente Intrepid@. Cruceros llenos de turistas llegados del mundo entero hacían cola para amarrar en el puerto. Quién no iba a participar en una de esas ceremonias, quería verlas o admirar de cerca uno de los puentes más famosos del mundo.

En esas ceremonias, los vehículos se acercaban hasta la línea y los protagonistas bajaban de un taxi amarillo usado al efecto, para cruzar la línea después, siempre de este a oeste. Por si eso fuera poco, un empleado del puerto se llevó en una ocasión un mando de TV al puente. Cuando una pareja llegó lentamente con el taxi hasta la línea, lo sacó y para sorpresa de todos, lo apretó como si fuese a abrir el puente. Todos se quedaron expectantes, esperando que el puente se moviese, pero claro, no lo hizo. A partir de ese momento ese empleado y nadie más, tuvo que dedicarse a hacer ese gesto, cada vez que se lo pedían.

Como la demanda fue tan grande, fueron muchos los que tuvieron que contentarse con cruzar la línea imaginaria que seguía desde el puente hasta el tinglado número cuatro, junto a la segunda ventanal del lado mar. Alguien trazó una línea marrón en ese lugar y al poco, se llenó de gente cruzando esa línea. Todos ellos en definitiva, querían cruzar esa línea e iniciar una nueva vida.

Bien, como ya narré antes, Marina Anders fue operada con éxito y pudo contemplar, junto a sus nuevos amigos de Tarragona, la inauguración del monumento a los héroes de la noche de febrero en San Francisco. Marina creció, se graduó Qum Laude en la universidad de Berkeley, en medicina, cirugía, cirugía oftalmológica. Le llamaban la "Doctora sonrisas" y una vez siendo famosa, en televisión, le preguntaron por ese mote y ella contestó "Una vez, antes de recuperar la vista, mi madre me hizo esa pregunta" y yo le contesté "Sonrío tantas veces, para intentar compensarte, por todas las veces que tú no has podido hacerlo" y aún me quedan muchas. "Gracias mamá". Mamá había fallecido unos meses antes. Colaboró y operó para la fundación Intrepid@, en muchos quirófanos del mundo. Con los años se compró su casita en la Marina de San Francisco, aquel maravilloso lugar donde su madre le explicaba cómo eran, "las sonrisas de los veleros" y lugar de aquel concierto que ella miraba con admiración, como lo hizo después cuando pudo volver a verla.

Unos años después Marina se compró un velero, el Marvin. No tenía demasiado tiempo libre, ni para el amor, pero le gustaba dibujar con su velero lo que ella llamaba " Sonrisas en el mar", miraba las estelas de los barcos, ya no tenía que imaginarlas. Viajaba a Tarragona para ver a sus amigos siempre que podía, a ver ese puente en el puerto que la tenía enamorada, que siempre deseaba cruzar en su Marvin aunque sabía que la vela de su barco solo hacía cinco metros, era muy baja, para que se molestasen en levantarle el puente para ella. Siendo ya un poco mayor, cuando sus manos ya no le permitieron operar, varios amigos le llevaron a petición suya el Marvin a Tarragona. Ella fue en avión y se quedó varios días. Les dijo que quería hacer esa travesía para reflexionar sobre su nueva etapa sin operar. Todos le dijeron que era una travesía muy arriesgada, así, en solitario, pero ella les dijo que no tenía miedo, que tenía suficiente experiencia y que iría poco a poco, sin prisas, cercana a la costa. Su deseo era ahora que aun podía, dibujar una enorme sonrisa entre Tarragona y San Francisco, que al fin y al cabo, era la que le había devuelto la suya. Cuando Marina subió al Marvin y sus amarras se soltaron desde aquel muelle del Serrallo de Tarragona, había una docena de sus mejores amigos despidiéndola. El Marvin puso proa al puente y justo al llegar, el muelle del lado izquierdo junto al puente, se llenó de gente, autoridades de Tarragona, taxistas, médicos, amigos, mucha gente, le lanzaron rollos de colores y el confeti. Ella comenzó a emocionarse, las lágrimas aparecieron, justo cuando el puente se levantó en su honor y entonces ella comprendió la grandeza de Intrepid@, de la obra maravillosa de ese grupo de niños, del movimiento cuyas sonrisas habían cambiando el mundo.

Nueve días después, el Marvin fue encontrado a la deriva por un buque Noruego, al este de las islas Azores. El capitán del barco noruego dio aviso a las autoridades portuguesas y un helicóptero de rescate acudió a la llamada. Un médico del equipo de rescate certificó la muerte de Marina. Estaba en su cama, tranquila y con una sonrisa. Cuando comprobaron la documentación, avisaron a las autoridades de tierra y estás enviaron un helicóptero con un equipo forense. Al mismo tiempo el gobierno portugués contactó con el gobierno de los Estados Unidos y tras comprobar el equipo forense que la muerte se debía a causas naturales y tras realizar la lectura del libro de bitácora y de la vela mayor…si, la vela mayor, tomaron una preciosa decisión, el Marvin continuaría su sonrisa hacia San Francisco con Marina en un interior, interior que fue expresamente acondicionado para ello. Siempre hubo quien pensó que el barco comenzó a sonreír antes de construirse, cuando "Marina vio Intrepid@, Mar V in". Igual tenían también razón.

Poco antes de morir, Marina escribió en su libro de bitácora que no se encontraba muy bien, sabía que podría tratarse de una insuficiencia cardiaca, pero no quiso hacer que un helicóptero con un equipo médico se pusiese en marcha sólo por ella, en vez de eso, puso rumbo a las Azores. Ella siguió escribiendo, por si acaso, y lo que escribió convenció a todos para que el barco siguiese su rumbo.

"Espero llegar esta noche a Las Azores. Ya no puedo operar y pronto, no podré volver a navegar. Debo hacerme mirar esta presión en el pecho, porque tengo que acabar esta travesía, mi gran sonrisa. La sonrisa de Tarragona a San Francisco es la que siempre he querido dibujar y os la quiero regalar a vosotros mis amigos que la habéis hecho posible." La cosa empeoró y Marina no llegó a la visita médica.

En el blanco de la vela mayor, escribió durante la travesía los nombres de todos los que habían hecho posible esa travesía, desde su madre hasta Nuria, pasando Luna y por Pieters (entonces ya fallecido) Nunca se supo, si alguien lo hizo realmente, quién le indicó el nombre de Geneviève, porque muy pocos sabían quién había sido ese maravilloso ángel. Podían contarse con los dedos de una mano.

Una fragata de la Marina Portuguesa escoltó el barco. Pronto se le unió una española, desde las Islas Canarias, otra francesa, otra inglesa, una rusa, y varias de todas las nacionalidades que tenían barcos en la zona. Las tripulaciones de esos barcos se turnaron para dirigir el Marvin hasta San Francisco. Cuando el Marvin entró en solitario en la bahía cruzando el Golden Gate, el nuevo Guardian of the Fire y el USS Pampanito, todavía museo, le acompañaron a su amarre en el Boat Club de la Marina, dónde envuelto en la bandera de su país y en el de las Naciones Unidas, fue sacado el cuerpo de Marina Anders, ciudadana ejemplar del mundo.

Marina dejó su legado en una caja de seguridad del banco de Norteamérica, la misma que su madre Elisabeth abrió años antes. Marvin la dejó pagada hasta la eternidad. Elisabeth conocía muy bien a su hija y conocía también sus posibilidades. Con su contenido, Marina hizo realidad muchos sueños individuales, que se transformaron en colectivos. Ella decía también que los buenos sueños, jamás se quedaban en una sola persona. Según ella, Intrepid@ había sacado a la vista muchas cosas maravillosas. Tarragona tuvo su réplica exacta del Marvin, cuya construcción se estaba realizando ya. El barco tenía la réplica exacta de su vela nominada y de su cuaderno de bitácora. Fue admirado, visitado y fotografiado por infinidad de turistas que lo visitaron en su amarre del Serrallo. Había muchos objetos reales de Marina y las muchas fotografías que se hicieron en él durante su construcción. Era un barco que también llevaba la historia de Marina Anders. Pero sobre todo, Marina cumplió y superó el sueño de Marvin, quién con su dinero, no solo quería hacer un bien a Elisabeth y a Marina, sino también a su ciudad, y su ciudad a su paso por Tarragona, regaló miles de sonrisas por el mundo entero, bonito ¿eh?

Otro curioso y admirable caso fue el de Amanda Waits, si, la dueña del "Pétalos de fuego". Cuando Amanda pudo leer el Intrepid@ decidió que estaba ya cansada de decirle a aquel frío diamante que era suyo ¡Si ya lo sabía! Cada día lo mismo. Pero, y a ella ¿Quién le decía algo bonito? Era una solitaria y ese diamante no le ayudaba a calmar la soledad. Se lo vendió a un subastero de algún lugar lejano.

En cuanto a Pieters, se jubiló. Estaba bien económicamente. Mantuvo siempre la relación con Elisabeth y Marina. Se encontraban con mucha frecuencia. Pieters también solía llamar a menudo a Nuria, aunque sólo fuera para preguntarle cómo estaba. Siguió creyéndose en la obligación de protegerla y así lo hizo siempre. El se quedaba muy tranquilo y feliz después de llamarla y hablar con ella. A Nuria le encantaba hablar con Pieters. Estaban mucho rato hablando. Muchas veces Nuria le hacía bromas y le hacía enfadar a posta, se reían mucho. El último viaje que hizo Pieters fue a Tarragona. A sus ochenta y nueve años, tampoco había viajado a ningún sitio más. Lo hizo para asistir a la entrega del carnet de taxista honorífico a Sergi, el hermano de Ana. Sergi estudió mucho y consiguió un puesto de telefonista en la compañía de taxis de Tarragona. Su minusvalía le impidió conducir. Cuando su enfermedad le obligó también a abandonar el puesto de telefonista que tan profesionalmente desarrolló durante varios años, sus compañeros de profesión, conductores o no, la Fundación Intrepid@ y la ciudad de Tarragona, le rindieron un bello homenaje, en el cual, un coche de autoescuela de color blanco, fue tematizado como taxi, y así, con un asistente como copiloto, Sergi pudo manejar el volante de aquel taxi cruzando el puente del puerto, ahora ya conocido como el Intrepid@, llevando como pasajera a Nuria. Se le hizo entrega de un certificado honorífico numerado, que coincidía con el número de licencia que se le había puesto al taxi, el H512.

La fundación Intrepid@ consiguió el nobel, que fue recogido por María, Daniel y Nuria, acompañados por los demás miembros del equipo.

María acabó los estudios de Ingeniería, la de caminos, canales y puertos. Diseño puentes en casi todo el mundo, pero cuando los inauguraban perdían el nombre original y todo el mundo les llamaba Intrepid@, estuviesen donde estuviesen. Daniel acabó periodismo y fue presentador de televisión.

Presentó la entrega de los Oscars en Hollywood, en la que entregó varios a su amigo y gran director de cine Mario. Nuria se licenció en Derecho y posteriormente en Historia y dio clases en la universidad. De esta forma en verano hacía de embajadora de la Fundación Intrepid@. De los demás, Nicolás fue alcalde de Tarragona y su hijo, el comandante Francisco Javier Torres, siguió la carrera diplomática de su abuelo David, llegando a ser comandante de los cascos azules de las Naciones Unidas. Participó en numerosas misiones de paz en sus tiempos y como ya sabéis, también en otros. Juliana fue una gran arquitecta. Construía bellos edificios ecológica y energéticamente eficaces. Las sedes de los principales gobiernos fueron remodelados por ella. Nerea filóloga, escritora de Best Sellers. Grandes relatos históricos que seguían el estilo y la exactitud de los de su padre. Por supuesto, Mario le metía siempre prisa, para poder hacer una película de sus novelas. Ona ingeniero aeronáutico, todas sus ideas volaban a las cadenas de montaje. Alex, estudió también ingeniería. Su mundo era el de los juguetes para montar. Realizó prototipos de ellos que después se vendieron por millones. Pau se licenció en ciencias económicas. Aunque siguió explicando chistes malos, sus cálculos matemáticos eran tan precisos, que llegó a presidente del BCE. Joan lo hizo en farmacia. Análisis clínicos, hasta que investigando, descubrió nuevas vacunas que salvaron muchas vidas. Clara en biología. Y Luna, Luna, claro, Luna volvió al IntrepidAtlas. Aquella tarde en el cementerio británico, de entre todos los libros que no se abrieron, había uno, escrito en 1969, tras pisar el hombre nuestro satélite. En él se narraba el nacimiento de Luna años después. Nuria había escrito muchas veces a la luz de esa Luna. En ocasiones, Nuria pensaba que la Luna estaba tan sola como ella, y decidió que era hora de que abandonase la soledad. Así que le concedió esa suerte a una niña que iba a nacer en 2001.

Sus padres aun no habían decidió el nombre, Nuria les ayudó a decidir. Luna, en su vida real se doctoró en...Os doy una segunda oportunidad, en...¡exacto! en Astronomía.

Se dice que durante todos los años de su vida, tanto Luna como María recibían cada año en febrero una caja de bombones "Destellos de Luna" que repartían con los demás. Nadie pudo averiguar, ni siquiera el fabricante, como les llegaban. Los dejaban en algún lugar y desde allí, uno o más taxis los llevaban a dónde estuviesen, fuese dónde fuese. Aquellos bombones eran...diferentes a los que se vendían en los comercios, qué de por sí ya eran muy buenos. En verdad os digo que las formas de esos bombones estaban hechas con los rayos que la luz del sol refleja en la luna... sabrosísimos.

Todos fueron muy felices y estuvieron siempre muy unidos.

El IntrepidAtlas, el colegio Atlas, siguió siendo el colegio de referencia que había sido siempre. El acoso escolar fue erradicado. Ya no estaba bien visto. Quienes lo practicaban eran rápidamente reprendidos por una mayoría ahora si valiente. Ya no molaba despreciar a los demás y mucho menos maltratarlos. Por cierto, el último director del colegio Atlas que conocí y estuvo muchos años fue Al. (Albert).

Las pruebas de ADN realizadas a los restos encontrados en el cementerio británico, comparadas con las de Christine Troubert, demostraron que no tenían parentesco alguno con ella ni con su familia. Ante eso, las autoridades británicas dejaron el cadáver desconocido en el lugar donde había sido encontrado, que se convirtió en un lugar de visita, peregrinación y culto, dentro de la ruta Intrepid@.

Parte Decimonovena y última

un mensaje para todos y para todos los tiempos

Christine y Eduard se casaron y... ¡No os lo vais a creer! ¡Me hicieron penta abuelo! Ellos ya eran un poco mayores, pero yo tenía casi trescientos años. Debió ser entonces, aunque yo no sé todavía quién fue su cómplice, cuando Eduard, un yerno maravilloso, vino a mi tienda a buscar el anillo de matrimonio. Debió coger algún resto biológico y lo sometió a la prueba del ADN. Christine se presentó poco después y lo primero que me dijo al entrar fue:

—Hola Louis, demasiado tiempo, demasiado, pero ha merecido la pena.

Al sentirme "descubierto", intenté explicar lo inexplicable, pero ella volvió a hablar...

—No digas nada Louis. Sólo quiero saber un par de cosas. Era Geneviève... ¿Verdad? ¿Estará bien ahora? Ahora que estoy contigo, solo necesito saber que es así para sentirme inmensamente feliz.

—Sí. Lo era. Geneviève está bien ahora Christine. Ahora sí.

Me dio un fuerte abrazo y un enorme beso. Lloramos largamente. Es verdad que yo, mucho antes, había decidido que fabricar joyas, relojes y anillos llenaba totalmente esa parte de mi vida anterior, pero además de eso, yo, que ya la había perdido una vez, necesitaba volver a tener una familia y mira por dónde, en la década de los ochenta, la tuve de nuevo. Me quedé en Tarragona sabiendo que en 1813, con una leyenda que me inculpaba, no podía volver a mi país, con mi familia, no de aquella manera. Además, Malos podría haber seguido mi vuelta y habría llevado en ella el peligro para mi mujer y mi recién nacido hijo, poniendo en riesgo todo el plan de Nuria y Geneviève, y con ello, también en peligro el buen final de Intrepid@. Yo, a diferencia de Nuria, no tenía el poder de viajar en el tiempo. Ella me informaba de todo. Mi familia emigró al Canadá y fue feliz. Viví muchos años escondido en los bosques, hasta que pude volver a Tarragona, con otra personalidad y con el nombre de Juan, de profesión joyero y escultor de la vida. Nuria trajo del futuro el material suficiente con el que me curé la herida de bala, mi "apendicitis". Esa pequeña habría podido cambiar el mundo en tan sólo un par de viajes al futuro. Fue muy duro para ambos el no hacerlo, si no hubiera sido consciente, a pesar de su corta edad, del grave peligro que ello entrañaba, pues Malos encolerizado, podría haber provocado el final de la humanidad. En alguna ocasión, como cuando Malos provocó el accidente del matrimonio Comte en Mallorca, Nuria pasó por muy difíciles momentos. Nuria visitó a Comte, estando este ya muy enfermo. El no sé extraño de volver a verla. Siempre había estado seguro que aquella niña tenía poderes sobrenaturales. En cuanto la vio, le dijo. "Perdóname niña, si puedes. Te lo suplico. Desde ese día sufro de terribles pesadillas y estoy muy arrepentido". Ella le perdonó. Nuria mantuvo su entereza y de esa forma, esa hábil y bondadosa niña se ha salido con la suya. Ha sido mucho más astuta que Malos y ha conseguido que otros cambien el mundo y lo hagan mejor de lo que era. Pero, y los libros ¿Qué habrá sido de ellos? Bien, tal vez ahora mismo, en algún lugar del planeta, haya otro equipo de niños viviendo una gran aventura en la vida no real paralela buscando esos libros. Es posible que alguna otra Nuria o tal vez un Gael, o cualesquiera otros, vayan ahora mismo montados en taxis y haciendo el bien a través de otro agujero en el espacio tiempo ¿Quién lo sabe? ¿Que estará pasando en la vida no real paralela?

Mis diamantes tallados son muy famosos. Ahí tenéis el "Pétalos de fuego" ¡Claro que es creación mía! Para mi cada persona es una joya. Hay que ponerle amor y será mejor persona, eso, no tiene precio. Las joyas regaladas sin cariño, amor o amistad, tampoco. Pero el trabajo de joyería más curioso que he visto en mis dos vidas, lo hizo el mismísimo Wing Tau, pues guardó uno de los diamantes dentro de otro cristal, ¿sabéis de cuál? Seguro que sí. Así pudo mantenerlo escondido, fuera "de la vista" de Malos y ni Su Làn, ni Luna, pudieron encontrarlo la noche del 15 de febrero. Cuarenta años después lo extrajo de su curiosa ubicación para entregárselo a alguien.

Dos meses antes de aquel trece de agosto, presenté un magnífico trabajo de orfebrería. Un nuevo sagrario que esculpí para la Parroquia de San Juan en Tarragona y que podéis contemplar en ese lugar, siempre que os apetezca. Alguien se me acercó y tras observarlo detenidamente, me dijo "Es maravilloso, pero seguro que tu próxima obra también lo será" A lo que yo le contesté: "No, mi próxima obra será aún más maravillosa. Cada obra que acabo lo es más que la anterior". Evidentemente, yo ya pensaba en ese cercano trece de agosto. En estar allí. En participar con Geneviève y Nuria en esa maravillosa obra para traer de vuelta a esos valientes niños. Ellas me advirtieron que eso significaría volver a ser mortal, cómo los demás humanos. Pero traerlos a este siglo también significaba para mí iniciar una nueva vida y no podía hacerlo sin ellos. Ahora ya tengo fecha de caducidad, pero estoy satisfecho, porque al igual que mis obras, los logros de Intrepid@ permanecerán siempre vivos a través del tiempo.

Me gusta hacerme viejo, si lo llevas bien, excepto por el reuma, que en los más de dos siglos anteriores nunca noté, resulta una experiencia maravillosa. Sé que he acertado en muchas decisiones y eso ha hecho que otros acertasen en la suyas y así ahora tengo junto a mí ¡a mis nietos y a mis pentanietos! Cuando en 1811 vine a Tarragona, no sabía que Ivette, mi mujer, estaba embarazada de un niño precioso. No sé qué fue lo que me permitió perdurar en el tiempo y ser testigo de toda esta fantástica historia. No quiero saberlo, porque no sé sí sería un error y no quiero correr el riesgo de perder todo lo maravilloso que esto va a significar para todos. A veces se pueden cometen más errores en 160 segundos qué en 200 años. NO dejéis de buscar la felicidad en cada segundo, en cada instante porque como alguien muy bien dijo, "El tiempo jamás se gana, siempre se pierde". No hay forma de recuperarlo si algún día te hace falta. Aprovechar el tiempo también para hacer felices a quienes os rodean, pues ellos también tienen una sola vida, un solo tiempo. No hagáis sufrir a nadie. Sí no podéis aceptarle, simplemente, dejarle vivir en paz.

En fin, ¡Ah! ¡Sí! el último diamante, claro, se me olvidaba, bueno no, en realidad, quería darle emoción.

La noche del 15 de febrero, en el Palacio de la Finas Artes de San Francisco, Luna le entregó un diamante a la niña que le entregó el paquete con chocolate "Destellos de Luna". Esa niña era Estelle Benson. Era el "Pétalos de fuego". Por supuesto el "Pétalos de fuego" volvió a su dueña, como ya he explicado. A la mañana siguiente, Ruth Benson y su madre, fueron a la tienda de Wing Tau y compraron un diamante de cristal barato. Wing Tau le dio el diamante de la eternidad que Nuria le había dejado para guardar hasta el momento adecuado y ese momento llegó cuando Ruth Benson (la hermana pequeña de Estelle) entró en la tienda. ¿Qué? ¿Qué cómo supo Wing Tau que debía dárselo? de esta forma.

La niña entró y le pidió a Wing Tau un diamante de cristal barato, barato. Wing le preguntó por qué no quería uno simplemente barato, y la niña le contestó;

Lo que importa no es su precio, sino el amor con el que lo regales.

Wing Tau escuchó exactamente las mismas palabras que él le había dicho a Nuria cuarenta años antes y supo que Ruth era la persona indicada para entregarle el diamante de la eternidad. Era, además, una niña de familia muy acomodada. Su madre asentía a todo lo que decía la pequeña. No tenían necesidad de comprar un cristal barato, salvo que Nuria de una forma u otra, las enviase a recogerlo.

Wing entró en la trastienda y en unos minutos extrajo el diamante del oblicuo lugar donde lo había guardado en 1972. Salió y sé lo dio a la niña, que pensó que era un diamante barato como los demás.

—¿Qué te parece si hacemos una cosa pequeña Ruth?— le dijo Wing Tau a la niña.

—¿El qué?

—Tú quieres mucho a tu hermana, ¿verdad?

—¡Sí! ¡Mucho!

—Pues mira, el día de tu cumpleaños ¿En abril verdad...?

—¡Sí! ¿Cómo lo has sabido?

—Porque las flores bonitas nacen en primavera. Bueno… pues esa noche deja este diamante en el jardín de tu casa.

—¿Para qué?

—Porque esa noche mágica, las estrellas se lo cambiaran por otro.

—¡Pero yo no quiero que mi hermana lo cambie!

—Las estrellas se lo cambiaran por otro y ese será el regalo más fantástico para tu hermana Estelle y se lo regalarás el día de tu cumpleaños, será como decirle lo feliz que eres de que cumpla años junto a ti.

—¿Sí? ¡Me gusta esa idea!—dijo la niña, con la madre observando entusiasmada.

—Claro, porque ese nuevo diamante llevará el nombre de tu hermana grabado dentro, en su interior. Grabado en el cristal con el destello de las estrellas.

—¿De verdad?

—Ya lo verás…

Y la niña así lo hizo. La noche de su cumpleaños (Eran vacaciones de Semana Santa en Tarragona) dejó el diamante en el jardín de su casa en la calle Broadway. A la mañana siguiente y en el mismo lugar, encontró un diamante con el nombre de su hermana grabado en el interior del cristal. Yo mismo lo grabé con destellos de estrellas de verdad, ¿A qué es guay?

El resto lo sabéis. María siempre pensó comprar uno de esos diamantes para guardarlo y regalárselo a Luna, si esta volvía alguna vez. Nuria se adelantó para burlar a Malos y tener el diamante bien protegido. Exacto, fue el diamante que Luna sacó en el puerto de Tarragona el 13 de agosto a las 21:15 horas, el que faltaba. Nuria se salió con la suya. Guardó siempre también ese secreto hasta ese día, para que Malos no pudiese hacer lo que intentó con Claris y averiguar de esa forma el lugar donde estaban los diamantes de la eternidad que faltaban. Nuria fue tan lista, que al comprender que Malos utilizó a Luna, para que con su movimiento hacia la vida no real paralela, alterase la órbita del meteorito 2012DA14 para que destruyese San francisco, ella hizo lo mismo, pero en sentido inverso, es decir, en San Francisco guió al equipo y en concreto a María la Intrépida para que acercaran la Luna a su equipo, y con ello, hacer que variase de nuevo la trayectoria del meteorito, esta vez para alejarlo. Lo mismo ocurrió después en el puente de Tarragona. Nuria quería hacer llegar el diamante a Luna y esta, al volver a la tierra para recogerlo, varió la órbita, esta vez del Apophis, ayudando a que este se alejase de impactar en Tarragona. Solo ella disponía de 160 segundos.

Muchos pensareis que soy un viejo con mucho rollo y otros, que toda esta historia ocurrió en tan solo 160 segundos. No sé qué deciros. Viejo y algo apasionado sí que soy. A veces cierro los ojos y me parece volver a escuchar las aspas de ese helicóptero blanco, acercándose lentamente desde el cielo, cómo lo hizo en 1813 desde ese futuro tan próximo. Es muy hermoso hacerse viejo cuando alguien te quiere, como lo es ser un niño cuando se te quiere también. Querer a los niños. Quererles mucho. Demostrádselo siempre que podáis. Veréis como el mundo será cada vez mejor. Nuria vio todo en los diamantes. Copió las imágenes que estaban en su interior. Ya existían. Eran todas y cada una de las secuencias de las vidas futuras de los niños, que el 13 de agosto de 1813, habían quedado esparcidas como las piezas de un puzle, en el tiempo y en el espacio, hasta que ella con la ayuda de Geneviève, las ordenó y recompuso, haciendo imposible que Malos las destruyese para siempre.

Pienso que os gustará saber qué le quería preguntar Pieters a Nuria en el puente, es una buena pregunta, tan buena, que yo me la hago a mí mismo muchas veces.

—Escucha Nuria....todo esto... ¿Ha pasado de verdad?

FIN

Personajes

MARÍA | DANIEL | D.EDUARD CONDE

MARIO | JULIANA | ALEX

NURIA | NICOLAS | AGENTE MASDEU

EDUARD COMTE(1811) 1811811 1817 | LOUIS | ELENA

JOAN | PAU | NEREA

VANESSA / ARNAU TORRES | ANA | ADRIÁN / CDTE.TORRES

ALCALDE SAN FRANCISCO FRANCISCO

ALCALDESA TARRAGONA TARRAGONA

CHRISTINNE

FRANK WELLS

DRA. MARINA ANDERS

LOUIS

MARÍA	María López Vargas-Machuca
EDUARD CONDE	Jordi Gilisbars Pons
NICOLAS	Nicolás Cantón Vela
MARIO	Mario Cobo Moreno
JULIANA	Juliana Giraldo Bedoya
ALEX	Alex Martos Gasulla
NURIA	Núria López Vargas-Machuca
CTE TORRES	Francisco Javier Mesa Venegas
DANIEL	Daniel Vargas-Machuca Giral
EDUARD COMTE	Juan Manuel Palomar Pérez
LOUIS	Juan Blázquez
ELENA	Elena Goñi Oneca
JOAN	Joan Mallol Musté
PAU	Pau Mallol Musté
NEREA	Nerea Navarrete Ortega
VANESSA	Vanessa López Valverde
ANA	María Palomar Poveda
ADRIAN	Adrián Vargas-Machuca Giral
ALCALDE SAN FRANCISCO	Clemens López Valverde
ALCALDESA DE TARRAGONA	María José Vela Fernández
CHRISTINNE	Cristina Pérez Soldrá
ARNAU TORRES	Pau Tomás Margalef
DRA MARINA.ANDERS	Dra. Ángeles Vargas-Machuca Fernández
AGENTE MASDEU	Jordi Nadal Novella
FRANK WELLS	Jordi Mateo Díaz

Imágenes

MOZART 238
Pº SAN ANTONIO
ESCALERAS P.SAN
FORTIN DE SANT JORDI
TREN CARBONERO/CAÑONES
TREN FONDO GRUAS
VIDAL Y BARRAQUER
Fotos: Juan Antonio López Valverde

Fotos:Pachd.com

Fotos: Fotolia

Foto: Consulado Reino Unido

CPSIA information can be obtained at www.ICGtesting.com
Printed in the USA
BVOW08s1029040315

390301BV00025B/290/P